유머로 배우는 한국어

русский язык(러시아어)
переведённое издание(번역판)

• 유머 **(имя существительное) : юмор**
Слова или поступок, вызывающие смех у других людей.

• 로 : **нет эквивалента**
Частица, указывающая на способ или метод для выполнения какой-либо работы.

• 배우다 **(глагол) : выучить**
Завладеть или обрести новые знания.

• -는 : **нет эквивалента**
Окончание, которое указывает на действие или событие в настоящем, преобразуя впередистоящее слово, словосочетание или придаточное предложение в определение.

• 한국어 **(имя существительное) : корейский язык**
Язык, который используют в Республике Корея.

※ 이 책의 폰트는 '함초롬 바탕체'를 사용하였습니다.

< 저자(автор) >

㈜한글2119연구소

- 연구개발전담부서
- ISO 9001 : 품질경영시스템 인증
- ISO 14001 : 환경경영시스템 인증
- 이메일(электронная почта) : gjh0675@naver.com

< 동영상(видео) 자료(материал) >

HANPUK_русский язык(перевод)
https://www.youtube.com/@HANPUK_Russian

HANPUK

제 2024153361 호

연구개발전담부서 인정서

1. 전담부서명: 연구개발전담부서

[소속기업명: (주)한글2119연구소]

2. 소 재 지: 인천광역시 부평구 마장로264번길 33
상가동 제지하층 제2호 (산곡동, 뉴서울아파트)

3. 신고 연월일: 2024년 05월 02일

과학기술정보통신부

「기초연구진흥 및 기술개발지원에 관한 법률」 제14조의 2제1항 및 같은 법 시행령 제27조제1항에 따라 위와 같이 기업의 연구개발전담부서로 인정합니다.

2024년 5월 13일

한국산업기술진흥협회장

< 목차(оглавление) >

● 부록 (примечание)

< 1 단원(глава) >

제목 : 깜짝 놀라서 티브이(TV) 전원을 꺼 버렸지.

● 본문 (Основной текст)

할머니께서 드라마를 보시다가 갑자기 티브이(TV) 전원을 꺼 버렸습니다.

그리고 며칠 후 초등학교 동창회에 참석하셨습니다.

거기서 할머니는 가장 친한 친구에게 티브이(TV)를 갑자기 끈 이유를 말했습니다.

할머니 : 갑자기 배우 한 명이 기침을 하잖아.

깜짝 놀라서 티브이(TV) 전원을 꺼 버렸지.

할머니 친구 : 바보야, 티브이(TV)를 왜 꺼.

얼른 마스크를 쓰면 되지.

할머니 : 맞네.

그런 기막힌 방법이 있었네.

● 발음 (произношение)

할머니께서 드라마를 보시다가 갑자기 티브이(TV) 전원을 꺼 버렸습니다.
할머니께서 드라마를 보시다가 갑짜기 티브이(TV) 저눠늘 꺼 버렫씀니다.
halmeonikkeseo deuramareul bosidaga gapjagi tibeui(TV) jeonwoneul kkeo beoryeotseumnida.

그리고 며칠 후 초등학교 동창회에 참석하셨습니다.
그리고 며칠 후 초등학꾜 동창회에 참서카셛씀니다.
geurigo myeochil hu chodeunghaggyo dongchanghoee chamseokasyeotseumnida.

거기서 할머니는 가장 친한 친구에게 티브이(TV)를 갑자기 끈 이유를 말했습니다.
거시서 할머니는 가장 친한 친구에게 티브이(TV)를 갑자기 끈 이유를 말핻씀니다.
geogiseo halmeonineun gajang chinhan chinguege tibeui(TV)reul gapjagi kkeun iyureul malhaetseumnida.

할머니 : 갑자기 배우 한 명이 기침을 하잖아.
할머니 : 갑짜기 배우 한 명이 기치믈 하자나.
halmeoni : gapjagi baeu han myeongi gichimeul hajana.

깜짝 놀라서 티브이(TV) 전원을 꺼 버렸지.
깜짝 놀라서 티브이(TV) 저눠늘 꺼 버렫찌.
kkamjjak nollaseo tibeui(TV) jeonwoneul kkeo beoryeotji.

할머니 친구 : 바보야, 티브이(TV)를 왜 꺼.
할머니 친구 : 바보야, 티브이(TV)를 왜 꺼.
halmeoni chingu : baboya, tibeui(TV)reul wae kkeo.

얼른 마스크를 쓰면 되지.
얼른 마스크를 쓰면 되지.
eolleun maseukeureul sseumyeon doeji.

할머니 : 맞네.
할머니 : 만네.
halmeoni : manne.

그런 기막힌 방법이 있었네.
그런 기마킨 방버비 이썬네.
geureon gimakin bangbeobi isseonne.

● 어휘 (лексический запас) / 문법 (грамматика)

할머니+께서 드라마+를 보+시+다가 갑자기 티브이(TV) 전원+을 끄(ㄲ)+어 버리+었+습니다.

그리고 며칠 후 초등학교 동창회+에 참석하+시+었+습니다.

거기+서 할머니+는 가장 친하+ㄴ 친구+에게 티브이(TV)+를 갑자기 끄+ㄴ 이유+를 말하+였+습니다.

할머니 : 갑자기 배우 한 명+이 기침+을 하+잖아.

깜짝 놀라+(아)서 티브이(TV) 전원+을 끄(ㄲ)+어 버리+었+지.

할머니 친구 : 바보+야, 티브이(TV)+를 왜 끄(ㄲ)+어.

얼른 마스크+를 쓰+면 되+지.

할머니 : 맞+네.

그런 기막히+ㄴ 방법+이 있+었+네.

할머니+께서 드라마+를 보+시+다가 갑자기 티브이(TV) 전원+을 끄(ㄲ)+[어 버리]+었+습니다. **꺼 버렸습니다**

• **할머니 (имя существительное)** : 아버지의 어머니, 또는 어머니의 어머니를 이르거나 부르는 말.
бабушка
Слово, употребляемое при обращении к матери отца или матери матери или их упоминании.

• 께서 : (높임말로) 가. 이. 어떤 동작의 주체가 높여야 할 대상임을 나타내는 조사.
нет эквивалента
(вежл.) 가. 이. Частица, указывающая на необходимость возвышения объекта, являющегося субъектом какого-либо действия.

• **드라마 (имя существительное)** : 극장에서 공연되거나 텔레비전 등에서 방송되는 극.
драма; трагедия; телесериал
Пьеса, показываемая в театре, или сериал, транслируемый по телевидению и т.п.

• 를 : 동작이 직접적으로 영향을 미치는 대상을 나타내는 조사.
нет эквивалента
Частица, указывающая на объект, на который непосредственно распространяется влияние действия.

• **보다 (глагол)** : 눈으로 대상을 즐기거나 감상하다.
смотреть; рассматривать
Любоваться или просматривать объект глазами.

• -시- : 어떤 동작이나 상태의 주체를 높이는 뜻을 나타내는 어미.
нет эквивалента
Гонорифический глагольный суффикс, указывающий на почтительное отношение к субъекту какого-либо состояния или действия.

• -다가 : 어떤 행동이나 상태 등이 중단되고 다른 행동이나 상태로 바뀜을 나타내는 연결 어미.
нет эквивалента
Соединительное окончание предиката, указывающее на резкую смену действия или состояния.

• **갑자기 (наречие)** : 미처 생각할 틈도 없이 빨리.
внезапно; вдруг
Настолько быстро и неожиданно, что даже не успел подумать.

• **티브이(TV) (имя существительное)** : 방송국에서 전파로 보내오는 영상과 소리를 받아서 보여 주는 기계.
ТВ
Прибор, передающий звуки и изображения, получаемые по электромагнитным волнам из телевещательной станции.

• **전원 (имя существительное)** : 전기 콘센트 등과 같이 기계 등에 전류가 오는 원천.
источник электричества в электросети
Источник электричества в электросети, из которого электричество поступает в электроприборы.

• 을 : 동작이 직접적으로 영향을 미치는 대상을 나타내는 조사.
нет эквивалента
Частица, указывающая на объект, на который действие оказывает непосредственное влияние.

• **끄다 (глагол)** : 전기나 기계를 움직이는 힘이 통하는 길을 끊어 전기 제품 등을 작동하지 않게 하다.
выключать
Прекращать доступ или поставку электричества в какой-либо аппарат.

• -어 버리다 : 앞의 말이 나타내는 행동이 완전히 끝났음을 나타내는 표현.
нет эквивалента
Выражение, указывающее на исчерпывающую завершённость действия.

• -었- : 어떤 사건이 과거에 완료되었거나 그 사건의 결과가 현재까지 지속되는 상황을 나타내는 어미.
нет эквивалента
Окончание, указывающее на полное завершение какого-либо события в прошлом и сохранения данного результата до настоящего времени.

• -습니다 : (아주높임으로) 현재의 동작이나 상태, 사실을 정중하게 설명함을 나타내는 종결 어미.
нет эквивалента
(формально-вежливый стиль) Финитное окончание предиката, употребляемое при описании события, действия или состояния в форме настоящего времени в ситуациях вежливого общения.

그리고 며칠 후 초등학교 동창회+에 참석하+시+었+습니다. **참석하셨습니다**

• **그리고 (наречие)** : 앞의 내용에 이어 뒤의 내용을 단순히 나열할 때 쓰는 말.
и; затем; потом; после этого
Слово, используемое для простого последовательного соединения начальной части содержания с его последующей частью.

• **며칠 (имя существительное)** : 몇 날.
несколько дней
Несколько суток.

• **후 (имя существительное)** : 얼마만큼 시간이 지나간 다음.
после; впоследствии; потом; затем
После прохождения некоторого времени.

• **초등학교 (имя существительное)** : 학교 교육의 첫 번째 단계로 만 여섯 살에 입학하여 육 년 동안 기본 교육을 받는 학교.
начальная школа
Первая ступень школьного образования, где учащимся даются самые необходимые и поверхностные знания, учащиеся поступают в возрасте 6 лет и обучаются в течение 6 лет.

• **동창회 (имя существительное)** : 같은 학교를 졸업한 사람들의 모임.
встреча выпускников
Собрание выпускников одного и того же учебного заведения.

• 에 : 앞말이 어떤 장소나 자리임을 나타내는 조사.
нет эквивалента
Окончание, указывающее на какое-либо место или пространство.

• **참석하다 (глагол)** : 회의나 모임 등의 자리에 가서 함께하다.
присутствовать; участвовать
Занимать место и вместе проводить собрание, встречу и т.п.

• -시- : 어떤 동작이나 상태의 주체를 높이는 뜻을 나타내는 어미.
нет эквивалента
Гонорифический глагольный суффикс, указывающий на почтительное отношение к субъекту какого-либо состояния или действия.

• -었- : 어떤 사건이 과거에 완료되었거나 그 사건의 결과가 현재까지 지속되는 상황을 나타내는 어미.
нет эквивалента
Окончание, указывающее на полное завершение какого-либо события в прошлом и сохранения данного результата до настоящего времени.

• -습니다 : (아주높임으로) 현재의 동작이나 상태, 사실을 정중하게 설명함을 나타내는 종결 어미.
нет эквивалента
(формально-вежливый стиль) Финитное окончание предиката, употребляемое при описании события, действия или состояния в форме настоящего времени в ситуациях вежливого общения.

거기+서 할머니+는 가장 <u>친하+ㄴ</u> 친구+에게 티브이(TV)+를 갑자기 <u>끄+ㄴ</u> 이유+를 <u>말하+였+습니다</u>. **친한** **끈** **말했습니다**

• **거기 (местоимение)** : 앞에서 이미 이야기한 곳을 가리키는 말.
там
Слово, указывающее на место, о котором говорилось ранее.

• 서 : 앞말이 행동이 이루어지고 있는 장소임을 나타내는 조사.
в; там; на; где
Окончание, указывающее на место действия впередистоящего слова.

• **할머니 (имя существительное)** : 아버지의 어머니, 또는 어머니의 어머니를 이르거나 부르는 말.
бабушка
Слово, употребляемое при обращении к матери отца или матери матери или их упоминании.

• 는 : 문장 속에서 어떤 대상이 화제임을 나타내는 조사.
нет эквивалента
Частица, указывающая на то, что какой-либо объект является основной темой в предложении.

• **가장 (наречие)** : 여럿 가운데에서 제일로.
самый; наиболее
Лучший из определенного множества, превосходящий остальных по определенному признаку.

• **친하다 (имя прилагательное)** : 가까이 사귀어 서로 잘 알고 정이 두텁다.
близкий; дружественный
Находящийся в тесной дружбе, испытывающий сердечную любовь.

• -ㄴ : 앞의 말이 관형어의 기능을 하게 만들고 현재의 상태를 나타내는 어미.
нет эквивалента
Окончание, указывающее на состояние лица или предмета в настоящий момент, при котором впередистоящее слово, словосочетание или придаточное предложение выполняет функцию определения.

• **친구 (имя существительное)** : 사이가 가까워 서로 친하게 지내는 사람.
друг; подруга; товарищ; коллега
Люди, имеющие близкие отношения, поддерживающие дружбу друг с другом.

• 에게 : 어떤 행동이 미치는 대상임을 나타내는 조사.
кому-, чему-либо
Окончание, указывающее на предмет, подвергающийся влиянию какого-либо действия.

- **티브이(TV) (имя существительное)** : 방송국에서 전파로 보내오는 영상과 소리를 받아서 보여 주는 기계.
  ТВ
  Прибор, передающий звуки и изображения, получаемые по электромагнитным волнам из телевещательной станции.

- 를 : 동작이 직접적으로 영향을 미치는 대상을 나타내는 조사.
  нет эквивалента
  Частица, указывающая на объект, на который непосредственно распространяется влияние действия.

- **갑자기 (наречие)** : 미처 생각할 틈도 없이 빨리.
  внезапно; вдруг
  Настолько быстро и неожиданно, что даже не успел подумать.

- **끄다 (глагол)** : 전기나 기계를 움직이는 힘이 통하는 길을 끊어 전기 제품 등을 작동하지 않게 하다.
  выключать
  Прекращать доступ или поставку электричества в какой-либо аппарат.

- -ㄴ : 앞의 말이 관형어의 기능을 하게 만들고 사건이나 동작이 과거에 일어났음을 나타내는 어미.
  нет эквивалента
  Окончание, которое указывает на действие или событие в прошлом, преобразуя впередистоящее слово, словосочетание или придаточное предложение в определение.

- **이유 (имя существительное)** : 어떠한 결과가 생기게 된 까닭이나 근거.
  причина; основание
  Причина или основание, из-за которых проявился какой-либо результат.

- 를 : 동작이 직접적으로 영향을 미치는 대상을 나타내는 조사.
  нет эквивалента
  Частица, указывающая на объект, на который непосредственно распространяется влияние действия.

- **말하다 (глагол)** : 어떤 사실이나 자신의 생각 또는 느낌을 말로 나타내다.
  говорить
  Выражать словесно какой-либо факт, собственные мысли, чувства.

- -였- : 어떤 사건이 과거에 완료되었거나 그 사건의 결과가 현재까지 지속되는 상황을 나타내는 어미.
  нет эквивалента
  Окончание, указывающее на полное завершение какого-либо события в прошлом и сохранения данного результата до настоящего времени.

• -습니다 : (아주높임으로) 현재의 동작이나 상태, 사실을 정중하게 설명함을 나타내는 종결 어미.
нет эквивалента
(формально-вежливый стиль) Финитное окончание предиката, употребляемое при описании события, действия или состояния в форме настоящего времени в ситуациях вежливого общения.

할머니 : 갑자기 배우 한 명+이 기침+을 하+잖아.

• **갑자기 (наречие)** : 미처 생각할 틈도 없이 빨리.
внезапно; вдруг
Настолько быстро и неожиданно, что даже не успел подумать.

• **배우 (имя существительное)** : 영화나 연극, 드라마 등에 나오는 인물의 역할을 맡아서 연기하는 사람.
актёр; актриса
Человек, играющий роль какого-либо героя в кино, спектакле, драме и т.п.

• **한 (атрибутивное слово)** : 하나의.
нет эквивалента
Один.

• **명 (имя существительное)** : 사람의 수를 세는 단위.
человек
Зависимое существительное для счёта людей.

• 이 : 어떤 상태나 상황의 대상이나 동작의 주체를 나타내는 조사.
нет эквивалента
Частица, показывающая какое-либо состояние, объект ситуации или субъект действия.

• **기침 (имя существительное)** : 폐에서 목구멍을 통해 공기가 거친 소리를 내며 갑자기 터져 나오는 일.
кашель
Сильные непроизвольные выдыхательные толчки, сопровождающиеся характерными звуками, шумом.

• 을 : 동작이 직접적으로 영향을 미치는 대상을 나타내는 조사.
нет эквивалента
Частица, указывающая на объект, на который непосредственно распространяется влияние действия.

• **하다 (глагол)** : 어떤 행동이나 동작, 활동 등을 행하다.
делать
Выполнять какое-либо действие, движение, работу и т.п.

• -잖아 : (두루낮춤으로) 어떤 상황에 대해 말하는 사람이 상대방에게 확인하거나 정정해 주듯이 말함을 나타내는 표현.
нет эквивалента
(нейтральный стиль) Выражение, используемое при обращении к собеседнику с уточнением или поправкой.

할머니 : 깜짝 놀라+(아)서 티브이(TV) 전원+을 끄(ㄲ)+[어 버리]+었+지.
놀라서　　　　　　　　　　　　꺼 버렸지

• **깜짝 (наречие)** : 갑자기 놀라는 모양.
нет эквивалента
О резком, сильном испуге.

• **놀라다 (глагол)** : 뜻밖의 일을 당하거나 무서워서 순간적으로 긴장하거나 가슴이 뛰다.
пугаться
Перепугаться из-за чего-либо неожиданного или удивиться.

• -아서 : 이유나 근거를 나타내는 연결 어미.
нет эквивалента
Соединительное окончание предиката, указывающее на причину или обоснование чего-либо.

• **티브이(TV) (имя существительное)** : 방송국에서 전파로 보내오는 영상과 소리를 받아서 보여 주는 기계.
ТВ
Прибор, передающий звуки и изображения, получаемые по электромагнитным волнам из телевещательной станции.

• **전원 (имя существительное)** : 전기 콘센트 등과 같이 기계 등에 전류가 오는 원천.
источник электричества в электросети
Источник электричества в электросети, из которого электричество поступает в электроприборы.

• 을 : 동작이 직접적으로 영향을 미치는 대상을 나타내는 조사.
нет эквивалента
Частица, указывающая на объект, на который непосредственно распространяется влияние действия.

• **끄다 (глагол)** : 전기나 기계를 움직이는 힘이 통하는 길을 끊어 전기 제품 등을 작동하지 않게 하다.
выключать
Прекращать доступ или поставку электричества в какой-либо аппарат.

• -어 버리다 : 앞의 말이 나타내는 행동이 완전히 끝났음을 나타내는 표현.
нет эквивалента
Выражение, указывающее на исчерпывающую завершённость действия.

• -었- : 어떤 사건이 과거에 완료되었거나 그 사건의 결과가 현재까지 지속되는 상황을 나타내는 어미.
нет эквивалента
Окончание, указывающее на полное завершение какого-либо события в прошлом и сохранения данного результата до настоящего времени.

• -지 : (두루낮춤으로) 말하는 사람이 자신에 대한 이야기나 자신의 생각을 친근하게 말할 때 쓰는 종결 어미.
нет эквивалента
(нейтральный стиль) Финитное окончание предиката, используемое в речи говорящего о самом себе или выражении своей мысли.

할머니 친구 : 바보+야, 티브이(TV)+를 왜 <u>끄(ㄲ)+어</u>. **꺼**

• **바보 (имя существительное)** : (욕하는 말로) 어리석고 멍청하거나 못난 사람.
дурак
(бран.) Глупый, слабоумный человек или неудачник.

• 야 : 친구나 아랫사람, 동물 등을 부를 때 쓰는 조사.
нет эквивалента
Окончание, указывающее на фамильярное обращение к другу, нижестоящему по рангу или положению человеку, животному.

• **티브이(TV) (имя существительное)** : 방송국에서 전파로 보내오는 영상과 소리를 받아서 보여 주는 기계.
ТВ
Прибор, передающий звуки и изображения, получаемые по электромагнитным волнам из телевещательной станции.

• 를 : 동작이 직접적으로 영향을 미치는 대상을 나타내는 조사.
нет эквивалента
Частица, указывающая на объект, на который непосредственно распространяется влияние действия.

• **왜 (наречие)** : 무슨 이유로. 또는 어째서.
почему; зачем
По какой причине.

• **끄다 (глагол)** : 전기나 기계를 움직이는 힘이 통하는 길을 끊어 전기 제품 등을 작동하지 않게 하다.
выключать
Прекращать доступ или поставку электричества в какой-либо аппарат.

• -어 : (두루낮춤으로) 어떤 사실을 서술하거나 물음, 명령, 권유를 나타내는 종결 어미.
нет эквивалента
(нейтральный стиль) Финитное окончание предиката в повествовательном, вопросительном или побудительном предложении.

할머니 친구 : 얼른 마스크+를 쓰+[면 되]+지.

• **얼른 (наречие)** : 시간을 오래 끌지 않고 바로.
быстро; сразу; скоро
Не занимая долгое время.

• **마스크 (имя существительное)** : 병균이나 먼지, 찬 공기 등을 막기 위하여 입과 코를 가리는 물건.
марлевая повязка
Предмет, закрывающий рот и нос от бактерий, пыли или холодного воздуха и т. п.

• 를 : 동작이 직접적으로 영향을 미치는 대상을 나타내는 조사.
нет эквивалента
Частица, указывающая на объект, на который непосредственно распространяется влияние действия.

• **쓰다 (глагол)** : 얼굴에 어떤 물건을 걸거나 덮어쓰다.
надевать; носить
Вешать или покрывать лицо какой-либо вещью.

• -면 되다 : 조건이 되는 어떤 행동을 하거나 어떤 상태만 갖추어지면 문제가 없거나 충분함을 나타내는 표현.
нет эквивалента
Выражение с условной конструкцией, обозначающее, что некое действие или событие, о котором говорится в придаточном условия, является достаточным, допустимым, удовлетворительным.

• -지 : (두루낮춤으로) 말하는 사람이 자신에 대한 이야기나 자신의 생각을 친근하게 말할 때 쓰는 종결 어미.
нет эквивалента
(нейтральный стиль) Финитное окончание предиката, используемое в речи говорящего о самом себе или выражении своей мысли.

할머니 : 맞+네.

그런 기막히+ㄴ 방법+이 있+었+네.
기막힌

• **맞다 (глагол)** : 그렇거나 옳다.
быть правильным
Быть верным.

• -네 : (아주낮춤으로) 지금 깨달은 일에 대하여 말함을 나타내는 종결 어미.
нет эквивалента
(простой стиль) Финитное окончание, указывающее на обнаружение или осознание нового факта.

• **그런 (атрибутивное слово)** : 상태, 모양, 성질 등이 그러한.
тот; такой
Имеющий подобную форму, внешний вид, черту характера и т.п.

• **기막히다 (имя прилагательное)** : 정도나 상태가 어떻다고 말할 수 없을 만큼 좋다.
превосходный; отличный
Настолько хороший, что трудно описать (о состоянии или уровне).

• -ㄴ : 앞의 말이 관형어의 기능을 하게 만들고 현재의 상태를 나타내는 어미.
нет эквивалента
Окончание, указывающее на состояние лица или предмета в настоящий момент, при котором впередистоящее слово, словосочетание или придаточное предложение выполняет функцию определения.

• **방법 (имя существительное)** : 어떤 일을 해 나가기 위한 수단이나 방식.
способ
Метод или средство выполнения какой-либо работы.

• 이 : 어떤 상태나 상황의 대상이나 동작의 주체를 나타내는 조사.
нет эквивалента
Частица, показывающая какое-либо состояние, объект ситуации или субъект действия.

• **있다 (имя прилагательное)** : 사실이나 현상이 존재하다.
иметься
Существовать (о факте или явлении).

- -었- : 어떤 사건이 과거에 완료되었거나 그 사건의 결과가 현재까지 지속되는 상황을 나타내는 어미.
  нет эквивалента
  Окончание, указывающее на полное завершение какого-либо события в прошлом и сохранения данного результата до настоящего времени.

- -네 : (아주낮춤으로) 지금 깨달은 일에 대하여 말함을 나타내는 종결 어미.
  нет эквивалента
  (простой стиль) Финитное окончание, указывающее на обнаружение или осознание нового факта.

< 2 단원(глава) >

제목 : 쫓아오던 게 강아지였나?

● 본문 (Основной текст)

고양이 한 마리가 쥐를 열심히 쫓고 있었습니다.

쥐가 고양이에게 거의 잡힐 것 같았습니다.

하지만 아슬아슬한 찰나에 쥐가 쥐구멍으로 들어가 버렸습니다.

쥐구멍 앞에 서성이던 고양이가 쪼그려 앉았습니다.

그러더니 갑자기 고양이가 **"멍멍!"**하고 짖어 댔습니다.

이 소리를 듣고 쥐는 어리둥절했습니다.

쥐 : 뭐지?

쫓아오던 게 강아지였나?

쥐는 너무 궁금해서 머리를 살며시 구멍 밖으로 내밀었습니다.

이때 쥐가 고양이에게 잡히고 말았습니다.

의기양양하게 쥐를 물고 가면서 고양이가 이렇게 말했습니다.

고양이 : 요즘은 먹고살려면 적어도 이 개 국어는 해야 돼.

● 발음 (произношение)

고양이 한 마리가 쥐를 열심히 쫓고 있었습니다.
고양이 한 마리가 쥐를 열씸히 쫃꼬 이썯씀니다.
goyangi han mariga jwireul yeolsimhi jjotgo isseotseumnida.

쥐가 고양이에게 거의 잡힐 것 같았습니다.
쥐가 고양이에게 거의 자필 껃 가탇씀니다.
jwiga goyangiege geoui japil geot gatatseumnida.

하지만 아슬아슬한 찰나에 쥐가 쥐구멍으로 들어가 버렸습니다.
하지만 아슬아슬한 찰라에 쥐가 쥐구멍으로 드러가 버렫씀니다.
hajiman aseuraseulhan challae jwiga jwigumeongeuro deureoga beoryeotseumnida.

쥐구멍 앞에 서성이던 고양이가 쪼그려 앉았습니다.
쥐구멍 아페 서성이던 고양이가 쪼그려 안잗씀니다.
jwigumeong ape seoseongideon goyangiga jjogeuryeo anjatseumnida.

그러더니 갑자기 고양이가 "멍멍!"하고 짖어 댔습니다.
그러더니 갑짜기 고양이가 "멍멍!"하고 지저 댇씀니다.
geureodeoni gapjagi goyangiga "meongmeong!"hago jijeo daetseumnida.

이 소리를 듣고 쥐는 어리둥절했습니다.
이 소리를 듣꼬 쥐는 어리둥절핻씀니다.
i sorireul deutgo jwineun eoridungjeolhaetseumnida.

쥐 : 뭐지?
쥐 : 뭐지?
jwi : mwoji?

쫓아오던 게 강아지였나?
쪼차오던 게 강아지연나?
jjochaodeon ge gangajiyeonna?

쥐는 너무 궁금해서 머리를 살며시 구멍 밖으로 내밀었습니다.
쥐는 너무 궁금해서 머리를 살며시 구멍 바끄로 내미럳씀니다.
jwineun neomu gunggeumhaeseo meorireul salmyeosi gumeong bakkeuro naemireotseumnida.

이때 쥐가 고양이에게 잡히고 말았습니다.
이때 쥐가 고양이에게 자피고 마랃씀니다.
ittae jwiga goyangiege japigo maratseumnida.

의기양양하게 쥐를 물고 가면서 고양이가 이렇게 말했습니다.
의기양양하게 쥐를 물고 가면서 고양이가 이러케 말핻씀니다.
uigiyangyanghage jwireul mulgo gamyeonseo goyangiga ireoke malhaetseumnida.

고양이 : 요즘은 먹고살려면 적어도 이 개 국어는 해야 돼.
고양이 : 요즈믄 먹꼬살려면 저거도 이 개 구거는 해야 돼.
goyangi : yojeumeun meokgosallyeomyeon jeogeodo i gae gugeoneun haeya dwae.

● 어휘 (лексический запас) / 문법 (грамматика)

고양이 한 마리+가 쥐+를 열심히 쫓+고 있+었+습니다.

쥐+가 고양이+에게 거의 잡히+ㄹ 것 같+았+습니다.

하지만 아슬아슬하+ㄴ 찰나+에 쥐+가 쥐구멍+으로 들어가+(아) 버리+었+습니다.

쥐구멍 앞+에 서성이+던 고양이+가 쪼그리+어 앉+았+습니다.

그러+더니 갑자기 고양이+가 **"멍멍!"** 하+고 짖+어 대+었+습니다.

이 소리+를 듣+고 쥐+는 어리둥절하+였+습니다.

쥐 : "뭐+(이)+지?"

"쫓아오+던 것(거)+이 강아지+이+었+나?"

쥐+는 너무 궁금하+여서 머리+를 살며시 구멍 밖+으로 내밀+었+습니다.

이때 쥐+가 고양이+에게 잡히+고 말+았+습니다.

의기양양하+게 쥐+를 물+고 가+면서 고양이+가 이렇+게 말하+였+습니다.

고양이 : 요즘+은 먹고살+려면 적어도 이 개 국어+는 하+여야 되+어.

고양이 한 마리+가 쥐+를 열심히 쫓+[고 있]+었+습니다.

• **고양이 (имя существительное)** : 어두운 곳에서도 사물을 잘 보고 쥐를 잘 잡으며 집 안에서 기르기도 하는 자그마한 동물.

кот; кошка

Маленькое домашнее животное, которое охотится на грызунов и хорошо видит в темноте.

• **한 (атрибутивное слово)** : 하나의.

нет эквивалента

Один.

• **마리 (имя существительное)** : 짐승이나 물고기, 벌레 등을 세는 단위.

нет эквивалента

Единица исчисления животных, рыб, насекомых и других живых существ.

• 가 : 어떤 상태나 상황에 놓인 대상이나 동작의 주체를 나타내는 조사.

нет эквивалента

Окончание, указывающее на объект какой-либо ситуации, состояния или на лицо, выполняющее какое-либо действие.

• **쥐 (имя существительное)** : 사람의 집 근처 어두운 곳에서 살며 몸은 진한 회색에 긴 꼬리를 가지고 있는 작은 동물.

мышь; крыса

Длиннохвостое животное тёмно-серого цвета, которое живёт в тёмном месте около дома человека.

• 를 : 동작이 직접적으로 영향을 미치는 대상을 나타내는 조사.

нет эквивалента

Частица, указывающая на объект, на который непосредственно распространяется влияние действия.

• **열심히 (наречие)** : 어떤 일에 온 정성을 다하여.

усердно; старательно

Вкладывая всю душу в какое-либо дело.

• **쫓다 (глагол)** : 앞선 것을 잡으려고 서둘러 뒤를 따르거나 자취를 따라가다.

преследовать; бежать за кем-либо, чем-либо

Гнаться за кем-либо, чем-либо, стремясь настичь, захватить.

• -고 있다 : 앞의 말이 나타내는 행동이 계속 진행됨을 나타내는 표현.

нет эквивалента

Выражение, указывающее на длительность действия.

• -었- : 사건이 과거에 일어났음을 나타내는 어미.
нет эквивалента
Окончание прошедшего времени.

• -습니다 : (아주높임으로) 현재의 동작이나 상태, 사실을 정중하게 설명함을 나타내는 종결 어미.
нет эквивалента
(формально-вежливый стиль) Финитное окончание предиката, употребляемое при описании события, действия или состояния в форме настоящего времени в ситуациях вежливого общения.

쥐+가 고양이+에게 거의 잡히+[ㄹ 것 같]+았+습니다. **잡힐 것 같았습니다**

• **쥐 (имя существительное)** : 사람의 집 근처 어두운 곳에서 살며 몸은 진한 회색에 긴 꼬리를 가지고 있는 작은 동물.
мышь; крыса
Длиннохвостое животное тёмно-серого цвета, которое живёт в тёмном месте около дома человека.

• 가 : 어떤 상태나 상황에 놓인 대상이나 동작의 주체를 나타내는 조사.
нет эквивалента
Окончание, указывающее на объект какой-либо ситуации, состояния или на лицо, выполняющее какое-либо действие.

• **고양이 (имя существительное)** : 어두운 곳에서도 사물을 잘 보고 쥐를 잘 잡으며 집 안에서 기르기도 하는 자그마한 동물.
кот; кошка
Маленькое домашнее животное, которое охотится на грызунов и хорошо видит в темноте.

• 에게 : 어떤 행동의 주체이거나 비롯되는 대상임을 나타내는 조사.
от кого-, чего-либо
Окончание, указывающее на лицо, выполняющее какое-либо действие или предмет, являющийся началом чего-либо.

• **거의 (наречие)** : 어떤 상태나 한도에 매우 가깝게.
едва; почти
Очень близко к какому-либо состоянию или пределу.

• **잡히다 (глагол)** : 도망가지 못하게 붙들리다.
Быть схваченным
не иметь возможности убежать и быть захваченным.

• -ㄹ 것 같다 : 추측을 나타내는 표현.
кажется
Выражение предположения.

• -았- : 사건이 과거에 일어났음을 나타내는 어미.
нет эквивалента
Окончание прошедшего времени.

• -습니다 : (아주높임으로) 현재의 동작이나 상태, 사실을 정중하게 설명함을 나타내는 종결 어미.
нет эквивалента
(формально-вежливый стиль) Финитное окончание предиката, употребляемое при описании события, действия или состояния в форме настоящего времени в ситуациях вежливого общения.

하지만 아슬아슬하+ㄴ 찰나+에 쥐+가 쥐구멍+으로 들어가+[(아) 버리]+었+습니다. **아슬아슬한** **들어가 버렸습니다**

• **하지만 (наречие)** : 내용이 서로 반대인 두 개의 문장을 이어 줄 때 쓰는 말.
но; а; однако; тем не менее
Союз, который соединяет два предложения, противопоставляемые друг другу по смыслу.

• **아슬아슬하다 (имя прилагательное)** : 일이 잘 안 될까 봐 무서워서 소름이 돋을 정도로 마음이 조마조마하다.
Тревожиться; беспокоиться
Непрерывно беспокоиться, тревожиться из-за того, что может не получиться, до такой степени, что тело покрывается мурашками.

• -ㄴ : 앞의 말이 관형어의 기능을 하게 만들고 현재의 상태를 나타내는 어미.
нет эквивалента
Окончание, указывающее на состояние лица или предмета в настоящий момент, при котором впередистоящее слово, словосочетание или придаточное предложение выполняет функцию определения.

• **찰나 (имя существительное)** : 어떤 일이나 현상이 일어나는 바로 그때.
мгновение; миг; момент; секунда
Именно тот промежуток времени, когда произошло какое-либо событие, явление. Или очень короткий промежуток времени.

• 에 : 앞말이 시간이나 때임을 나타내는 조사.
нет эквивалента
Окончание, указывающее на время или период времени

• **쥐 (имя существительное)** : 사람의 집 근처 어두운 곳에서 살며 몸은 진한 회색에 긴 꼬리를 가지고 있는 작은 동물.

мышь; крыса

Длиннохвостое животное тёмно-серого цвета, которое живёт в тёмном месте около дома человека.

• 가 : 어떤 상태나 상황에 놓인 대상이나 동작의 주체를 나타내는 조사.

нет эквивалента

Окончание, указывающее на объект какой-либо ситуации, состояния или на лицо, выполняющее какое-либо действие.

• **쥐구멍 (имя существительное)** : 쥐가 들어가고 나오는 구멍.

мышиная нора; крысиная нора

Отверстие, куда входит и откуда выходит мышь, крыса.

• 으로 : 움직임의 방향을 나타내는 조사.

нет эквивалента

Частица, показывающая направление движения.

• **들어가다 (глагол)** : 밖에서 안으로 향하여 가다.

входить

Заходить снаружи вовнутрь.

• -아 버리다 : 앞의 말이 나타내는 행동이 완전히 끝났음을 나타내는 표현.

нет эквивалента

Выражение, указывающее на исчерпывающую завершённость действия.

• -었- : 어떤 사건이 과거에 완료되었거나 그 사건의 결과가 현재까지 지속되는 상황을 나타내는 어미.

нет эквивалента

Окончание, указывающее на полное завершение какого-либо события в прошлом и сохранения данного результата до настоящего времени.

• -습니다 : (아주높임으로) 현재의 동작이나 상태, 사실을 정중하게 설명함을 나타내는 종결 어미.

нет эквивалента

(формально-вежливый стиль) Финитное окончание предиката, употребляемое при описании события, действия или состояния в форме настоящего времени в ситуациях вежливого общения.

쥐구멍 앞+에 서성이+던 고양이+가 쪼그리+어 앉+았+습니다. **쪼그려**

• **쥐구멍 (имя существительное)** : 쥐가 들어가고 나오는 구멍.
мышиная нора; крысиная нора
Отверстие, куда входит и откуда выходит мышь, крыса.

• **앞 (имя существительное)** : 향하고 있는 쪽이나 곳.
перед
Сторона или место, напротив которого от лицевой стороны находится кто-либо, что-либо.

• 에 : 앞말이 어떤 장소나 자리임을 나타내는 조사.
нет эквивалента
Окончание, указывающее на какое-либо место или пространство.

• **서성이다 (глагол)** : 한곳에 서 있지 않고 주위를 왔다 갔다 하다.
ходить из стороны в сторону; не стоять на месте
Ходить туда и обратно по периметру или вокруг чего-либо, не останавливаясь.

• -던 : 앞의 말이 관형어의 기능을 하게 만들고 사건이나 동작이 과거에 완료되지 않고 중단되었음을 나타내는 어미.
нет эквивалента
Окончание, которое указывает на незавершённое, прерванное действие в прошлом, преобразуя впередистоящее слово, словосочетание или придаточное предложение в определение.

• **고양이 (имя существительное)** : 어두운 곳에서도 사물을 잘 보고 쥐를 잘 잡으며 집 안에서 기르기도 하는 자그마한 동물.
кот; кошка
Маленькое домашнее животное, которое охотится на грызунов и хорошо видит в темноте.

• 가 : 어떤 상태나 상황에 놓인 대상이나 동작의 주체를 나타내는 조사.
нет эквивалента
Окончание, указывающее на объект какой-либо ситуации, состояния или на лицо, выполняющее какое-либо действие.

• **쪼그리다 (глагол)** : 팔다리를 접거나 모아서 몸을 작게 옴츠리다.
сжаться в комок; скрутиться клубочком
Поджать под себя ноги и руки и максимально уменьшить размер тела.

• -어 : 앞의 말이 뒤의 말보다 먼저 일어났거나 뒤의 말에 대한 방법이나 수단이 됨을 나타내는 연결 어미.
нет эквивалента
Соединительное окончание, указывающее на то, что действие, описанное в первой части предложения произошло раньше действия, описанного во второй части предложения, или на то, что оно является способом или средством его выполнения.

• **앉다 (глагол)** : 윗몸을 바로 한 상태에서 엉덩이에 몸무게를 실어 다른 물건이나 바닥에 몸을 올려놓다.
сидеть; садиться; присесть
Сесть на пол или на какой-либо предмет, выпрямив верхнюю часть тела и переместив центр тяжести на нижнюю часть тела, в частности таз.

• -았- : 어떤 사건이 과거에 완료되었거나 그 사건의 결과가 현재까지 지속되는 상황을 나타내는 어미.
нет эквивалента
Окончание, указывающее на полное завершение какого-либо события в прошлом и сохранения данного результата до настоящего времени.

• -습니다 : (아주높임으로) 현재의 동작이나 상태, 사실을 정중하게 설명함을 나타내는 종결 어미.
нет эквивалента
(формально-вежливый стиль) Финитное окончание предиката, употребляемое при описании события, действия или состояния в форме настоящего времени в ситуациях вежливого общения.

그러+더니 갑자기 고양이+가 "멍멍!" 하+고 짖+[어 대]+었+습니다. **짖어 댔습니다**

• **그러다 (глагол)** : 앞에서 일어난 일이나 말한 것과 같이 그렇게 하다.
так делать
Делать так, как было сказано ранее. Или так, как уже было сделано.

• -더니 : 과거에 경험하여 알게 된 사실과 다른 새로운 사실이 있음을 나타내는 연결 어미.
нет эквивалента
Соединительное окончание предиката, вводящее информацию о каком-либо факте, отличном от факта, описанного в первой части предложения, который известен говорящему из личного опыта в прошлом.

• **갑자기 (наречие)** : 미처 생각할 틈도 없이 빨리.
внезапно; вдруг
Настолько быстро и неожиданно, что даже не успел подумать.

• **고양이 (имя существительное)** : 어두운 곳에서도 사물을 잘 보고 쥐를 잘 잡으며 집 안에서 기르기도 하는 자그마한 동물.
кот; кошка
Маленькое домашнее животное, которое охотится на грызунов и хорошо видит в темноте.

• 가 : 어떤 상태나 상황에 놓인 대상이나 동작의 주체를 나타내는 조사.
нет эквивалента
Окончание, указывающее на объект какой-либо ситуации, состояния или на лицо, выполняющее какое-либо действие.

• **멍멍 (наречие)** : 개가 짖는 소리.
Гав-гав
звук лая собаки.

• **하다 (глагол)** : 그런 소리가 나다. 또는 그런 소리를 내다.
нет эквивалента
Произноситься, производиться или произносить такой звук.

• -고 : 앞의 말과 뒤의 말이 차례대로 일어남을 나타내는 연결 어미.
нет эквивалента
Соединительное окончание предиката, указывающее на последовательность действий.

• **짖다 (глагол)** : 개가 크게 소리를 내다.
лаять
Громко издавать лай (о собаке).

• -어 대다 : 앞의 말이 나타내는 행동을 반복하거나 그 반복되는 행동의 정도가 심함을 나타내는 표현.
нет эквивалента
Выражение, указывающее на повторяющееся действие или на чрезмерность его проявления.

• -었- : 사건이 과거에 일어났음을 나타내는 어미.
нет эквивалента
Окончание, указывающее на полное завершение какого-либо события в прошлом и сохранения данного результата до настоящего времени.

• -습니다 : (아주높임으로) 현재의 동작이나 상태, 사실을 정중하게 설명함을 나타내는 종결 어미.
нет эквивалента
(формально-вежливый стиль) Финитное окончание предиката, употребляемое при описании события, действия или состояния в форме настоящего времени в ситуациях вежливого общения.

이 소리+를 듣+고 쥐+는 <u>어리둥절하+였+습니다</u>. **어리둥절했습니다**

• **이 (атрибутивное слово)** : 바로 앞에서 이야기한 대상을 가리킬 때 쓰는 말.
это
Слово, указывающее на то, о чём шла речь прямо перед этим словом.

• **소리 (имя существительное)** : 물체가 진동하여 생긴 음파가 귀에 들리는 것.
звук
То, что создаёт вибрационные волны, которые слышатся ухом.

• 를 : 동작이 직접적으로 영향을 미치는 대상을 나타내는 조사.
нет эквивалента
Частица, указывающая на объект, на который непосредственно распространяется влияние действия.

• **듣다 (глагол)** : 귀로 소리를 알아차리다.
слышать; слушать
Распознавать звуки ушами.

• -고 : 앞의 말과 뒤의 말이 차례대로 일어남을 나타내는 연결 어미.
нет эквивалента
Соединительное окончание предиката, указывающее на последовательность действий.

• **쥐 (имя существительное)** : 사람의 집 근처 어두운 곳에서 살며 몸은 진한 회색에 긴 꼬리를 가지고 있는 작은 동물.
мышь; крыса
Длиннохвостое животное тёмно-серого цвета, которое живёт в тёмном месте около дома человека.

• 는 : 문장 속에서 어떤 대상이 화제임을 나타내는 조사.
нет эквивалента
Частица, указывающая на то, что какой-либо объект является основной темой в предложении.

• **어리둥절하다 (имя прилагательное)** : 일이 돌아가는 상황을 잘 알지 못해서 정신이 얼떨떨하다.
растерянный; смущённый
Быть в постоянной суете из-за незнания ситуации, которая сложилась на данный момент.

• -였- : 사건이 과거에 일어났음을 나타내는 어미.
нет эквивалента
Окончание, указывающее на полное завершение какого-либо события в прошлом и сохранения данного результата до настоящего времени.

• -습니다 : (아주높임으로) 현재의 동작이나 상태, 사실을 정중하게 설명함을 나타내는 종결 어미.
нет эквивалента
(формально-вежливый стиль) Финитное окончание предиката, употребляемое при описании события, действия или состояния в форме настоящего времени в ситуациях вежливого общения.

쥐 : 뭐+(이)+지?
뭐지

• **뭐 (местоимение)** : 모르는 사실이나 사물을 가리키는 말.
что
Используется для указания на неизвестный предмет или факт.

• 이다 : 주어가 지시하는 대상의 속성이나 부류를 지정하는 뜻을 나타내는 서술격 조사.
нет эквивалента
Суффикс повествовательного падежа, выражающий смысл наименования свойства или разряда объекта, на который указывает подлежащее.

• -지 : (두루낮춤으로) 말하는 사람이 듣는 사람에게 친근함을 나타내며 물을 때 쓰는 종결 어미.
нет эквивалента
(нейтральный стиль) Финитное окончание предиката, показывающее доверительный тон в разговоре между говорящим и слушающим.

쥐 : 쫓아오+던 것(거)+이 강아지+이+었+나?
게 강아지였나

• **쫓아오다 (глагол)** : 어떤 사람이나 물체의 뒤를 급히 따라오다.
преследовать; догонять
Следовать за кем-либо или за чем-либо по пятам.

• -던 : 앞의 말이 관형어의 기능을 하게 만들고 사건이나 동작이 과거에 완료되지 않고 중단되었음을 나타내는 어미.
нет эквивалента
Окончание, которое указывает на незавершённое, прерванное действие в прошлом, преобразуя впередистоящее слово, словосочетание или придаточное предложение в определение.

• **것 (имя существительное)** : 정확히 가리키는 대상이 정해지지 않은 사물이나 사실.
нет эквивалента
Неопределённый предмет или факт.

• 이 : 어떤 상태나 상황의 대상이나 동작의 주체를 나타내는 조사.
нет эквивалента
Частица, показывающая какое-либо состояние, объект ситуации или субъект действия.

• **강아지 (имя существительное)** : 개의 새끼.
щенок
Детёныш собаки.

• 이다 : 주어가 지시하는 대상의 속성이나 부류를 지정하는 뜻을 나타내는 서술격 조사.
нет эквивалента
Суффикс повествовательного падежа, выражающий смысл наименования свойства или разряда объекта, на который указывает подлежащее.

• -었- : 사건이 과거에 일어났음을 나타내는 어미.
нет эквивалента
Окончание прошедшего времени.

• -나 : (두루낮춤으로) 물음이나 추측을 나타내는 종결 어미.
нет эквивалента
(нейтральный стиль) Финитное окончание, указывающее на предположение или вопрос.

쥐+는 너무 궁금하+여서 머리+를 살며시 구멍 밖+으로 내밀+었+습니다. **궁금해서**

• **쥐 (имя существительное)** : 사람의 집 근처 어두운 곳에서 살며 몸은 진한 회색에 긴 꼬리를 가지고 있는 작은 동물.
мышь; крыса
Длиннохвостое животное тёмно-серого цвета, которое живёт в тёмном месте около дома человека.

• 는 : 문장 속에서 어떤 대상이 화제임을 나타내는 조사.
нет эквивалента
Частица, указывающая на то, что какой-либо объект является основной темой в предложении.

• **너무 (наречие)** : 일정한 정도나 한계를 훨씬 넘어선 상태로.
очень; чересчур
Состояние чрезмерного превышения определенного уровня или рубежа.

• **궁금하다 (имя прилагательное)** : 무엇이 무척 알고 싶다.
интересоваться
Сильно желать что-то знать.

• -여서 : 이유나 근거를 나타내는 연결 어미.
нет эквивалента
Соединительное окончание предиката, указывающее на причину или обоснование чего-либо.

• **머리 (имя существительное)** : 사람이나 동물의 몸에서 얼굴과 머리털이 있는 부분을 모두 포함한 목 위의 부분.
голова
Верхняя часть тела человека или животного, начинающаяся от шеи и включающая в себя лицо и волосы.

• 를 : 동작이 직접적으로 영향을 미치는 대상을 나타내는 조사.
нет эквивалента
Частица, указывающая на объект, на который непосредственно распространяется влияние действия.

• **살며시 (наречие)** : 남이 모르도록 조용히 조심스럽게.
украдкой; осторожно; тайком
Тихо и осторожно, втайне от других.

• **구멍 (имя существительное)** : 뚫어지거나 파낸 자리.
отверстие; дыра; щель; нора; яма; прорезь
Продырявленное или выкопанное место.

• **밖 (имя существительное)** : 선이나 경계를 넘어선 쪽.
вне
Сторона, переходящая линию или границу.

• 으로 : 움직임의 방향을 나타내는 조사.
нет эквивалента
Частица, показывающая направление движения.

• **내밀다 (глагол)** : 몸이나 물체의 일부분이 밖이나 앞으로 나가게 하다.
высовывать
Выдвигать вперёд или наружу часть тела или предмета.

• -었- : 사건이 과거에 일어났음을 나타내는 어미.
нет эквивалента
Окончание, указывающее на полное завершение какого-либо события в прошлом и сохранения данного результата до настоящего времени.

• -습니다 : (아주높임으로) 현재의 동작이나 상태, 사실을 정중하게 설명함을 나타내는 종결 어미.
нет эквивалента
(формально-вежливый стиль) Финитное окончание предиката, употребляемое при описании события, действия или состояния в форме настоящего времени в ситуациях вежливого общения.

이때 쥐+가 고양이+에게 잡히+[고 말]+았+습니다.

• **이때 (имя существительное)** : 바로 지금. 또는 바로 앞에서 이야기한 때.
этот момент; сейчас
Настоящий момент. Или момент времени, о котором говорилось в предыдущем предложении.

• **쥐 (имя существительное)** : 사람의 집 근처 어두운 곳에서 살며 몸은 진한 회색에 긴 꼬리를 가지고 있는 작은 동물.
мышь; крыса
Длиннохвостое животное тёмно-серого цвета, которое живёт в тёмном месте около дома человека.

• 가 : 어떤 상태나 상황에 놓인 대상이나 동작의 주체를 나타내는 조사.
нет эквивалента
Окончание, указывающее на объект какой-либо ситуации, состояния или на лицо, выполняющее какое-либо действие.

• **고양이 (имя существительное)** : 어두운 곳에서도 사물을 잘 보고 쥐를 잘 잡으며 집 안에서 기르기도 하는 자그마한 동물.
кот; кошка
Маленькое домашнее животное, которое охотится на грызунов и хорошо видит в темноте.

• 에게 : 어떤 행동의 주체이거나 비롯되는 대상임을 나타내는 조사.
от кого-, чего-либо
Окончание, указывающее на лицо, выполняющее какое-либо действие или предмет, являющийся началом чего-либо.

• **잡히다 (глагол)** : 도망가지 못하게 붙들리다.
Быть схваченным
не иметь возможности убежать и быть захваченным.

• -고 말다 : 앞에 오는 말이 가리키는 행동이 안타깝게도 끝내 일어났음을 나타내는 표현.
нет эквивалента
Выражение, указывающее на то, что какое-либо действие, к сожалению, завершилось нежелательным образом.

• -았- : 어떤 사건이 과거에 완료되었거나 그 사건의 결과가 현재까지 지속되는 상황을 나타내는 어미.
нет эквивалента
Окончание, указывающее на полное завершение какого-либо события в прошлом и сохранения данного результата до настоящего времени.

• -습니다 : (아주높임으로) 현재의 동작이나 상태, 사실을 정중하게 설명함을 나타내는 종결 어미.

нет эквивалента

(формально-вежливый стиль) Финитное окончание предиката, употребляемое при описании события, действия или состояния в форме настоящего времени в ситуациях вежливого общения.

의기양양하+게 쥐+를 물+고 가+면서 고양이+가 이렇+게 말하+였+습니다. **말했습니다**

• **의기양양하다 (имя прилагательное)** : 원하던 일을 이루어 만족스럽고 자랑스러운 마음이 얼굴에 나타난 상태이다.

выражение удовлетворённости на лице

Выражение удовлетворённости и желания похвалиться на лице в связи с тем, что желаемое дело выполнено.

• -게 : 앞의 말이 뒤에서 가리키는 일의 목적이나 결과, 방식, 정도 등이 됨을 나타내는 연결 어미.

нет эквивалента

Соединительное окончание предиката, указывающее на то, описанное в первой части предложения действие или состояние является целью, результатом, образом действия, степенью и т.п. того, о чём говорится в последующей главной части предложения.

• **쥐 (имя существительное)** : 사람의 집 근처 어두운 곳에서 살며 몸은 진한 회색에 긴 꼬리를 가지고 있는 작은 동물.

мышь; крыса

Длиннохвостое животное тёмно-серого цвета, которое живёт в тёмном месте около дома человека.

• 를 : 동작이 직접적으로 영향을 미치는 대상을 나타내는 조사.

нет эквивалента

Частица, указывающая на объект, на который непосредственно распространяется влияние действия.

• **물다 (глагол)** : 윗니와 아랫니 사이에 어떤 것을 끼워 넣고 벌어진 두 이를 다물어 상처가 날 만큼 아주 세게 누르다.

больно кусать

Сильно сжать рот до образования раны, взяв что-либо между верхними и нижними зубами.

• -고 : 앞의 말이 나타내는 행동이나 그 결과가 뒤에 오는 행동이 일어나는 동안에 그대로 지속됨을 나타내는 연결 어미.
нет эквивалента
Соединительное окончание предиката, указывающее на продолжение действия, описанного в первой части предложения, или на сохранение результата данного действия в течение времени выполнения действия, описанного во второй части предложения.

• **가다 (глагол)** : 한 곳에서 다른 곳으로 장소를 이동하다.
ходить; уходить; идти
Передвигаться с одного места на другое.

• -면서 : 두 가지 이상의 동작이나 상태가 함께 일어남을 나타내는 연결 어미.
нет эквивалента
Соединительное окончание предиката, указывающее на одновременность двух или более действий или состояний.

• **고양이 (имя существительное)** : 어두운 곳에서도 사물을 잘 보고 쥐를 잘 잡으며 집 안에서 기르기도 하는 자그마한 동물.
кот; кошка
Маленькое домашнее животное, которое охотится на грызунов и хорошо видит в темноте.

• 가 : 어떤 상태나 상황에 놓인 대상이나 동작의 주체를 나타내는 조사.
нет эквивалента
Окончание, указывающее на объект какой-либо ситуации, состояния или на лицо, выполняющее какое-либо действие.

• **이렇다 (имя прилагательное)** : 상태, 모양, 성질 등이 이와 같다.
такой
Подобный; следующий (о состоянии, виде, качестве и т.п.).

• -게 : 앞의 말이 뒤에서 가리키는 일의 목적이나 결과, 방식, 정도 등이 됨을 나타내는 연결 어미.
нет эквивалента
Соединительное окончание предиката, указывающее на то, описанное в первой части предложения действие или состояние является целью, результатом, образом действия, степенью и т.п. того, о чём говорится в последующей главной части предложения.

• **말하다 (глагол)** : 어떤 사실이나 자신의 생각 또는 느낌을 말로 나타내다.
говорить
Выражать словесно какой-либо факт, собственные мысли, чувства.

• -였- : 사건이 과거에 일어났음을 나타내는 어미.
нет эквивалента
Окончание, указывающее на полное завершение какого-либо события в прошлом и сохранения данного результата до настоящего времени.

• -습니다 : (아주높임으로) 현재의 동작이나 상태, 사실을 정중하게 설명함을 나타내는 종결 어미.
нет эквивалента
(формально-вежливый стиль) Финитное окончание предиката, употребляемое при описании события, действия или состояния в форме настоящего времени в ситуациях вежливого общения.

고양이 : 요즘+은 먹고살+려면 적어도 이 개 국어+는 하+[여야 되]+어. **해야 돼**

• **요즘 (имя существительное)** : 아주 가까운 과거부터 지금까지의 사이.
в последнее время; недавно; на днях
Промежуток от недалёкого прошлого до настоящего времени.

• 은 : 문장 속에서 어떤 대상이 화제임을 나타내는 조사.
нет эквивалента
Частица, показывающая то, что какой-то объект является главной темой в предложении.

• **먹고살다 (глагол)** : 생계를 유지하다.
выживать; прокормиться
Зарабатывать на жизнь

• -려면 : 어떤 행동을 할 의도나 의향이 있는 경우를 가정할 때 쓰는 연결 어미.
нет эквивалента
Соединительное окончание, присоединяющее придаточное предложение условия, в котором содержится предложение ситуации наличия у субъекта желания или намерения совершить какое-либо действие.

• **적어도 (наречие)** : 아무리 적게 잡아도.
по меньшей мере; по крайней мере; самое мало; не меньше чем
Насколько бы мало ни считать.

• **이 (атрибутивное слово)** : 둘의.
нет эквивалента
Два.

- **개 (имя существительное)** : 낱으로 떨어진 물건을 세는 단위.
  штука
  Счётная единица для штучных предметов.

- **국어 (имя существительное)** : 한 나라의 국민들이 사용하는 말.
  государственный язык
  Язык, используемый гражданами одной страны.

- 는 : 강조의 뜻을 나타내는 조사.
  нет эквивалента
  Частица, выполняющая функцию акцентирования.

- **하다 (глагол)** : 어떤 행동이나 동작, 활동 등을 행하다.
  делать
  Выполнять какое-либо действие, движение, работу и т.п.

- -여야 되다 : 반드시 그럴 필요나 의무가 있음을 나타내는 표현.
  нет эквивалента
  Выражение, указывающее на обязательство или абсолютную необходимость какого-либо действия или состояния.

- -어 : (두루낮춤으로) 어떤 사실을 서술하거나 물음, 명령, 권유를 나타내는 종결 어미.
  нет эквивалента
  (нейтральный стиль) Финитное окончание предиката в повествовательном, вопросительном или побудительном предложении.

< 3 단원(глава) >

제목 : 이게 다 엄마 때문이야.

● 본문 (Основной текст)

유치원에 들어간 아이는 치아가 너무 못생겨서 친구들에게 많은 놀림을 받았다.

견디다 못한 아이는 엄마에게 투정을 부렸다.

아이 : 엄마, 이빨이 이상하다고 친구들이 자꾸만 놀려요.

치과에 가서 이빨 교정 좀 해 주세요.

엄마 : 야, 그게 얼마나 비싼데.

아이 : 몰라, 이게 다 엄마 때문이야.

엄마가 날 이렇게 낳았잖아.

그러자 엄마가 하는 한마디.

엄마 : 너 낳았을 때 이빨 없었거든, 이것아!

● 발음 (произношение)

유치원에 들어간 아이는 치아가 너무 못생겨서 친구들에게 많은 놀림을 받았다.
유치워네 드러간 아이는 치아가 너무 몯쌩겨서 친구드레게 마는 놀리믈 바닫따.
yuchiwone deureogan aineun chiaga neomu motsaenggyeoseo chingudeurege maneun nollimeul badatda.

견디다 못한 아이는 엄마에게 투정을 부렸다.
견디다 모탄 아이는 엄마에게 투정을 부렫따.
gyeondida motan aineun eommaege tujeongeul buryeotda.

아이 : 엄마, 이빨이 이상하다고 친구들이 자꾸만 놀려요.
아이 : 엄마, 이빠리 이상하다고 친구드리 자꾸만 놀려요.
ai : eomma, ippari isanghadago chingudeuri jakkuman nollyeoyo.

치과에 가서 이빨 교정 좀 해 주세요.
치꽈에 가서 이빨 교정 좀 해 주세요.
chigwae gaseo ippal gyojeong jom hae juseyo.

엄마 : 야, 그게 얼마나 비싼데.
엄마 : 야, 그게 얼마나 비싼데.
eomma : ya, geuge eolmana bissande.

아이 : 몰라, 이게 다 엄마 때문이야.
아이 : 몰라, 이게 다 엄마 때무니야.
ai : molla, ige da eomma ttaemuniya.

엄마가 날 이렇게 낳았잖아.
엄마가 날 이러케 나앋짜나.
eommaga nal ireoke naatjana.

그러자 엄마가 하는 한마디.
그러자 엄마가 하는 한마디.
geureoja eommaga haneun hanmadi.

엄마 : 너 낳았을 때 이빨 없었거든, 이것아!

엄마 : 너 나아쓸 때 이빨 업썬꺼든, 이거사!

eomma : neo naasseul ttae ippal eopseotgeodeun, igeosa!

● 어휘 (лексический запас) / 문법 (грамматика)

유치원+에 들어가+ㄴ 아이+는 치아+가 너무 못생기+어서 친구+들+에게 많+은 놀림+을 받+았+다.

견디+다 못하+ㄴ 아이+는 엄마+에게 투정+을 부리+었+다.

아이 : 엄마, 이빨+이 이상하+다고 친구+들+이 자꾸만 놀리+어요.

치과+에 가+(아)서 이빨 교정 좀 하+여 주+세요.

엄마 : 야, 그것(그거)+이 얼마나 비싸+ㄴ데.

아이 : 모르(몰ㄹ)+아, 이것(이거)+이 다 엄마 때문+이+야.

엄마+가 나+를 이렇+게 낳+았+잖아.

그러하+자 엄마+가 하+는 한마디.

엄마 : 너 낳+았+을 때 이빨 없+었+거든, 이것+아!

유치원+에 <u>들어가+ㄴ</u> 아이+는 치아+가 너무 <u>못생기+어서</u> 친구+들+에게 많+은 놀림+을 받+았+다. **들어간** **못생겨서**

• **유치원 (имя существительное)** : 초등학교 입학 이전의 어린이들을 교육하는 기관 및 시설.
детский сад
Учреждение или сооружение, в котором обучают детей до их поступления в школу.

• 에 : 앞말이 어떤 장소나 자리임을 나타내는 조사.
нет эквивалента
Окончание, указывающее на какое-либо место или пространство.

• **들어가다 (глагол)** : 어떤 단체의 구성원이 되다.
попасть
Относиться к какому-либо обществу, группе.

• -ㄴ : 앞의 말이 관형어의 기능을 하게 만들고 사건이나 동작이 완료되어 그 상태가 유지되고 있음을 나타내는 어미.
нет эквивалента
Окончание, которое указывает на завершенное постоянное действие или событие, преобразуя впередистоящее слово, словосочетание или придаточное предложение в определение.

• **아이 (имя существительное)** : 나이가 어린 사람.
ребёнок
Человек, которому мало лет от роду.

• 는 : 문장 속에서 어떤 대상이 화제임을 나타내는 조사.
нет эквивалента
Частица, указывающая на то, что какой-либо объект является основной темой в предложении.

• **치아 (имя существительное)** : 음식물을 씹는 일을 하는 기관.
зуб
Костный орган во рту для разжёвывания пищи.

• 가 : 어떤 상태나 상황에 놓인 대상이나 동작의 주체를 나타내는 조사.
нет эквивалента
Окончание, указывающее на объект какой-либо ситуации, состояния или на лицо, выполняющее какое-либо действие.

• **너무 (наречие)** : 일정한 정도나 한계를 훨씬 넘어선 상태로.
очень; чересчур
Состояние чрезмерного превышения определенного уровня или рубежа.

• **못생기다 (глагол)** : 생김새가 보통보다 못하다.
некрасивый; неприятный; уродливый
Имеющий непривлекательные черты.

• -어서 : 이유나 근거를 나타내는 연결 어미.
нет эквивалента
Соединительное окончание предиката, указывающее на причину или обоснование чего-либо.

• **친구 (имя существительное)** : 사이가 가까워 서로 친하게 지내는 사람.
друг; подруга; товарищ; коллега
Люди, имеющие близкие отношения, поддерживающие дружбу друг с другом.

• 들 : '복수'의 뜻을 더하는 접미사.
нет эквивалента
Суффикс со значением множественного числа.

• 에게 : 어떤 행동의 주체이거나 비롯되는 대상임을 나타내는 조사.
от кого-, чего-либо
Окончание, указывающее на лицо, выполняющее какое-либо действие или предмет, являющийся началом чего-либо.

• **많다 (имя прилагательное)** : 수나 양, 정도 등이 일정한 기준을 넘다.
много
Численность, количество, уровень и т.п. превышает стандарты.

• -은 : 앞의 말이 관형어의 기능을 하게 만들고 현재의 상태를 나타내는 어미.
нет эквивалента
Окончание, которое указывает на состояние лица или предмета в настоящем, преобразуя впередистоящее слово, словосочетание или придаточное предложение в определение.

• **놀림 (имя существительное)** : 남의 실수나 약점을 잡아 웃음거리로 만드는 일.
насмешка
Подшучивание над чужой ошибкой или слабостью.

• 을 : 동작이 직접적으로 영향을 미치는 대상을 나타내는 조사.
нет эквивалента
Частица, указывающая на объект, на который действие оказывает непосредственное влияние.

• **받다 (глагол)** : 다른 사람이 하는 행동, 심리적인 작용 등을 당하거나 입다.
получать; принимать
Подвергаться психическому воздействию, процессу и т.п. со стороны другого человека.

• -았- : 사건이 과거에 일어났음을 나타내는 어미.
нет эквивалента
Окончание прошедшего времени.

• -다 : 어떤 사건이나 사실, 상태를 서술함을 나타내는 종결 어미.
нет эквивалента
Финитное окончание, выражающее изложение события или факта в настоящем времени.

견디+[다 못하]+ㄴ 아이+는 엄마+에게 투정+을 부리+었+다. **견디다 못한** **부렸다**

• **견디다 (глагол)** : 힘들거나 어려운 것을 참고 버티어 살아 나가다.
терпеть; выносить; выдерживать
Вытерпеть и выстоять что-либо трудное или тяжёлое.

• -다 못하다 : 앞의 말이 나타내는 행동을 더 이상 계속할 수 없음을 나타내는 표현.
нет эквивалента
Выражение, указывающее на невозможность продолжения какого-либо действия.

• -ㄴ : 앞의 말이 관형어의 기능을 하게 만들고 사건이나 동작이 과거에 일어났음을 나타내는 어미.
нет эквивалента
Окончание, которое указывает на действие или событие в прошлом, преобразуя впередистоящее слово, словосочетание или придаточное предложение в определение.

• **아이 (имя существительное)** : 나이가 어린 사람.
ребёнок
Человек, которому мало лет от роду.

• 는 : 문장 속에서 어떤 대상이 화제임을 나타내는 조사.
нет эквивалента
Частица, указывающая на то, что какой-либо объект является основной темой в предложении.

• **엄마 (имя существительное)** : 격식을 갖추지 않아도 되는 상황에서 어머니를 이르거나 부르는 말.
мама; мамочка; мамуля
Слово, употребляемое при обращении к матери или её упоминании в ситуации, не требующей соблюдения формальностей.

• 에게 : 어떤 행동이 미치는 대상임을 나타내는 조사.
кому-, чему-либо
Окончание, указывающее на предмет, подвергающийся влиянию какого-либо действия.

• **투정 (имя существительное)** : 무엇이 모자라거나 마음에 들지 않아 떼를 쓰며 조르는 일.
приставание; выклянчивание
Выпрашивание чего-либо, чего недостаточно, или же нытьё из-за чего-либо, что не нравится.

• 을 : 동작이 직접적으로 영향을 미치는 대상을 나타내는 조사.
нет эквивалента
Частица, указывающая на объект, на который действие оказывает непосредственное влияние.

• **부리다 (глагол)** : 바람직하지 못한 행동이나 성질을 계속 드러내거나 보이다.
выставлять на показ; выказывать
Постоянно выказывать свои негативные поступки или характер.

• -었- : 사건이 과거에 일어났음을 나타내는 어미.
нет эквивалента
Окончание прошедшего времени.

• -다 : 어떤 사건이나 사실, 상태를 서술함을 나타내는 종결 어미.
нет эквивалента
Финитное окончание, выражающее изложение события или факта в настоящем времени.

아이 : 엄마, 이빨+이 이상하+다고 친구+들+이 자꾸만 <u>놀리+어요</u>. 놀려요

• **엄마 (имя существительное)** : 격식을 갖추지 않아도 되는 상황에서 어머니를 이르거나 부르는 말.
мама; мамочка; мамуля
Слово, употребляемое при обращении к матери или её упоминании в ситуации, не требующей соблюдения формальностей.

• **이빨 (имя существительное)** : (낮잡아 이르는 말로) 사람이나 동물의 입 안에 있으며, 무엇을 물거나 씹는 데 쓰는 기관.
зуб
(пренебр.) Костный орган во рту человека или животного для кусания или разжёвывания чего-либо.

• 이 : 어떤 상태나 상황의 대상이나 동작의 주체를 나타내는 조사.
нет эквивалента
Окончание, указывающее на объект какой-либо ситуации, состояния или на лицо, выполняющее какое-либо действие.

• **이상하다 (имя прилагательное)** : 정상적인 것과 다르다.
ненормальный; аномальный; отклоняющийся от нормы
Отличный от нормы.

• -다고 : 어떤 행위의 목적, 의도를 나타내거나 어떤 상황의 이유, 원인을 나타내는 연결 어미.
нет эквивалента
Соединительное окончание, указывающее на намерение, цель какого-либо действия или на причину какой-либо ситуации.

• **친구 (имя существительное)** : 사이가 가까워 서로 친하게 지내는 사람.
друг; подруга; товарищ; коллега
Люди, имеющие близкие отношения, поддерживающие дружбу друг с другом.

• 들 : '복수'의 뜻을 더하는 접미사.
нет эквивалента
Суффикс со значением множественного числа.

• 이 : 어떤 상태나 상황의 대상이나 동작의 주체를 나타내는 조사.
нет эквивалента
Окончание, указывающее на объект какой-либо ситуации, состояния или на лицо, выполняющее какое-либо действие.

• **자꾸만 (наречие)** : (강조하는 말로) 자꾸.
снова и снова; постоянно; все время
(усилит.) Безостановочно, непрерывно.

자꾸 (наречие) : 여러 번 계속하여.
всё время
Непрерывно несколько раз.

• **놀리다 (глагол)** : 실수나 약점을 잡아 웃음거리로 만들다.
подтрунивать; подшучивать; насмехаться
Делать кого-либо, что-либо предметом насмешек.

• -어요 : (두루높임으로) 어떤 사실을 서술하거나 질문, 명령, 권유함을 나타내는 종결 어미.
нет эквивалента
(нейтрально-вежливый стиль) Финитное окончание предиката в повествовательном, вопросительном или побудительном предложении.

아이 : 치과+에 <u>가+(아)서</u> 이빨 교정 좀 <u>하+[여 주]+세요</u>. **가서　　　　　　　　해 주세요**

• **치과 (имя существительное)** : 이와 더불어 잇몸 등의 지지 조직, 구강 등의 질병을 치료하는 의학 분야. 또는 그 분야의 병원.

стоматология; стоматологическая клиника

Область медицины, занимающаяся лечением болезней зубов, опорной ткани, включая дёсны и т.п., и ротовой полости. А также клиника, осуществляющая деятельность в подобной области.

• 에 : 앞말이 목적지이거나 어떤 행위의 진행 방향임을 나타내는 조사.

нет эквивалента

Окончание, указывающее на направленность какого-либо действия или цели.

• **가다 (глагол)** : 어떤 목적을 가지고 일정한 곳으로 움직이다.

идти; ехать

Передвигаться в определённое место с какой-либо целью.

• -아서 : 앞의 말과 뒤의 말이 순차적으로 일어남을 나타내는 연결 어미.

нет эквивалента

Соединительное окончание предиката, указывающее на последовательность действий.

• **이빨 (имя существительное)** : (낮잡아 이르는 말로) 사람이나 동물의 입 안에 있으며, 무엇을 물거나 씹는 데 쓰는 기관.

зуб

(пренебр.) Костный орган во рту человека или животного для кусания или разжёвывания чего-либо.

• **교정 (имя существительное)** : 고르지 못하거나 틀어지거나 잘못된 것을 바로잡음.

поправка; выравнивание

Исправление чего-либо неверного, неправильного, искривлённого и т.п.

• **좀 (наречие)** : 주로 부탁이나 동의를 구할 때 부드러운 느낌을 주기 위해 넣는 말.

нет эквивалента

Выражение, употребляющееся для придания мягкости при обращении к кому-либо с просьбой или в поисках согласия, одобрения.

• **하다 (глагол)** : 어떤 행동이나 동작, 활동 등을 행하다.

делать

Выполнять какое-либо действие, движение, работу и т.п.

• -여 주다 : 남을 위해 앞의 말이 나타내는 행동을 함을 나타내는 표현.

нет эквивалента

Выражение, указывающее на то, что описанное действие выполняется в интересах другого лица.

• -세요 : (두루높임으로) 설명, 의문, 명령, 요청의 뜻을 나타내는 종결 어미.
нет эквивалента
(нейтрально-вежливый стиль) Финитное окончание предиката в повествовательном, вопросительном или побудительном предложении.

엄마 : 야, 그것(그거)+이 얼마나 비싸+ㄴ데. **그게 비싼데**

• **야 (восклицание)** : 놀라거나 반가울 때 내는 소리.
О-о! ах!
Междометие, означающее восторг.

• **그것 (местоимение)** : 앞에서 이미 이야기한 대상을 가리키는 말.
это
Указывает на предмет или факт, который был ранее указан.

• 이 : 앞의 말을 강조하는 뜻을 나타내는 조사.
нет эквивалента
Частица, показывающая смысл акцентирования предыдущих слов.

• **얼마나 (наречие)** : 상태나 느낌 등의 정도가 매우 크고 대단하게.
настолько; так
Очень грандиозное, великое или огромное состояние или чувство чего-либо.

• **비싸다 (имя прилагательное)** : 물건값이나 어떤 일을 하는 데 드는 비용이 보통보다 높다.
дорогостоящий; дорогой
Иметь очень высокую стоимость, стоить больше, чем обычно.

• -ㄴ데 : (두루낮춤으로) 듣는 사람의 반응을 기대하며 어떤 일에 대해 감탄함을 나타내는 종결 어미.
нет эквивалента
(нейтральный стиль) Окончание, передающее восклицание или удивление в ожидании отклика слушающего.

아이 : 모르(몰ㄹ)+아, 이것(이거)+이 다 엄마 때문+이+야. **몰라 이게**

• **모르다 (глагол)** : 사람이나 사물, 사실 등을 알지 못하거나 이해하지 못하다.
не знать; не понимать
Не знать или не понимать людей, предметы, факты и т.п.

• -아 : (두루낮춤으로) 어떤 사실을 서술하거나 물음, 명령, 권유를 나타내는 종결 어미.
нет эквивалента
(нейтральный стиль) Финитное окончание предиката в повествовательном, вопросительном или побудительном предложении.

• **이것 (местоимение)** : 바로 앞에서 이야기한 대상을 가리키는 말.
это
Указывает на то, о чём только что говорилось.

• 이 : 어떤 상태나 상황의 대상이나 동작의 주체를 나타내는 조사.
нет эквивалента
Окончание, указывающее на объект какой-либо ситуации, состояния или на лицо, выполняющее какое-либо действие.

• **다 (наречие)** : 남거나 빠진 것이 없이 모두.
всё; все
Весь, полный, без изъятия, целиком.

• **엄마 (имя существительное)** : 격식을 갖추지 않아도 되는 상황에서 어머니를 이르거나 부르는 말.
мама; мамочка; мамуля
Слово, употребляемое при обращении к матери или её упоминании в ситуации, не требующей соблюдения формальностей.

• **때문 (имя существительное)** : 어떤 일의 원인이나 이유.
Из-за
причина чего-либо в отрицательном контексте.

• 이다 : 주어가 지시하는 대상의 속성이나 부류를 지정하는 뜻을 나타내는 서술격 조사.
нет эквивалента
Суффикс повествовательного падежа, выражающий смысл наименования свойства или разряда объекта, на который указывает подлежащее.

• -야 : (두루낮춤으로) 어떤 사실에 대하여 서술하거나 물음을 나타내는 종결 어미.
нет эквивалента
(нейтральный стиль) Финитное окончание предиката в повествовательном или вопросительном предложении.

아이 : 엄마+가 <u>나+를</u> 이렇+게 낳+았+잖아. 날

• **엄마 (имя существительное)** : 격식을 갖추지 않아도 되는 상황에서 어머니를 이르거나 부르는 말.
мама; мамочка; мамуля
Слово, употребляемое при обращении к матери или её упоминании в ситуации, не требующей соблюдения формальностей.

• 가 : 어떤 상태나 상황에 놓인 대상이나 동작의 주체를 나타내는 조사.
нет эквивалента
Окончание, указывающее на объект какой-либо ситуации, состояния или на лицо, выполняющее какое-либо действие.

• **나 (местоимение)** : 말하는 사람이 친구나 아랫사람에게 자기를 가리키는 말.
я
Выражение, которым называют себя в разговоре с ровесниками или младшими людьми.

• 를 : 동작이 간접적인 영향을 미치는 대상이나 목적임을 나타내는 조사.
нет эквивалента
Частица, указывающая на объект или цель, на которые косвенно распространяется влияния действия.

• **이렇다 (имя прилагательное)** : 상태, 모양, 성질 등이 이와 같다.
быть таковым
Быть таким; быть следующим (о состоянии, виде, качестве и т.п.).

• -게 : 앞의 말이 뒤에서 가리키는 일의 목적이나 결과, 방식, 정도 등이 됨을 나타내는 연결 어미.
нет эквивалента
Соединительное окончание предиката, указывающее на то, описанное в первой части предложения действие или состояние является целью, результатом, образом действия, степенью и т.п. того, о чём говорится в последующей главной части предложения.

• **낳다 (глагол)** : 배 속의 아이, 새끼, 알을 몸 밖으로 내보내다.
рожать; откладывать
Производить на свет подобных себе, выпуская из чрева ребёнка, детёныша, яйца.

• -았- : 사건이 과거에 일어났음을 나타내는 어미.
нет эквивалента
Окончание прошедшего времени.

• -잖아 : (두루낮춤으로) 어떤 상황에 대해 말하는 사람이 상대방에게 확인하거나 정정해 주듯이 말함을 나타내는 표현.
нет эквивалента
(нейтральный стиль) Выражение, используемое при обращении к собеседнику с уточнением или поправкой.

그러하+자 엄마+가 하+는 한마디.
그러자

• **그러하다 (имя прилагательное)** : 상태, 모양, 성질 등이 그와 같다.
такой
Одинаковый с кем-либо, чем-либо (о состоянии, виде, характеристике и т.п.).

• -자 : 앞의 말이 나타내는 동작이 끝난 뒤 곧 뒤의 말이 나타내는 동작이 잇따라 일어남을 나타내는 연결 어미.
нет эквивалента
Соединительное окончание, показывающее то, что после завершения одного действия сразу происходит следующее.

• **엄마 (имя существительное)** : 격식을 갖추지 않아도 되는 상황에서 어머니를 이르거나 부르는 말.
мама; мамочка; мамуля
Слово, употребляемое при обращении к матери или её упоминании в ситуации, не требующей соблюдения формальностей.

• 가 : 어떤 상태나 상황에 놓인 대상이나 동작의 주체를 나타내는 조사.
нет эквивалента
Окончание, указывающее на объект какой-либо ситуации, состояния или на лицо, выполняющее какое-либо действие.

• **하다 (глагол)** : 다른 사람의 말이나 생각 등을 나타내는 문장을 받아 뒤에 오는 단어를 꾸미는 말.
нет эквивалента
Выражение, которое употребляется в косвенной речи, когда после выражения слов или мыслей другого человека добавляют собственные мысли или слова.

• -는 : 앞의 말이 관형어의 기능을 하게 만들고 사건이나 동작이 현재 일어남을 나타내는 어미.
нет эквивалента
Окончание, которое указывает на действие или событие в настоящем, преобразуя впередистоящее слово, словосочетание или придаточное предложение в определение.

• **한마디 (имя существительное)** : 짧고 간단한 말.
Одно слово, одна фраза
короткие, несложные слова.

엄마 : 너 낳+았+[을 때] 이빨 없+었+거든, 이것+아!

• **너 (местоимение)** : 듣는 사람이 친구나 아랫사람일 때, 그 사람을 가리키는 말.
ты
Употребляется при указании на собеседника, если он является ровесником или человеком, младшим по возрасту или статусу.

• **낳다 (глагол)** : 배 속의 아이, 새끼, 알을 몸 밖으로 내보내다.
рожать; откладывать
Производить на свет подобных себе, выпуская из чрева ребёнка, детёныша, яйца.

• -았- : 사건이 과거에 일어났음을 나타내는 어미.
нет эквивалента
Окончание прошедшего времени.

• -을 때 : 어떤 행동이나 상황이 일어나는 동안이나 그 시기 또는 그러한 일이 일어난 경우를 나타내는 표현.
когда
Выражение, указывающее на момент или период во времени, когда происходит некое событие, либо случай возникновения такого события.

• **이빨 (имя существительное)** : (낮잡아 이르는 말로) 사람이나 동물의 입 안에 있으며, 무엇을 물거나 씹는 데 쓰는 기관.
зуб
(пренебр.) Костный орган во рту человека или животного для кусания или разжёвывания чего-либо.

• **없다 (имя прилагательное)** : 사람, 사물, 현상 등이 어떤 곳에 자리나 공간을 차지하고 존재하지 않는 상태이다.
не быть
Состояние несуществования человека, предмета, явления и т.п. в каком-либо месте или пространстве.

• -었- : 사건이 과거에 일어났음을 나타내는 어미.
нет эквивалента
Окончание прошедшего времени.

• -거든 : (두루낮춤으로) 앞의 내용에 대해 말하는 사람이 생각한 이유나 원인, 근거를 나타내는 종결 어미.
нет эквивалента
(нейтральный стиль) Финитное окончание, указывающее на причину, фактор, аргумент говорящего, которые касаются содержания, описанного в первой части высказывания.

• **이것 (местоимение)** : (귀엽게 이르는 말로) 이 아이.
этот
(ласк.) Этот ребёнок.

• 아 : 친구나 아랫사람, 동물 등을 부를 때 쓰는 조사.

нет эквивалента

Окончание, указывающее на фамильярное обращение к другу, нижестоящему по рангу или положению человеку, животному и т.п.

< 4 단원(глава) >

제목 : 아빠, 물 좀 갖다주세요.

● 본문 (Основной текст)

늦은 오후 방에 늘어져 있던 아들은 시원한 물 한 잔이 먹고 싶어졌다.

그러나 꼼짝하기도 싫은 아들은 거실에서 텔레비전을 보고 계시던 아빠에게 큰 소리로 말했다.

아들 : 아빠, 물 좀 갖다주세요.

아빠 : 냉장고에 있으니까 네가 꺼내 먹어.

십 분 후

아들 : 아빠, 물 좀 갖다주세요.

아빠 : 네가 직접 가서 마시라니까.

아빠의 목소리는 점점 짜증이 섞이면서 톤이 높아지고 있었다.

그러나 이에 굴하지 않고 아들은 또 다시 외쳤다.

아들 : 아빠, 물 좀 갖다주세요.

아빠 : 네가 갖다 먹으라고.

한 번만 더 부르면 혼내 주러 간다.

아빠는 이제 단단히 화가 나셨다.

하지만 아들은 지칠 줄 모르고 다시 십 분 후에 이렇게 말했다.

아들 : 아빠, 저 혼내러 오실 때 물 좀 갖다주세요.

● 발음 (произношение)

늦은 오후 방에 늘어져 있던 아들은 시원한 물 한 잔이 먹고 싶어졌다.
느즌 오후 방에 느러저 읻떤 아드른 시원한 물 한 자니 먹꼬 시퍼젇따.
neujeun ohu bange neureojeo itdeon adeureun siwonhan mul han jani meokgo sipeojeotda.

그러나 꼼짝하기도 싫은 아들은 거실에서 텔레비전을 보고 계시던 아빠에게 큰 소리로 말했다.
그러나 꼼짜카기도 시른 아드른 거시레서 텔레비저늘 보고 계시던 아빠에게 큰 소리로 말핻따.
geureona kkomjjakagido sireun adeureun geosireseo tellebijeoneul bogo gyesideon appaege keun soriro malhaetda.

아들 : 아빠, 물 좀 갖다주세요.
아들 : 아빠, 물 좀 갇따주세요.
adeul : appa, mul jom gatdajuseyo.

아빠 : 냉장고에 있으니까 네가 꺼내 먹어.
아빠 : 냉장고에 이쓰니까 네가 꺼내 머거.
appa : naengjanggoe isseunikka nega kkeonae meogeo.

십 분 후
십 분 후
sip bun hu

아들 : 아빠, 물 좀 갖다주세요.
아들 : 아빠, 물 좀 갇따주세요.
adeul : appa, mul jom gatdajuseyo.

아빠 : 네가 직접 가서 마시라니까.
아빠 : 네가 직쩝 가서 마시라니까.
appa : nega jikjeop gaseo masiranikka.

아빠의 목소리는 점점 짜증이 섞이면서 톤이 높아지고 있었다.
아빠의 목쏘리는 점점 짜증이 서끼면서 토니 노파지고 이썯따.
appaui moksorineun jeomjeom jjajeungi seokkimyeonseo toni nopajigo isseotda.

그러나 이에 굴하지 않고 아들은 또 다시 외쳤다.
그러나 이에 굴하지 안코 아드른 또 다시 외쳗따.
geureona ie gulhaji anko adeureun tto dasi oecheotda.

아들 : 아빠, 물 좀 갖다주세요.
아들 : 아빠, 물 좀 갇따주세요.
adeul : appa, mul jom gatdajuseyo.

아빠 : 네가 갖다 먹으라고.
아빠 : 네가 갇따 머그라고.
appa : nega gatda meogeurago.

한 번만 더 부르면 혼내 주러 간다.
한 번만 더 부르면 혼내 주러 간다.
han beonman deo bureumyeon honnae jureo ganda.

아빠는 이제 단단히 화가 나셨다.
아빠는 이제 단단히 화가 나셛따.
appaneun ije dandanhi hwaga nasyeotda.

하지만 아들은 지칠 줄 모르고 다시 십 분 후에 이렇게 말했다.
하지만 아드른 지칠 쭐 모르고 다시 십 분 후에 이러케 말핻따.
hajiman adeureun jichil jul moreugo dasi sip bun hue ireoke malhaetda.

아들 : 아빠, 저 혼내러 오실 때 물 좀 갖다주세요.
아들 : 아빠, 저 혼내러 오실 때 물 좀 갇따주세요.
adeul : appa, jeo honnaereo osil ttae mul jom gatdajuseyo.

● 어휘 (лексический запас) / 문법 (грамматика)

늦+은 오후 방+에 늘어지+어 있+던 아들+은 시원하+ㄴ 물 한 잔+이 먹+고 싶+어지+었+다.

그러나 꼼짝하+기+도 싫+은 아들+은 거실+에서 텔레비전+을 보+고 계시+던 아빠+에게 크+ㄴ 소리+로 말하+였+다.

아들 : **아빠, 물 좀 갖다주+세요.**

아빠 : **냉장고+에 있+으니까 네+가 꺼내+(어) 먹+어.**

십 분 후

아들 : **아빠, 물 좀 갖다주+세요.**

아빠 : **네+가 직접 가+(아)서 마시+라니까.**

아빠+의 목소리+는 점점 짜증+이 섞이+면서 톤+이 높아지+고 있+었+다.

그러나 이에 굴하+지 않+고 아들+은 또 다시 외치+었+다.

아들 : **아빠, 물 좀 갖다주+세요.**

아빠 : **네+가 갖+다 먹+으라고.**

한 번+만 더 부르+면 혼내+(어) 주+러 가+ㄴ다.

아빠+는 이제 단단히 화+가 나+시+었+다.

하지만 아들+은 지치+ㄹ 줄 모르+고 다시 십 분 후+에 이렇+게 말하+였+다.

아들 : **아빠, 저 혼내+러 오+시+ㄹ 때 물 좀 갖다주+세요.**

늦+은 오후 방+에 늘어지+[어 있]+던 아들+은 시원하+ㄴ 물 한 잔+이 먹+[고 싶]+[어지]+었+다. **늘어져 있던 시원한 먹고 싶어졌다**

• **늦다 (имя прилагательное)** : 적당한 때를 지나 있다. 또는 시기가 한창인 때를 지나 있다.
поздний
Представляющий конечный этап какого-либо отрезка времени.

• -은 : 앞의 말이 관형어의 기능을 하게 만들고 현재의 상태를 나타내는 어미.
нет эквивалента
Окончание, которое указывает на состояние лица или предмета в настоящем, преобразуя впередистоящее слово, словосочетание или придаточное предложение в определение.

• **오후 (имя существительное)** : 정오부터 해가 질 때까지의 동안.
время после полудня
Промежуток времени от середины дня (двенадцати часов) и до заката солнца.

• **방 (имя существительное)** : 사람이 살거나 일을 하기 위해 벽을 둘러서 막은 공간.
комната; помещение
Закрытое пространство, огороженное стенами для того, чтобы там мог жить или работать человек.

• 에 : 앞말이 어떤 장소나 자리임을 나타내는 조사.
нет эквивалента
Окончание, указывающее на какое-либо место или пространство.

• **늘어지다 (глагол)** : 몸을 마음껏 펴거나 근심 걱정 없이 쉬다.
неторопливый; неспешный; спокойный
Размеренный, лишённый торопливости (о хорошем отдыхе).

• -어 있다 : 앞의 말이 나타내는 상태가 계속됨을 나타내는 표현.
нет эквивалента
Выражение, указывающее на длительность какого-либо состояния.

• -던 : 앞의 말이 관형어의 기능을 하게 만들고 사건이나 동작이 과거에 완료되지 않고 중단되었음을 나타내는 어미.
нет эквивалента
Окончание, которое указывает на незавершённое, прерванное действие в прошлом, преобразуя впередистоящее слово, словосочетание или придаточное предложение в определение.

• **아들 (имя существительное)** : 남자인 자식.
сын
Ребёнок мужского пола.

• 은 : 문장 속에서 어떤 대상이 화제임을 나타내는 조사.
нет эквивалента
Частица, показывающая то, что какой-то объект является главной темой в предложении.

• **시원하다 (имя прилагательное)** : 음식이 먹기 좋을 정도로 차고 산뜻하거나, 속이 후련할 정도로 뜨겁다.
освежающий; приятно горячий
Освежающе холодный или горячий, приносящий удовлетворённость (о еде).

• -ㄴ : 앞의 말이 관형어의 기능을 하게 만들고 현재의 상태를 나타내는 어미.
нет эквивалента
Окончание, указывающее на состояние лица или предмета в настоящий момент, при котором впередистоящее слово, словосочетание или придаточное предложение выполняет функцию определения.

• **물 (имя существительное)** : 강, 호수, 바다, 지하수 등에 있으며 순수한 것은 빛깔, 냄새, 맛이 없고 투명한 액체.
вода
Прозрачная жидкость, не имеющая цвета, запаха, вкуса и образующая реки, озёра, моря и т.п.

• **한 (атрибутивное слово)** : 하나의.
нет эквивалента
Один.

• **잔 (имя существительное)** : 음료나 술 등을 담은 그릇을 기준으로 그 분량을 세는 단위.
стакан, рюмка, бокал
Слово, используемое при счёте прохладительных и спиртных напитков.

• 이 : 어떤 상태나 상황의 대상이나 동작의 주체를 나타내는 조사.
нет эквивалента
Частица, показывающая какое-либо состояние, объект ситуации или субъект действия.

• **먹다 (глагол)** : 액체로 된 것을 마시다.
пить
Глотать жидкость.

• -고 싶다 : 앞의 말이 나타내는 행동을 하기를 원함을 나타내는 표현.
хотеть (что-либо делать)
Выражение, указывающее на желание говорящего совершить какое-либо действие.

• -어지다 : 앞에 오는 말이 나타내는 대로 행동하게 되거나 그 상태로 됨을 나타내는 표현.
нет эквивалента
Выражение, указывающее на то, что данное действие или состояние является вынужденным под воздействием внешних сил.

• -었- : 어떤 사건이 과거에 완료되었거나 그 사건의 결과가 현재까지 지속되는 상황을 나타내는 어미.
нет эквивалента
Окончание, указывающее на полное завершение какого-либо события в прошлом и сохранения данного результата до настоящего времени.

• -다 : 어떤 사건이나 사실, 상태를 서술함을 나타내는 종결 어미.
нет эквивалента
Финитное окончание, выражающее изложение события или факта в настоящем времени.

그러나 꼼짝하+기+도 싫+은 아들+은 거실+에서 텔레비전+을 보+[고 계시]+던 아빠+에게 크+ㄴ (**큰**) 소리+로 말하+였+다. (**말했다**)

• **그러나 (наречие)** : 앞의 내용과 뒤의 내용이 서로 반대될 때 쓰는 말.
однако; но; а
Слово, используемое при противопоставлении начальной и последующей частей содержания.

• **꼼짝하다 (глагол)** : 몸이 느리게 조금씩 움직이다. 또는 몸을 느리게 조금씩 움직이다.
шевелиться; ворочаться
Двигаться еле-еле, потихоньку. А так же двигать телом кое-как понемногу.

• -기 : 앞의 말이 명사의 기능을 하게 하는 어미.
нет эквивалента
Окончание, позволяющее впередистоящему слову или выражению выполнять функцию имени существительного.

• 도 : 극단적인 경우를 들어 다른 경우는 말할 것도 없음을 나타내는 조사.
нет эквивалента
Частица, указывающая на крайний случай и на его примере - на бессмысленность говорить о других.

• **싫다 (имя прилагательное)** : 어떤 일을 하고 싶지 않다.
не хотеть; не желать
Не хотеть что-либо делать.

• -은 : 앞의 말이 관형어의 기능을 하게 만들고 현재의 상태를 나타내는 어미.
нет эквивалента
Окончание, которое указывает на состояние лица или предмета в настоящем, преобразуя впередистоящее слово, словосочетание или придаточное предложение в определение.

• **아들 (имя существительное)** : 남자인 자식.
сын
Ребёнок мужского пола.

• 은 : 문장 속에서 어떤 대상이 화제임을 나타내는 조사.
нет эквивалента
Частица, показывающая то, что какой-то объект является главной темой в предложении.

• **거실 (имя существительное)** : 서양식 집에서, 가족이 모여서 생활하거나 손님을 맞는 중심 공간.
гостиная комната
В доме западного типа комната, где принимают гостей, или собирается вся семья.

• 에서 : 앞말이 행동이 이루어지고 있는 장소임을 나타내는 조사.
в; на
Окончание, указывающее на место, где происходит указанное действие.

• **텔레비전 (имя существительное)** : 방송국에서 전파로 보내오는 영상과 소리를 받아서 보여 주는 기계.
телевизор
Приёмник, предназначенный для приёма и отображения радиосигналов изображения и звукового сопровождения программ телевизионного вещания.

• 을 : 동작이 직접적으로 영향을 미치는 대상을 나타내는 조사.
нет эквивалента
Частица, указывающая на объект, на который действие оказывает непосредственное влияние.

• **보다 (глагол)** : 눈으로 대상을 즐기거나 감상하다.
смотреть; рассматривать
Любоваться или просматривать объект глазами.

• -고 계시다 : (높임말로) 앞의 말이 나타내는 행동이 계속 진행됨을 나타내는 표현.
нет эквивалента
(вежл.) Выражение, указывающее на длительность действия.

• -던 : 앞의 말이 관형어의 기능을 하게 만들고 사건이나 동작이 과거에 완료되지 않고 중단되었음을 나타내는 어미.

нет эквивалента

Окончание, которое указывает на незавершённое, прерванное действие в прошлом, преобразуя впередистоящее слово, словосочетание или придаточное предложение в определение.

• **아빠 (имя существительное)** : 격식을 갖추지 않아도 되는 상황에서 아버지를 이르거나 부르는 말.

папа

Слово, употребляемое при обращении к отцу или его упоминании в ситуации, не требующей соблюдения формальностей.

• 에게 : 어떤 행동이 미치는 대상임을 나타내는 조사.

кому-, чему-либо

Окончание, указывающее на предмет, подвергающийся влиянию какого-либо действия.

• **크다 (имя прилагательное)** : 소리의 세기가 강하다.

громкий

Сильный (о мощности звука).

• -ㄴ : 앞의 말이 관형어의 기능을 하게 만들고 현재의 상태를 나타내는 어미.

нет эквивалента

Окончание, указывающее на состояние лица или предмета в настоящий момент, при котором впередистоящее слово, словосочетание или придаточное предложение выполняет функцию определения.

• **소리 (имя существительное)** : 사람의 목에서 나는 목소리.

голос

Звук, исходящий из горла человека.

• 로 : 어떤 일의 방법이나 방식을 나타내는 조사.

нет эквивалента

Частица, указывающая на способ или метод для выполнения какой-либо работы.

• **말하다 (глагол)** : 어떤 사실이나 자신의 생각 또는 느낌을 말로 나타내다.

говорить

Выражать словесно какой-либо факт, собственные мысли, чувства.

• -였- : 어떤 사건이 과거에 완료되었거나 그 사건의 결과가 현재까지 지속되는 상황을 나타내는 어미.

нет эквивалента

Окончание, указывающее на полное завершение какого-либо события в прошлом и сохранения данного результата до настоящего времени.

• -다 : 어떤 사건이나 사실, 상태를 서술함을 나타내는 종결 어미.
нет эквивалента
Финитное окончание, выражающее изложение события или факта в настоящем времени.

아들 : 아빠, 물 좀 갖다주+세요.

• **아빠 (имя существительное)** : 격식을 갖추지 않아도 되는 상황에서 아버지를 이르거나 부르는 말.
папа
Слово, употребляемое при обращении к отцу или его упоминании в ситуации, не требующей соблюдения формальностей.

• **물 (имя существительное)** : 강, 호수, 바다, 지하수 등에 있으며 순수한 것은 빛깔, 냄새, 맛이 없고 투명한 액체.
вода
Прозрачная жидкость, не имеющая цвета, запаха, вкуса и образующая реки, озёра, моря и т.п.

• **좀 (наречие)** : 주로 부탁이나 동의를 구할 때 부드러운 느낌을 주기 위해 넣는 말.
нет эквивалента
Выражение, употребляющееся для придания мягкости при обращении к кому-либо с просьбой или в поисках согласия, одобрения.

• **갖다주다 (глагол)** : 무엇을 가지고 와서 주다.
приносить; доставлять; привозить
Приходить и приносить что-либо с собой

• -세요 : (두루높임으로) 설명, 의문, 명령, 요청의 뜻을 나타내는 종결 어미.
нет эквивалента
(нейтрально-вежливый стиль) Финитное окончание предиката в повествовательном, вопросительном или побудительном предложении.

아빠 : 냉장고+에 있+으니까 네+가 꺼내+(어) 먹+어. 꺼내

• **냉장고 (имя существительное)** : 음식을 상하지 않게 하거나 차갑게 하려고 낮은 온도에서 보관하는 상자 모양의 기계.
холодильник
Аппарат для охлаждения, замораживания и хранения пищевых и других продуктов при температуре ниже температуры окружающей среды.

• 에 : 앞말이 어떤 장소나 자리임을 나타내는 조사.
нет эквивалента
Окончание, указывающее на какое-либо место или пространство.

• **있다 (имя прилагательное)** : 무엇이 어떤 곳에 자리나 공간을 차지하고 존재하는 상태이다.
нет эквивалента
Пребывать или занимать какое-либо место или пространство.

• -으니까 : 뒤에 오는 말에 대하여 앞에 오는 말이 원인이나 근거, 전제가 됨을 강조하여 나타내는 연결 어미.
нет эквивалента
Соединительное окончание, указывающее на то, что содержание первой части предложения является причиной, обоснованием, предпосылкой того, о чём говорится во второй части предложения.

• **네 (местоимение)** : '너'에 조사 '가'가 붙을 때의 형태.
ты
Морфема, используемая в том случае, когда к корню '너' присоединяется частица '가'.

너 (местоимение) : 듣는 사람이 친구나 아랫사람일 때, 그 사람을 가리키는 말.
ты
Употребляется при указании на собеседника, если он является ровесником или человеком, младшим по возрасту или статусу.

• 가 : 어떤 상태나 상황에 놓인 대상이나 동작의 주체를 나타내는 조사.
нет эквивалента
Окончание, указывающее на объект какой-либо ситуации, состояния или на лицо, выполняющее какое-либо действие.

• **꺼내다 (глагол)** : 안에 있는 물건을 밖으로 나오게 하다.
извлекать; вынимать; вытаскивать
Перемещать вещь изнутри чего-либо наружу.

• -어 : 앞의 말이 뒤의 말보다 먼저 일어났거나 뒤의 말에 대한 방법이나 수단이 됨을 나타내는 연결 어미.
нет эквивалента
Соединительное окончание, указывающее на то, что действие, описанное в первой части предложения произошло раньше действия, описанного во второй части предложения, или на то, что оно является способом или средством его выполнения.

• **먹다 (глагол)** : 액체로 된 것을 마시다.
пить
Глотать жидкость.

• -어 : (두루낮춤으로) 어떤 사실을 서술하거나 물음, 명령, 권유를 나타내는 종결 어미.
нет эквивалента
(нейтральный стиль) Финитное окончание предиката в повествовательном, вопросительном или побудительном предложении.

십 분 후

• **십 (атрибутивное слово)** : 열의.
нет эквивалента
Десять.

• **분 (имя существительное)** : 한 시간의 60분의 1을 나타내는 시간의 단위.
минута
Единица измерения времени, равная 1/60 часа.

• **후 (имя существительное)** : 얼마만큼 시간이 지나간 다음.
после; впоследствии; потом; затем
После прохождения некоторого времени.

아들 : 아빠, 물 좀 갔다주+세요.

• **아빠 (имя существительное)** : 격식을 갖추지 않아도 되는 상황에서 아버지를 이르거나 부르는 말.
папа
Слово, употребляемое при обращении к отцу или его упоминании в ситуации, не требующей соблюдения формальностей.

• **물 (имя существительное)** : 강, 호수, 바다, 지하수 등에 있으며 순수한 것은 빛깔, 냄새, 맛이 없고 투명한 액체.
вода
Прозрачная жидкость, не имеющая цвета, запаха, вкуса и образующая реки, озёра, моря и т.п.

• **좀 (наречие)** : 주로 부탁이나 동의를 구할 때 부드러운 느낌을 주기 위해 넣는 말.
нет эквивалента
Выражение, употребляющееся для придания мягкости при обращении к кому-либо с просьбой или в поисках согласия, одобрения.

• **갖다주다 (глагол)** : 무엇을 가지고 와서 주다.
приносить; доставлять; привозить
Приходить и приносить что-либо с собой

• -세요 : (두루높임으로) 설명, 의문, 명령, 요청의 뜻을 나타내는 종결 어미.
нет эквивалента
(нейтрально-вежливый стиль) Финитное окончание предиката в повествовательном, вопросительном или побудительном предложении.

아빠 : 네+가 직접 가+(아)서 마시+라니까.
가서

• **네 (местоимение)** : '너'에 조사 '가'가 붙을 때의 형태.
ты
Морфема, используемая в том случае, когда к корню '너' присоединяется частица '가'.

너 (местоимение) : 듣는 사람이 친구나 아랫사람일 때, 그 사람을 가리키는 말.
ты
Употребляется при указании на собеседника, если он является ровесником или человеком, младшим по возрасту или статусу.

• 가 : 어떤 상태나 상황에 놓인 대상이나 동작의 주체를 나타내는 조사.
нет эквивалента
Окончание, указывающее на объект какой-либо ситуации, состояния или на лицо, выполняющее какое-либо действие.

• **직접 (наречие)** : 중간에 다른 사람이나 물건 등이 끼어들지 않고 바로.
прямо; непосредственно; лицом к лицу
Напрямую, без вмешательства других людей, предметов и т.п.

• **가다 (глагол)** : 한 곳에서 다른 곳으로 장소를 이동하다.
ходить; уходить; идти
Передвигаться с одного места на другое.

• -아서 : 앞의 말과 뒤의 말이 순차적으로 일어남을 나타내는 연결 어미.
нет эквивалента
Соединительное окончание предиката, указывающее на последовательность действий.

• **마시다 (глагол)** : 물 등의 액체를 목구멍으로 넘어가게 하다.
пить
Глотать, поглощать воду или какую-либо жидкость.

• -라니까 : (아주낮춤으로) 가볍게 꾸짖으면서 반복해서 명령하는 뜻을 나타내는 종결 어미.
нет эквивалента
(простой стиль) Окончание, употребляемое при повторе приказа, повеления с лёгким упрёком.

아빠+의 목소리+는 점점 짜증+이 섞이+면서 톤+이 높아지+[고 있]+었+다.

• **아빠 (имя существительное)** : 격식을 갖추지 않아도 되는 상황에서 아버지를 이르거나 부르는 말.
папа
Слово, употребляемое при обращении к отцу или его упоминании в ситуации, не требующей соблюдения формальностей.

• 의 : 앞의 말이 뒤의 말에 대하여 소유, 소속, 소재, 관계, 기원, 주체의 관계를 가짐을 나타내는 조사.
нет эквивалента
Частица, указывающая на то, что в предыдущем слове содержится значение собственности, принадлежности, сырья, источника, основы в отношении последующего.

• **목소리 (имя существительное)** : 사람의 목구멍에서 나는 소리.
голос
Звук, издаваемый голосовыми связками у человека.

• 는 : 문장 속에서 어떤 대상이 화제임을 나타내는 조사.
нет эквивалента
Частица, указывающая на то, что какой-либо объект является основной темой в предложении.

• **점점 (наречие)** : 시간이 지남에 따라 정도가 조금씩 더.
постепенно; мало-помалу; понемногу; всё более и более
Понемногу с изменением хода времени.

• **짜증 (имя существительное)** : 마음에 들지 않아서 화를 내거나 싫은 느낌을 겉으로 드러내는 일. 또는 그런 성미.
недовольство; раздражительность
Показ недовольства из-за того, что что-либо не нравится. А также такой характер.

• 이 : 어떤 상태나 상황의 대상이나 동작의 주체를 나타내는 조사.
нет эквивалента
Частица, показывающая какое-либо состояние, объект ситуации или субъект действия.

• **섞이다 (глагол)** : 어떤 말이나 행동에 다른 말이나 행동이 함께 나타나다.
примешиваться
Выражаться что-либо словами или действиями одновременно с какими-либо словам или действиями.

• -면서 : 두 가지 이상의 동작이나 상태가 함께 일어남을 나타내는 연결 어미.
нет эквивалента
Соединительное окончание предиката, указывающее на одновременность двух или более действий или состояний.

• **톤 (имя существительное)** : 전체적으로 느껴지는 분위기나 말투.
тон
Общая обстановка или манера, стиль общения.

• 이 : 어떤 상태나 상황의 대상이나 동작의 주체를 나타내는 조사.
нет эквивалента
Частица, показывающая какое-либо состояние, объект ситуации или субъект действия.

• **높아지다 (глагол)** : 이전보다 더 높은 정도나 수준, 지위에 이르다.
повышаться; увеличиваться
Становиться выше (о степени или уровне какого-либо дела).

• -고 있다 : 앞의 말이 나타내는 행동이 계속 진행됨을 나타내는 표현.
нет эквивалента
Выражение, указывающее на длительность действия.

• -었- : 어떤 사건이 과거에 완료되었거나 그 사건의 결과가 현재까지 지속되는 상황을 나타내는 어미.
нет эквивалента
Окончание, указывающее на полное завершение какого-либо события в прошлом и сохранения данного результата до настоящего времени.

• -다 : 어떤 사건이나 사실, 상태를 서술함을 나타내는 종결 어미.
нет эквивалента
Финитное окончание, выражающее изложение события или факта в настоящем времени.

그러나 이에 굴하+[지 않]+고 아들+은 또 다시 외치+었+다. **외쳤다**

• **그러나 (наречие)** : 앞의 내용과 뒤의 내용이 서로 반대될 때 쓰는 말.
однако; но; а
Слово, используемое при противопоставлении начальной и последующей частей содержания.

• **이에 (наречие)** : 이러한 내용에 곧.
вследствие этого; вслед за этим; после чего; на этом; следовательно; соответственно
По такому содержанию.

• **굴하다 (глагол)** : 어떤 힘이나 어려움 앞에서 자신의 의지를 굽히다.
покоряться; подчиняться; поддаваться; уступать; смиряться
Проявлять покорность перед чьей-либо силой или перед какими-либо трудностями.

• -지 않다 : 앞의 말이 나타내는 행위나 상태를 부정하는 뜻을 나타내는 표현.
нет эквивалента
Выражение, обозначающее отрицание какого-либо действия или состояния.

• -고 : 앞의 말이 나타내는 행동이나 그 결과가 뒤에 오는 행동이 일어나는 동안에 그대로 지속됨을 나타내는 연결 어미.
нет эквивалента
Соединительное окончание предиката, указывающее на продолжение действия, описанного в первой части предложения, или на сохранение результата данного действия в течение времени выполнения действия, описанного во второй части предложения.

• **아들 (имя существительное)** : 남자인 자식.
сын
Ребёнок мужского пола.

• 은 : 문장 속에서 어떤 대상이 화제임을 나타내는 조사.
нет эквивалента
Частица, показывающая то, что какой-то объект является главной темой в предложении.

• **또 (наречие)** : 어떤 일이나 행동이 다시.
опять; заново; снова; ещё раз; вновь
Повторение кого-либо события, действия.

• **다시 (наречие)** : 같은 말이나 행동을 반복해서 또.
ещё; опять
Снова повторяя одни и те же слова или действия.

• **외치다 (глагол)** : 큰 소리를 지르다.
кричать; орать; говорить громким голосом
Издавать громкий звук.

• -었- : 어떤 사건이 과거에 완료되었거나 그 사건의 결과가 현재까지 지속되는 상황을 나타내는 어미.
нет эквивалента
Окончание, указывающее на полное завершение какого-либо события в прошлом и сохранения данного результата до настоящего времени.

• -다 : 어떤 사건이나 사실, 상태를 서술함을 나타내는 종결 어미.
нет эквивалента
Финитное окончание, выражающее изложение события или факта в настоящем времени.

아들 : 아빠, 물 좀 갖다주+세요.

• **아빠 (имя существительное)** : 격식을 갖추지 않아도 되는 상황에서 아버지를 이르거나 부르는 말.
папа
Слово, употребляемое при обращении к отцу или его упоминании в ситуации, не требующей соблюдения формальностей.

• **물 (и́мя существительное)** : 강, 호수, 바다, 지하수 등에 있으며 순수한 것은 빛깔, 냄새, 맛이 없고 투명한 액체.
вода
Прозрачная жидкость, не имеющая цвета, запаха, вкуса и образующая реки, озёра, моря и т.п.

• **좀 (наречие)** : 주로 부탁이나 동의를 구할 때 부드러운 느낌을 주기 위해 넣는 말.
нет эквивалента
Выражение, употребляющееся для придания мягкости при обращении к кому-либо с просьбой или в поисках согласия, одобрения.

• **갖다주다 (глагол)** : 무엇을 가지고 와서 주다.
приносить; доставлять; привозить
Приходить и приносить что-либо с собой

• -세요 : (두루높임으로) 설명, 의문, 명령, 요청의 뜻을 나타내는 종결 어미.
нет эквивалента
(нейтрально-вежливый стиль) Финитное окончание предиката в повествовательном, вопросительном или побудительном предложении.

아빠 : 네+가 갖+다 먹+으라고.

• **네 (местоимение)** : '너'에 조사 '가'가 붙을 때의 형태.
ты
Морфема, используемая в том случае, когда к корню '너' присоединяется частица '가'.

너 (местоимение) : 듣는 사람이 친구나 아랫사람일 때, 그 사람을 가리키는 말.
ты
Употребляется при указании на собеседника, если он является ровесником или человеком, младшим по возрасту или статусу.

• 가 : 어떤 상태나 상황에 놓인 대상이나 동작의 주체를 나타내는 조사.
нет эквивалента
Окончание, указывающее на объект какой-либо ситуации, состояния или на лицо, выполняющее какое-либо действие.

• **갖다 (глагол)** : 무엇을 손에 쥐거나 몸에 지니다.
иметь; держать (в руках); нести
Взять что-либо рукой или иметь в себе.

• -다 : 어떤 행동이 진행되는 중에 다른 행동이 나타남을 나타내는 연결 어미.
нет эквивалента
Соединительное окончание предиката, указывающее на прекращение действия или состояния, которое сменяется другим действием или состоянием.

• **먹다 (глагол)** : 액체로 된 것을 마시다.
пить
Глотать жидкость.

• -으라고 : (두루낮춤으로) 말하는 사람의 생각이나 주장을 듣는 사람에게 강조하여 말함을 나타내는 종결 어미.
нет эквивалента
(нейтральный стиль) Финитное окончание, употребляемое для подчеркивания говорящим своей мысли или утверждения.

아빠 : 한 번+만 더 부르+면 <u>혼내+[(어) 주]+러</u> <u>가+ㄴ다</u>. **혼내 주러 간다**

• **한 (атрибутивное слово)** : 하나의.
нет эквивалента
Один.

• **번 (имя существительное)** : 일의 횟수를 세는 단위.
раз
Зависимое существительное для счёта количества дел.

• 만 : 앞의 말이 어떤 것에 대한 조건임을 나타내는 조사.
только; всего лишь
Частица, указывающая на какие-либо условия касательно предыдущих слов.

• **더 (наречие)** : 보태어 계속해서.
еще (больше); более
В добавление и продолжение чего-либо.

• **부르다 (глагол)** : 말이나 행동으로 다른 사람을 오라고 하거나 주의를 끌다.
звать
Голосом или жестом побуждать кого-либо приблизиться, обратить внимание.

• -면 : 뒤에 오는 말에 대한 근거나 조건이 됨을 나타내는 연결 어미.
нет эквивалента
Соединительное окончание предиката, присоединяющее придаточное условия, указывающее на то, что является обоснованием или условием того, о чем говорится во второй части предложения.

• **혼내다 (глагол)** : 심하게 꾸지람을 하거나 벌을 주다.
ругать
Сильно ругать или наказывать.

• -어 주다 : 남을 위해 앞의 말이 나타내는 행동을 함을 나타내는 표현.
нет эквивалента
Выражение, указывающее на то, что описанное действие выполняется в интересах другого лица.

• -러 : 가거나 오거나 하는 동작의 목적을 나타내는 연결 어미.
нет эквивалента
Соединительное окончание предиката, указывающее на цель движения.

• **가다 (глагол)** : 어떤 목적을 가지고 일정한 곳으로 움직이다.
идти; ехать
Передвигаться в определённое место с какой-либо целью.

• -ㄴ다 : (아주낮춤으로) 현재 사건이나 사실을 서술함을 나타내는 종결 어미.
нет эквивалента
(простой стиль) Финитное окончание, выражающее изложение события или факта в настоящем времени.

아빠+는 이제 단단히 화+가 나+시+었+다. **나셨다**

• **아빠 (имя существительное)** : 격식을 갖추지 않아도 되는 상황에서 아버지를 이르거나 부르는 말.
папа
Слово, употребляемое при обращении к отцу или его упоминании в ситуации, не требующей соблюдения формальностей.

• 는 : 문장 속에서 어떤 대상이 화제임을 나타내는 조사.
нет эквивалента
Частица, показывающая то, что какой-то объект является главной темой в предложении.

• **이제 (наречие)** : 말하고 있는 바로 이때에.
теперь
В момент разговора.

• **단단히 (наречие)** : 보통보다 더 심하게.
сильно
Сильнее, чем обычно.

• **화 (имя существительное)** : 몹시 못마땅하거나 노여워하는 감정.
злость
Чувство очень сильной злобы.

• 가 : 어떤 상태나 상황에 놓인 대상이나 동작의 주체를 나타내는 조사.
нет эквивалента
Окончание, указывающее на объект какой-либо ситуации, состояния или на лицо, выполняющее какое-либо действие.

• **나다 (глагол)** : 어떤 감정이나 느낌이 생기다.
возникать
Появляться (о каких-либо чувствах или ощущении).

• -시- : 높이고자 하는 인물과 관계된 소유물이나 신체의 일부가 문장의 주어일 때 그 인물을 높이는 뜻을 나타내는 어미.
нет эквивалента
Гонорифический глагольный суффикс, указывающий на почтительное отношение к лицу в предложениях, где субъектом какого-либо состояния или действия является предмет, принадлежащий или относящийся к этому лицу.

• -었- : 어떤 사건이 과거에 완료되었거나 그 사건의 결과가 현재까지 지속되는 상황을 나타내는 어미.
нет эквивалента
Окончание, указывающее на полное завершение какого-либо события в прошлом и сохранения данного результата до настоящего времени.

• -다 : 어떤 사건이나 사실, 상태를 서술함을 나타내는 종결 어미.
нет эквивалента
Финитное окончание, выражающее изложение события или факта в настоящем времени.

하지만 아들+은 지치+[ㄹ 줄] 모르+고 다시 십 분 후+에 이렇+게 말하+였+다.
지칠 줄 **말했다**

• **하지만 (наречие)** : 내용이 서로 반대인 두 개의 문장을 이어 줄 때 쓰는 말.
но; а; однако; тем не менее
Союз, который соединяет два предложения, противопоставляемые друг другу по смыслу.

• **아들 (имя существительное)** : 남자인 자식.
сын
Ребёнок мужского пола.

• 은 : 문장 속에서 어떤 대상이 화제임을 나타내는 조사.
нет эквивалента
Частица, показывающая то, что какой-то объект является главной темой в предложении.

• **지치다 (глагол)** : 힘든 일을 하거나 어떤 일에 시달려서 힘이 없다.
устать; утомиться
Быть без сил из-за тяжелой работы, которую выполняешь, или измучиться от какой-либо работы.

• -ㄹ 줄 : 어떤 사실이나 상태에 대해 알고 있거나 모르고 있음을 나타내는 표현.
нет эквивалента
Выражение, указывающее на какое-либо состояние или факт.

• **모르다 (глагол)** : 느끼지 않다.
не знать
Не чувствовать.

• -고 : 앞의 말이 나타내는 행동이나 그 결과가 뒤에 오는 행동이 일어나는 동안에 그대로 지속됨을 나타내는 연결 어미.
нет эквивалента
Соединительное окончание предиката, указывающее на продолжение действия, описанного в первой части предложения, или на сохранение результата данного действия в течение времени выполнения действия, описанного во второй части предложения.

• **다시 (наречие)** : 같은 말이나 행동을 반복해서 또.
ещё; опять
Снова повторяя одни и те же слова или действия.

• **십 (атрибутивное слово)** : 열의.
нет эквивалента
Десять.

• **분 (имя существительное)** : 한 시간의 60분의 1을 나타내는 시간의 단위.
минута
Единица измерения времени, равная 1/60 часа.

• **후 (имя существительное)** : 얼마만큼 시간이 지나간 다음.
после; впоследствии; потом; затем
После прохождения некоторого времени.

• 에 : 앞말이 시간이나 때임을 나타내는 조사.
нет эквивалента
Окончание, указывающее на время или период времени.

• **이렇다 (имя прилагательное)** : 상태, 모양, 성질 등이 이와 같다.
быть таковым
Быть таким; быть следующим (о состоянии, виде, качестве и т.п.).

• -게 : 앞의 말이 뒤에서 가리키는 일의 목적이나 결과, 방식, 정도 등이 됨을 나타내는 연결 어미.
нет эквивалента
Соединительное окончание предиката, указывающее на то, описанное в первой части предложения действие или состояние является целью, результатом, образом действия, степенью и т.п. того, о чём говорится в последующей главной части предложения.

• **말하다 (глагол)** : 어떤 사실이나 자신의 생각 또는 느낌을 말로 나타내다.
говорить
Выражать словесно какой-либо факт, собственные мысли, чувства.

• -였- : 어떤 사건이 과거에 완료되었거나 그 사건의 결과가 현재까지 지속되는 상황을 나타내는 어미.
нет эквивалента
Окончание, указывающее на полное завершение какого-либо события в прошлом и сохранения данного результата до настоящего времени.

• -다 : 어떤 사건이나 사실, 상태를 서술함을 나타내는 종결 어미.
нет эквивалента
Финитное окончание, выражающее изложение события или факта в настоящем времени.

아들 : 아빠, 저 혼내+러 <u>오+시+[ㄹ 때]</u> 물 좀 갖다주+세요.
오실 때

• **아빠 (имя существительное)** : 격식을 갖추지 않아도 되는 상황에서 아버지를 이르거나 부르는 말.
папа
Слово, употребляемое при обращении к отцу или его упоминании в ситуации, не требующей соблюдения формальностей.

• **저 (местоимение)** : 말하는 사람이 듣는 사람에게 자신을 낮추어 가리키는 말.
я
Употребляется для обозначения говорящим самого себя, принижая себя перед слушающим.

• **혼내다 (глагол)** : 심하게 꾸지람을 하거나 벌을 주다.
ругать
Сильно ругать или наказывать.

• -러 : 가거나 오거나 하는 동작의 목적을 나타내는 연결 어미.
нет эквивалента
Соединительное окончание предиката, указывающее на цель движения.

• **오다 (глагол)** : 무엇이 다른 곳에서 이곳으로 움직이다.
приходить; приезжать
Передвигаться с одного места в другое.

• -시- : 어떤 동작이나 상태의 주체를 높이는 뜻을 나타내는 어미.
нет эквивалента
Гонорифический глагольный суффикс, указывающий на почтительное отношение к субъекту какого-либо состояния или действия.

• -ㄹ 때 : 어떤 행동이나 상황이 일어나는 동안이나 그 시기 또는 그러한 일이 일어난 경우를 나타내는 표현.
нет эквивалента
Выражение, указывающее на момент или период во времени, когда происходит некое событие, либо случай возникновения такого события.

• **물 (имя существительное)** : 강, 호수, 바다, 지하수 등에 있으며 순수한 것은 빛깔, 냄새, 맛이 없고 투명한 액체.
вода
Прозрачная жидкость, не имеющая цвета, запаха, вкуса и образующая реки, озёра, моря и т.п.

• **좀 (наречие)** : 주로 부탁이나 동의를 구할 때 부드러운 느낌을 주기 위해 넣는 말.
нет эквивалента
Выражение, употребляющееся для придания мягкости при обращении к кому-либо с просьбой или в поисках согласия, одобрения.

- **갖다주다 (глагол)** : 무엇을 가지고 와서 주다.
  приносить; доставлять; привозить
  Приходить и приносить что-либо с собой

- -세요 : (두루높임으로) 설명, 의문, 명령, 요청의 뜻을 나타내는 종결 어미.
  нет эквивалента
  (нейтрально-вежливый стиль) Финитное окончание предиката в повествовательном, вопросительном или побудительном предложении.

< 5 단원(глава) >

제목 : 이해가 안 가네요.

● 본문 (Основной текст)

화창한 오후, 앞을 못 보는 시각 장애인이 자신을 안전하게 인도해 줄 개와 함께 지하철역으로 향하고 있었다.

그런데 한참 길을 걷다가 개가 한쪽 다리를 들더니 맹인의 바지에 오줌을 싸는 것이었다.

그러자 그 맹인이 갑자기 주머니에서 과자를 꺼내더니 개에게 주려고 했다.

이때 지나가던 행인이 그 광경을 지켜보다 맹인에게 한마디 했다.

행인 : 저기요, 선생님 잠깐만요.

맹인 : 무슨 일이시죠?

행인 : 아니, 방금 개가 당신 바지에 오줌을 쌌는데 왜 과자를 줍니까?

저 같으면 개 머리를 한 대 때렸을 텐데 이해가 안 가네요.

맹인 : 개한테 과자를 줘야 머리가 어디 있는지 알 수 있잖아요.

● 발음 (произношение)

화창한 오후, 앞을 못 보는 시각 장애인이 자신을 안전하게 인도해 줄 개와 함께 지하철역으로 향하고
화창한 오후, 아플 몯 보는 시각 장애이니 자시늘 안전하게 인도해 줄 개와 함께 지하철려그로 향하고
hwachanghan ohu, apeul mot boneun sigak jangaeini jasineul anjeonhage indohae jul gaewa hamkke jihacheollyeogeuro hyanghago

있었다.
이썯따.
isseotda.

그런데 한참 길을 걷다가 개가 한쪽 다리를 들더니 맹인의 바지에 오줌을 싸는 것이었다.
그런데 한참 기를 걷따가 개가 한쪽 다리를 들더니 맹인의 바지에 오주믈 싸는 거시얻따.
geureonde hancham gireul geotdaga gaega hanjjok darireul deuldeoni maenginui bajie ojumeul ssaneun geosieotda.

그러자 그 맹인이 갑자기 주머니에서 과자를 꺼내더니 개에게 주려고 했다.
그러자 그 맹이니 갑짜기 주머니에서 과자를 꺼내더니 개에게 주려고 핻따.
geureoja geu maengini gapjagi jumeonieseo gwajareul kkeonaedeoni gaeege juryeogo haetda.

이때 지나가던 행인이 그 광경을 지켜보다 맹인에게 한마디 했다.
이때 지나가던 행이니 그 광경을 지켜보다 맹이네게 한마디 핻따.
ittae jinagadeon haengini geu gwanggyeongeul jikyeoboda maenginege hanmadi haetda.

행인 : 저기요, 선생님 잠깐만요.
행인 : 저기요, 선생님 잠깐마뇨.
haengin : jeogiyo, seonsaengnim jamkkanmanyo.

맹인 : 무슨 일이시죠?
맹인 : 무슨 이리시죠?
maengin : museun irisijyo?

행인 : 아니, 방금 개가 당신 바지에 오줌을 쌌는데 왜 과자를 줍니까?
행인 : 아니, 방금 개가 당신 바지에 오주믈 싼는데 왜 과자를 줍니까?
haengin : ani, banggeum gaega dangsin bajie ojumeul ssanneunde wae gwajareul jumnikka?

저 같으면 개 머리를 한 대 때렸을 텐데 이해가 안 가네요.
저 가트면 개 머리를 한 대 때려쓸 텐데 이해가 안 가네요.
jeo gateumyeon gae meorireul han dae ttaeryeosseul tende ihaega an ganeyo.

맹인 : 개한테 과자를 줘야 머리가 어디 있는지 알 수 있잖아요.
맹인 : 개한테 과자를 줘야 머리가 어디 인는지 알 쑤 읻짜나요.
maengin : gaehante gwajareul jwoya meoriga eodi inneunji al su itjanayo.

● 어휘 (лексический запас) / 문법 (грамматика)

화창하+ㄴ 오후, 앞+을 못 보+는 시각 장애인+이 자신+을 안전하+게 인도하+여 주+ㄹ 개+와 함께 지하철역+으로 향하+고 있+었+다.

그런데 한참 길+을 걷+다가 개+가 한쪽 다리+를 들+더니 맹인+의 바지+에 오줌+을 싸+는 것+이+었+다.

그리하+자 그 맹인+이 갑자기 주머니+에서 과자+를 꺼내+더니 개+에게 주+려고 하+였+다.

이때 지나가+던 행인+이 그 광경+을 지켜보+다 맹인+에게 한마디 하+였+다.

행인 : 저기, 선생님 잠깐+만+요.

맹인 : 무슨 일+이+시+죠?

행인 : 아니, 방금 개+가 선생님 바지+에 오줌+을 싸+았+는데 왜 과자+를 주+ㅂ니까?

저 같+으면 개 머리+를 한 대 때리+었+을 텐데 이해+가 안 가+네요.

맹인 : 개+한테 과자+를 주+어야 머리+가 어디 있+는지 알(아)+ㄹ 수 있+잖아요.

화창하+ㄴ 오후, 앞+을 못 보+는 시각 장애인+이 자신+을 안전하+게 인도하+[여 주]+ㄹ 개+와 함께 **화창한** **인도해 줄** 지하철역+으로 향하+[고 있]+었+다.

• **화창하다 (имя прилагательное)** : 날씨가 맑고 따뜻하며 바람이 부드럽다.
ясный; яркий; солнечный
Погода ясная, теплая и ветер мягкий.

• -ㄴ : 앞의 말이 관형어의 기능을 하게 만들고 현재의 상태를 나타내는 어미.
нет эквивалента
Окончание, указывающее на состояние лица или предмета в настоящий момент, при котором впередистоящее слово, словосочетание или придаточное предложение выполняет функцию определения.

• **오후 (имя существительное)** : 정오부터 해가 질 때까지의 동안.
время после полудня
Промежуток времени от середины дня (двенадцати часов) и до заката солнца.

• **앞 (имя существительное)** : 향하고 있는 쪽이나 곳.
перед
Сторона или место, напротив которого от лицевой стороны находится кто-либо, что-либо.

• 을 : 동작이 직접적으로 영향을 미치는 대상을 나타내는 조사.
нет эквивалента
Частица, указывающая на объект, на который действие оказывает непосредственное влияние.

• **못 (наречие)** : 동사가 나타내는 동작을 할 수 없게.
не [мочь]
Без возможности совершать какое-либо действие, выраженное глаголом.

• **보다 (глагол)** : 눈으로 대상의 존재나 겉모습을 알다.
смотреть; осматривать; видеть
Направить взгляд, чтобы узнать о существовании или внешнем виде объекта.

• -는 : 앞의 말이 관형어의 기능을 하게 만들고 사건이나 동작이 현재 일어남을 나타내는 어미.
нет эквивалента
Окончание, которое указывает на действие или событие в настоящем, преобразуя впередистоящее слово, словосочетание или придаточное предложение в определение.

• **시각 장애인 (имя существительное)** : 눈이 멀어서 앞을 보지 못하는 사람.
слепой; инвалид по зрению
Невидящий человек.

시각 (имя существительное) : 물체의 모양이나 움직임, 빛깔 등을 보는 눈의 감각.
зрение
Способность видеть форму, движение и цвет предмета.
장애인 (имя существительное) : 몸에 장애가 있거나 정신적으로 부족한 점이 있어 일상생활이나 사회생활이 어려운 사람.
инвалид
Человек, испытывающий трудности в ведении хозяйства или повседневной жизни из-за физических или психических отклонений.

• 이 : 어떤 상태나 상황의 대상이나 동작의 주체를 나타내는 조사.
нет эквивалента
Частица, показывающая какое-либо состояние, объект ситуации или субъект действия.

• **자신 (имя существительное)** : 바로 그 사람.
сам
Именно он(а).

• 을 : 동작이 간접적인 영향을 미치는 대상이나 목적임을 나타내는 조사.
нет эквивалента
Частица, указывающая на объект или цель, на которые действие оказывает непосредственное влияние.

• **안전하다 (имя прилагательное)** : 위험이 생기거나 사고가 날 염려가 없다.
безопасный
Не представляющий опасности или не дающий повода для беспокойства.

• -게 : 앞의 말이 뒤에서 가리키는 일의 목적이나 결과, 방식, 정도 등이 됨을 나타내는 연결 어미.
нет эквивалента
Соединительное окончание предиката, указывающее на то, описанное в первой части предложения действие или состояние является целью, результатом, образом действия, степенью и т.п. того, о чём говорится в последующей главной части предложения.

• **인도하다 (глагол)** : 길이나 장소를 안내하다.
сопровождать
Сопутствовать в дороге или вести к определённому месту.

• -여 주다 : 남을 위해 앞의 말이 나타내는 행동을 함을 나타내는 표현.
нет эквивалента
Выражение, указывающее на то, что описанное действие выполняется в интересах другого лица.

• -ㄹ : 앞의 말이 관형어의 기능을 하게 만들고 추측, 예정, 의지, 가능성 등을 나타내는 어미.
нет эквивалента
Окончание, которое указывает на предполагаемое, возможное, планируемое или желаемое действие, преобразуя впередистоящее слово, словосочетание или придаточное предложение в определение.

• **개 (имя существительное)** : 냄새를 잘 맡고 귀가 매우 밝으며 영리하고 사람을 잘 따라 사냥이나 애완 등의 목적으로 기르는 동물.
собака
Животное, выращиваемое для охоты или в качестве домашнего питомца, обладающее хорошим обонянием и слухом, очень сообразительное и преданное человеку.

• 와 : 어떤 일을 함께 하는 대상임을 나타내는 조사.
нет эквивалента
Частица, указывающая на то, что вместе с данным объектом производится какая-либо работа.

• **함께 (наречие)** : 여럿이서 한꺼번에 같이.
вместе; вместе с кем-чем
Все вместе, сообща.

• **지하철역 (имя существительное)** : 지하철을 타고 내리는 곳.
станция метро
Место, где садятся в поезд или выходят из поезда.

• 으로 : 움직임의 방향을 나타내는 조사.
нет эквивалента
Частица, показывающая направление движения.

• **향하다 (глагол)** : 어떤 목적이나 목표로 나아가다.
направляться
Двигаться в направлении какой-либо цели.

• -고 있다 : 앞의 말이 나타내는 행동이 계속 진행됨을 나타내는 표현.
нет эквивалента
Выражение, указывающее на длительность действия.

• -었- : 사건이 과거에 일어났음을 나타내는 어미.
нет эквивалента
Окончание прошедшего времени.

• -다 : 어떤 사건이나 사실, 상태를 서술함을 나타내는 종결 어미.
нет эквивалента
(простой стиль) Финитное окончание, выражающее изложение события или факта в настоящем времени.

그런데 한참 길+을 걷+다가 개+가 한쪽 다리+를 들+더니 맹인+의 바지+에 오줌+을 싸+[는 것]+이+었+다.

• **그런데 (наречие)** : 이야기를 앞의 내용과 관련시키면서 다른 방향으로 바꿀 때 쓰는 말.
а
Слово, используемое для установления связи с содержанием предыдущего разговора и смены темы разговора.

• **한참 (имя существительное)** : 시간이 꽤 지나는 동안.
некоторое время; длительное время
Длительный промежуток времени.

• **길 (имя существительное)** : 사람이나 차 등이 지나다닐 수 있게 땅 위에 일정한 너비로 길게 이어져 있는 공간.
дорога; путь; тропа
Место на земле, простирающееся вдаль на далёкое расстояние, предназначенное для передвижения людей, машин и т.п.

• 을 : 동작이 직접적으로 영향을 미치는 대상을 나타내는 조사.
нет эквивалента
Частица, указывающая на объект, на который действие оказывает непосредственное влияние.

• **걷다 (глагол)** : 바닥에서 발을 번갈아 떼어 옮기면서 움직여 위치를 옮기다.
идти пешком; шагать
Двигаться и переходить в другое место, по очереди передвигая ноги по полу, .

• -다가 : 어떤 행동이나 상태 등이 중단되고 다른 행동이나 상태로 바뀜을 나타내는 연결 어미.
нет эквивалента
Соединительное окончание предиката, указывающее на резкую смену действия или состояния.

• **개 (имя существительное)** : 냄새를 잘 맡고 귀가 매우 밝으며 영리하고 사람을 잘 따라 사냥이나 애완 등의 목적으로 기르는 동물.
собака
Животное, выращиваемое для охоты или в качестве домашнего питомца, обладающее хорошим обонянием и слухом, очень сообразительное и преданное человеку.

• 가 : 어떤 상태나 상황에 놓인 대상이나 동작의 주체를 나타내는 조사.
нет эквивалента
Частица, показывающая какое-либо состояние, объект ситуации или субъект действия.

• **한쪽 (имя существительное)** : 어느 한 부분이나 방향.
одна сторона
Какая-либо одна часть или направление.

• **다리 (имя существительное)** : 사람이나 동물의 몸통 아래에 붙어, 서고 걷고 뛰는 일을 하는 신체 부위.
нога
Нижняя конечность тела человека или животного, позволяющая стоять, ходить или бегать.

• 를 : 동작이 직접적으로 영향을 미치는 대상을 나타내는 조사.
нет эквивалента
Частица, указывающая на объект, на который действие оказывает непосредственное влияние.

• **들다 (глагол)** : 아래에 있는 것을 위로 올리다.
поднимать
Поднимать наверх то, что находится внизу.

• -더니 : 과거의 사실이나 상황에 뒤이어 어떤 사실이나 상황이 일어남을 나타내는 연결 어미.
нет эквивалента
Соединительное окончание, указывающее на проявление какого-либо факта или события вслед за каким-либо прошедшим фактом или событием.

• **맹인 (имя существительное)** : 눈이 먼 사람.
слепой
Человек, лишённый зрения.

• 의 : 앞의 말이 뒤의 말에 대하여 소유, 소속, 소재, 관계, 기원, 주체의 관계를 가짐을 나타내는 조사.
нет эквивалента
Частица, указывающая на то, что в предыдущем слове содержится значение собственности, принадлежности, сырья, источника, основы в отношении последующего.

• **바지 (имя существительное)** : 위는 통으로 되고 아래는 두 다리를 넣을 수 있게 갈라진, 몸의 아랫부분에 입는 옷.
брюки; штаны
Вещь, которую надевают на нижнюю часть тела, имеющая круглое отверстие сверху и разделённая на две части для ног снизу.

• 에 : 앞말이 어떤 행위나 작용이 미치는 대상임을 나타내는 조사.
нет эквивалента
Окончание, указывающее на объект, подвергающийся влиянию какого-либо действия или процесса.

• **오줌 (имя существительное)** : 혈액 속의 노폐물과 수분이 요도를 통하여 몸 밖으로 배출되는, 누렇고 지린내가 나는 액체.
моча
Жидкость, которая выходит из тела человека вместе с содержащейся в крови влагой и ненужными веществами.

• 을 : 동작이 직접적으로 영향을 미치는 대상을 나타내는 조사.
нет эквивалента
Частица, указывающая на объект, на который действие оказывает непосредственное влияние.

• **싸다 (глагол)** : 똥이나 오줌을 누다.
испражняться; справлять нужду
Выделять мочу или испражнения.

• -는 것 : 명사가 아닌 것을 문장에서 명사처럼 쓰이게 하거나 '이다' 앞에 쓰일 수 있게 할 때 쓰는 표현.
нет эквивалента
Выражение, субстантивирующее предшествующее слово неименной части речи или группу слов, которое также может употребляться с глаголом-связкой '이다'.

• 이다 : 주어가 지시하는 대상의 속성이나 부류를 지정하는 뜻을 나타내는 서술격 조사.
нет эквивалента
Суффикс повествовательного падежа, выражающий смысл наименования свойства или разряда объекта, на который указывает подлежащее.

• -었- : 사건이 과거에 일어났음을 나타내는 어미.
нет эквивалента
Окончание прошедшего времени.

• -다 : 어떤 사건이나 사실, 상태를 서술함을 나타내는 종결 어미.
нет эквивалента
(простой стиль) Финитное окончание, выражающее изложение события или факта в настоящем времени.

그리하+자 그 맹인+이 갑자기 주머니+에서 과자+를 꺼내+더니 개+에게 주+[려고 하]+였+다. **그러자** **주려고 했다**

• **그러하다 (имя прилагательное)** : 앞에서 일어난 일이나 말한 것과 같이 그렇게 하다.
делать так
Делать что-либо именно таким образом, как было указанно или сказано ранее.

• -자 : 앞의 말이 나타내는 동작이 끝난 뒤 곧 뒤의 말이 나타내는 동작이 잇따라 일어남을 나타내는 연결 어미.
нет эквивалента
Соединительное окончание, показывающее то, что после завершения одного действия сразу происходит следующее.

• **그 (атрибутивное слово)** : 앞에서 이미 이야기한 대상을 가리킬 때 쓰는 말.
тот
Указывает на предмет, который уже был указан ранее.

• **맹인 (имя существительное)** : 눈이 먼 사람.
слепой
Человек, лишённый зрения.

• 이 : 어떤 상태나 상황의 대상이나 동작의 주체를 나타내는 조사.
нет эквивалента
Частица, показывающая какое-либо состояние, объект ситуации или субъект действия.

• **갑자기 (наречие)** : 미처 생각할 틈도 없이 빨리.
внезапно; вдруг
Настолько быстро и неожиданно, что даже не успел подумать.

• **주머니 (имя существительное)** : 옷에 천 등을 덧대어 돈이나 물건 등을 넣을 수 있도록 만든 부분.
карман
Деталь одежды в виде пришитого кусочка ткани для мелких вещей, денег и т.п.

• 에서 : 앞말이 어떤 일의 출처임을 나타내는 조사.
в; на
Окончание, указывающее на источник дела.

• **과자 (имя существительное)** : 밀가루나 쌀가루 등에 우유, 설탕 등을 넣고 반죽하여 굽거나 튀긴 간식.
печенье
Испечённое или обжаренное кондитерское изделие, изготовленное из теста, состоящего из пшеничной, рисовой или другой муки с добавлением молока, сахара и других ингредиентов.

• 를 : 동작이 직접적으로 영향을 미치는 대상을 나타내는 조사.
нет эквивалента
Частица, указывающая на объект, на который действие оказывает непосредственное влияние.

• **꺼내다 (глагол)** : 안에 있는 물건을 밖으로 나오게 하다.
извлекать; вынимать; вытаскивать
Перемещать вещь изнутри чего-либо наружу.

• -더니 : 과거의 사실이나 상황에 뒤이어 어떤 사실이나 상황이 일어남을 나타내는 연결 어미.
нет эквивалента
Соединительное окончание, указывающее на проявление какого-либо факта или события вслед за каким-либо прошедшим фактом или событием.

• **개 (имя существительное)** : 냄새를 잘 맡고 귀가 매우 밝으며 영리하고 사람을 잘 따라 사냥이나 애완 등의 목적으로 기르는 동물.
собака
Животное, выращиваемое для охоты или в качестве домашнего питомца, обладающее хорошим обонянием и слухом, очень сообразительное и преданное человеку.

• 에게 : 어떤 행동이 미치는 대상임을 나타내는 조사.
кому-, чему-либо
Окончание, указывающее на предмет, подвергающийся влиянию какого-либо действия.

• **주다 (глагол)** : 물건 등을 남에게 건네어 가지거나 쓰게 하다.
давать
Предоставлять что-либо кому-либо для использования.

• -려고 하다 : 앞의 말이 나타내는 일이 곧 일어날 것 같거나 시작될 것임을 나타내는 표현.
собираться
Выражение, указывающее на видимость того, что вот-вот должно произойти или начаться какое-либо действие или событие.

• -였- : 사건이 과거에 일어났음을 나타내는 어미.
нет эквивалента
Окончание прошедшего времени.

• -다 : 어떤 사건이나 사실, 상태를 서술함을 나타내는 종결 어미.
нет эквивалента
(простой стиль) Финитное окончание, выражающее изложение события или факта в настоящем времени.

이때 지나가+던 행인+이 그 광경+을 지켜보+다 맹인+에게 한마디 하+였+다. **했다**

• **이때 (имя существительное)** : 바로 지금. 또는 바로 앞에서 이야기한 때.
этот момент; сейчас
Настоящий момент. Или момент времени, о котором говорилось в предыдущем предложении.

• **지나가다 (глагол)** : 어떤 대상의 주위를 지나쳐 가다.
проходить (мимо)
Идти мимо или около какого-либо объекта.

• -던 : 앞의 말이 관형어의 기능을 하게 만들고 사건이나 동작이 과거에 완료되지 않고 중단되었음을 나타내는 어미.
нет эквивалента
Окончание, которое указывает на незавершённое, прерванное действие в прошлом, преобразуя впередистоящее слово, словосочетание или придаточное предложение в определение.

• **행인 (имя существительное)** : 길을 가는 사람.
пешеход
Человек, который идёт по дороге.

• 이 : 어떤 상태나 상황의 대상이나 동작의 주체를 나타내는 조사.
нет эквивалента
Частица, показывающая какое-либо состояние, объект ситуации или субъект действия.

• **그 (атрибутивное слово)** : 앞에서 이미 이야기한 대상을 가리킬 때 쓰는 말.
тот
Указывает на предмет, который уже был указан ранее.

• **광경 (имя существительное)** : 어떤 일이나 현상이 벌어지는 장면 또는 모양.
зрелище; вид; сцена
То, что предстоит, открывается взору (о каком-либо явлении, событии и т.п.).

• 을 : 동작이 직접적으로 영향을 미치는 대상을 나타내는 조사.
нет эквивалента
Частица, указывающая на объект, на который действие оказывает непосредственное влияние.

• **지켜보다 (глагол)** : 사물이나 모습 등을 주의를 기울여 보다.
наблюдать
Внимательно следить, смотреть на кого-либо, что-либо.

• -다 : 어떤 행동이 진행되는 중에 다른 행동이 나타남을 나타내는 연결 어미.
нет эквивалента
Соединительное окончание предиката, указывающее на прекращение действия или состояния, которое сменяется другим действием или состоянием.

• **맹인 (имя существительное)** : 눈이 먼 사람.
слепой
Человек, лишённый зрения.

• 에게 : 어떤 행동이 미치는 대상임을 나타내는 조사.
кому-, чему-либо
Окончание, указывающее на предмет, подвергающийся влиянию какого-либо действия.

• **한마디 (имя существительное)** : 짧고 간단한 말.
Одно слово, одна фраза
короткие, несложные слова.

• **하다 (глагол)** : 어떤 행동이나 동작, 활동 등을 행하다.
делать
Выполнять какое-либо действие, движение, работу и т.п.

• -였- : 사건이 과거에 일어났음을 나타내는 어미.
нет эквивалента
Окончание прошедшего времени.

• -다 : 어떤 사건이나 사실, 상태를 서술함을 나타내는 종결 어미.
нет эквивалента
(простой стиль) Финитное окончание, выражающее изложение события или факта в настоящем времени.

행인 : 저기, 선생님 잠깐+만+요.

• **저기 (восклицание)** : 말을 꺼내기 어색하고 편하지 않을 때에 쓰는 말.
ну; как бы; как бы это лучше сказать...
Выражение, употребляемое, когда хотят сказать то, что представляет собой странную, неловкую, трудную тему для разговора.

• **선생님 (имя существительное)** : (높이는 말로) 나이가 어지간히 든 사람을 대접하여 이르는 말.
мужчина
(уважит.) Слово, которым обращаются к человеку в возрасте.

• **잠깐 (имя существительное)** : 아주 짧은 시간 동안.
минутка; секунда; совсем чуть-чуть; чуточку
Очень короткий промежуток времени.

• 만 : 무엇을 강조하는 뜻을 나타내는 조사.
только; исключительно; единственно
Частица, акцентирующая что-либо.

• 요 : 높임의 대상인 상대방에게 존대의 뜻을 나타내는 조사.
нет эквивалента
Частица, показывающая вежливое отношение к противоположной стороне, являющейся объектом уважения.

맹인 : 무슨 일+이+시+죠?

• **무슨 (атрибутивное слово)** : 확실하지 않거나 잘 모르는 일, 대상, 물건 등을 물을 때 쓰는 말.
какой; который
Слово, используемое при вопросе относительно каких-либо неопределённых или неизвестных дел, объектов, предметов.

• **일 (имя существительное)** : 해결하거나 처리해야 할 문제나 사항.
дело; инцидент
Проблема или задача, которую необходимо разрешить.

• 이다 : 주어가 지시하는 대상의 속성이나 부류를 지정하는 뜻을 나타내는 서술격 조사.
нет эквивалента
Суффикс повествовательного падежа, выражающий смысл наименования свойства или разряда объекта, на который указывает подлежащее.

• -시- : 어떤 동작이나 상태의 주체를 높이는 뜻을 나타내는 어미.
нет эквивалента
Гонорифический глагольный суффикс, указывающий на почтительное отношение к субъекту какого-либо состояния или действия.

• -죠 : (두루높임으로) 말하는 사람이 듣는 사람에게 친근함을 나타내며 물을 때 쓰는 종결 어미.
нет эквивалента
(нейтрально-вежливый стиль) Финитное окончание предиката, показывающее доверительный тон в разговоре между говорящим и слушающим.

행인 : 아니, 방금 개+가 선생님 바지+에 오줌+을 <u>싸+았+는데</u> 왜 과자+를 <u>주+ㅂ니까</u>? **쌌는데 줍니까**

• **아니 (восклицание)** : 놀라거나 감탄스러울 때, 또는 의심스럽고 이상할 때 하는 말.
нет; не может быть
Слово, употребляющееся для выражения удивления, восхищения, сомнения или недоверия.

• **방금 (наречие)** : 말하고 있는 시점보다 바로 조금 전에
недавно; незадолго; только что
Незадолго до момента речи.

• **개 (имя существительное)** : 냄새를 잘 맡고 귀가 매우 밝으며 영리하고 사람을 잘 따라 사냥이나 애완 등의 목적으로 기르는 동물.
собака
Животное, выращиваемое для охоты или в качестве домашнего питомца, обладающее хорошим обонянием и слухом, очень сообразительное и преданное человеку.

• 가 : 어떤 상태나 상황에 놓인 대상이나 동작의 주체를 나타내는 조사.
нет эквивалента
Частица, показывающая какое-либо состояние, объект ситуации или субъект действия.

• **선생님 (имя существительное)** : (높이는 말로) 나이가 어지간히 든 사람을 대접하여 이르는 말.
мужчина
(уважит.) Слово, которым обращаются к человеку в возрасте.

• **바지 (имя существительное)** : 위는 통으로 되고 아래는 두 다리를 넣을 수 있게 갈라진, 몸의 아랫부분에 입는 옷.
брюки; штаны
Вещь, которую надевают на нижнюю часть тела, имеющая круглое отверстие сверху и разделённая на две части для ног снизу.

• 에 : 앞말이 어떤 행위나 작용이 미치는 대상임을 나타내는 조사.
нет эквивалента
Окончание, указывающее на объект, подвергающийся влиянию какого-либо действия или процесса.

• **오줌 (имя существительное)** : 혈액 속의 노폐물과 수분이 요도를 통하여 몸 밖으로 배출되는, 누렇고 지린내가 나는 액체.
моча
Жидкость, которая выходит из тела человека вместе с содержащейся в крови влагой и ненужными веществами.

• 을 : 동작이 직접적으로 영향을 미치는 대상을 나타내는 조사.
нет эквивалента
Частица, указывающая на объект, на который действие оказывает непосредственное влияние.

• **싸다 (глагол)** : 똥이나 오줌을 누다.
испражняться; справлять нужду
Выделять мочу или испражнения.

• -았- : 어떤 사건이 과거에 완료되었거나 그 사건의 결과가 현재까지 지속되는 상황을 나타내는 어미.
нет эквивалента
Окончание, указывающее на полное завершение какого-либо события в прошлом и сохранения данного результата до настоящего времени.

• -는데 : 뒤의 말을 하기 위하여 그 대상과 관련이 있는 상황을 미리 말함을 나타내는 연결 어미.
нет эквивалента
Соединительное окончание, вводящее некую предварительную информацию об объекте, о котором говорится в последующей части предложения.

• **왜 (наречие)** : 무슨 이유로. 또는 어째서.
почему; зачем
По какой причине.

• **과자 (имя существительное)** : 밀가루나 쌀가루 등에 우유, 설탕 등을 넣고 반죽하여 굽거나 튀긴 간식.
печенье
Испечённое или обжаренное кондитерское изделие, изготовленное из теста, состоящего из пшеничной, рисовой или другой муки с добавлением молока, сахара и других ингредиентов.

• 를 : 동작이 직접적으로 영향을 미치는 대상을 나타내는 조사.
нет эквивалента
Частица, указывающая на объект, на который действие оказывает непосредственное влияние.

• **주다 (глагол)** : 물건 등을 남에게 건네어 가지거나 쓰게 하다.
давать
Предоставлять что-либо кому-либо для использования.

• -ㅂ니까 : (아주높임으로) 말하는 사람이 듣는 사람에게 정중하게 물음을 나타내는 종결 어미.
нет эквивалента
(формально-вежливый стиль) Финитное окончание, употребляемое при вежливом обращении с вопросом к слушающему.

행인 : 저 같+으면 개 머리+를 한 대 때리+었+[을 텐데] 이해+가 안 가+네요.
때렸을 텐데

• **저 (местоимение)** : 말하는 사람이 듣는 사람에게 자신을 낮추어 가리키는 말.
я
Употребляется для обозначения говорящим самого себя, принижая себя перед слушающим.

• **같다 (имя прилагательное)** : '어떤 상황이나 조건이라면'의 뜻을 나타내는 말.
если бы
Слово, употребляемое в выражении со значением "при подобных условиях; в подобной ситуации".

• -으면 : 뒤에 오는 말에 대한 근거나 조건이 됨을 나타내는 연결 어미.
нет эквивалента
Соединительное окончание предиката, присоединяющее придаточное условия, указывающее на то, что является обоснованием или условием того, о чем говорится во второй части предложения.

• **개 (имя существительное)** : 냄새를 잘 맡고 귀가 매우 밝으며 영리하고 사람을 잘 따라 사냥이나 애완 등의 목적으로 기르는 동물.
собака
Животное, выращиваемое для охоты или в качестве домашнего питомца, обладающее хорошим обонянием и слухом, очень сообразительное и преданное человеку.

• **머리 (имя существительное)** : 사람이나 동물의 몸에서 얼굴과 머리털이 있는 부분을 모두 포함한 목 위의 부분.
голова
Верхняя часть тела человека или животного, начинающаяся от шеи и включающая в себя лицо и волосы.

• 를 : 동작이 직접적으로 영향을 미치는 대상을 나타내는 조사.
нет эквивалента
Частица, указывающая на объект, на который действие оказывает непосредственное влияние.

• **한 (атрибутивное слово)** : 하나의.
нет эквивалента
Один.

• **대 (имя существительное)** : 때리는 횟수를 세는 단위.
удар; щелчок; щелобан
Единица счёта количества ударов при наказании.

• **때리다 (глагол)** : 손이나 손에 든 물건으로 아프게 치다.
причинять боль; бить; ударять
Больно ударять рукой или предметом, который находится в руке.

• -었- : 사건이 과거에 일어났음을 나타내는 어미.
нет эквивалента
Окончание прошедшего времени.

• -을 텐데 : 앞에 오는 말에 대하여 말하는 사람의 강한 추측을 나타내면서 그와 관련되는 내용을 이어 말할 때 쓰는 표현.
нет эквивалента
Выражение, используемое для передачи догадки или предположения говорящего, за которым следует связанное с этим суждение.

• **이해 (имя существительное)** : 무엇이 어떤 것인지를 앎. 또는 무엇이 어떤 것이라고 받아들임.
понимание
Знание, что есть что-либо. Принимать что-либо за то, что оно есть.

• 가 : 어떤 상태나 상황에 놓인 대상이나 동작의 주체를 나타내는 조사.
нет эквивалента
Окончание, указывающее на объект какой-либо ситуации, состояния или на лицо, выполняющее какое-либо действие.

• **안 (наречие)** : 부정이나 반대의 뜻을 나타내는 말.
не; нет; ни
Выражение, означающее отрицание или противоположность.

• **가다 (глагол)** : 어떤 것에 대해 생각이나 이해가 되다.
приходить; уловить; понять; приходить в голову
Додуматься или понимать что-либо.

• -네요 : (두루높임으로) 말하는 사람이 직접 경험하여 새롭게 알게 된 사실에 대해 감탄함을 나타낼 때 쓰는 표현.
нет эквивалента
(нейтрально-вежливый стиль) Выражение, указывающее на восклицание при личном обнаружении какого-либо факта.

맹인 : 개+한테 과자+를 주+어야 머리+가 어디 있+는지 알(아)+[ㄹ 수 있]+잖아요.
쥐야 　　　　　　　　　　알 수 있잖아요

• **개 (имя существительное)** : 냄새를 잘 맡고 귀가 매우 밝으며 영리하고 사람을 잘 따라 사냥이나 애완 등의 목적으로 기르는 동물.
собака
Животное, выращиваемое для охоты или в качестве домашнего питомца, обладающее хорошим обонянием и слухом, очень сообразительное и преданное человеку.

• 한테 : 어떤 행동이 미치는 대상임을 나타내는 조사.
нет эквивалента
Окончание, указывающее на объект, подвергающийся какому-либо действию.

• **과자 (имя существительное)** : 밀가루나 쌀가루 등에 우유, 설탕 등을 넣고 반죽하여 굽거나 튀긴 간식.

печенье

Испечённое или обжаренное кондитерское изделие, изготовленное из теста, состоящего из пшеничной, рисовой или другой муки с добавлением молока, сахара и других ингредиентов.

• 를 : 동작이 직접적으로 영향을 미치는 대상을 나타내는 조사.

нет эквивалента

Частица, указывающая на объект, на который действие оказывает непосредственное влияние.

• **주다 (глагол)** : 물건 등을 남에게 건네어 가지거나 쓰게 하다.

давать

Предоставлять что-либо кому-либо для использования.

• -어야 : 앞에 오는 말이 뒤에 오는 말에 대한 필수적인 조건임을 나타내는 연결 어미.

нет эквивалента

Соединительное окончание предиката, указывающее на то, что содержание первой части предложения является обязательным условием для выполнения действия, описанного во второй части предложения.

• **머리 (имя существительное)** : 사람이나 동물의 몸에서 얼굴과 머리털이 있는 부분을 모두 포함한 목 위의 부분.

голова

Верхняя часть тела человека или животного, начинающаяся от шеи и включающая в себя лицо и волосы.

• 가 : 어떤 상태나 상황에 놓인 대상이나 동작의 주체를 나타내는 조사.

нет эквивалента

Частица, показывающая какое-либо состояние, объект ситуации или субъект действия.

• **어디 (местоимение)** : 모르는 곳을 가리키는 말.

где; куда

Выражение, используемое при расспрашивании о неизвестном месте.

• **있다 (имя прилагательное)** : 무엇이 어떤 곳에 자리나 공간을 차지하고 존재하는 상태이다.

нет эквивалента

Пребывать или занимать какое-либо место или пространство.

• -는지 : 뒤에 오는 말의 내용에 대한 막연한 이유나 판단을 나타내는 연결 어미.

нет эквивалента

Соединительное предикативное окончание, указывающее на неопределённую причину или оценку говорящим того, о чём говорится во второй части предложения.

- **알다 (глагол)** : 교육이나 경험, 생각 등을 통해 사물이나 상황에 대한 정보 또는 지식을 갖추다.
  знать
  Владеть информацией или знаниями о предметах или ситуации через обучение, опыт, размышление и т.п.

- -ㄹ 수 있다 : 어떤 행동이나 상태가 가능함을 나타내는 표현.
  нет эквивалента
  Выражение, указывающее на возможность осуществления какого-либо действия или состояния.

- -잖아요 : (두루높임으로) 어떤 상황에 대해 말하는 사람이 상대방에게 확인하거나 정정해 주듯이 말함을 나타내는 표현.
  нет эквивалента
  (нейтрально-вежливый стиль) Выражение, используемое при обращении к собеседнику с уточнением или поправкой.

< 6 단원(глава) >

제목 : 왜 아버지 직업을 수산업이라고 적었니?

● 본문 (Основной текст)

서울의 한 초등학교에서 가정 환경 조사를 실시하였다.

담임 선생님이 학생들이 제출한 자료를 꼼꼼히 살펴보고 있었다.

잠시 후 고개를 갸우뚱거리시더니 한 학생에게 물었다.

선생님 : 아버님이 선장이시니?

학생 : 아뇨.

선생님 : 그럼 어부시니?

학생 : 아니요.

선생님 : 그럼 양식 사업하시니?

학생 : 아닌데요.

선생님 : 그런데 왜 아버지 직업을 수산업이라고 적었니?

학생 : 우리 아버지는 학교 앞에서 붕어빵을 구우시거든요.

맛있어서 엄청 많이 팔려요.

선생님도 한번 드셔 보실래요?

● 발음 (произношение)

서울의 한 초등학교에서 가정 환경 조사를 실시하였다.
서울의 한 초등학꾜에서 가정 환경 조사를 실씨하엳따.
seourui han chodeunghakgyoeseo gajeong hwangyeong josareul silsihayeotda.

담임 선생님이 학생들이 제출한 자료를 꼼꼼히 살펴보고 있었다.
다밈 선생니미 학쌩드리 제출한 자료를 꼼꼼히 살펴보고 이썯따.
damim seonsaengnimi haksaengdeuri jechulhan jaryoreul kkomkkomhi salpyeobogo isseotda.

잠시 후 고개를 갸우뚱거리시더니 한 학생에게 물었다.
잠시 후 고개를 갸우뚱거리시더니 한 학쌩에게 무럳따.
jamsi hu gogaereul gyauttunggeorisideoni han haksaengege mureotda.

선생님 : 아버님이 선장이시니?
선생님 : 아버니미 선장이시니?
seonsaengnim : abeonimi seonjangisini?

학생 : 아뇨.
학쌩 : 아뇨.
haksaeng : anyo.

선생님 : 그럼 어부시니?
선생님 : 그럼 어부시니?
seonsaengnim : geureom eobusini?

학생 : 아니요.
학쌩 : 아니요.
haksaeng : aniyo.

선생님 : 그럼 양식 사업하시니?
선생님 : 그럼 양식 사어파시니?
seonsaengnim : geureom yangsik saeopasini?

학생 : 아닌데요.
학쌩 : 아닌데요.
haksaeng : anindeyo.

선생님 : 그런데 왜 아버지 직업을 수산업이라고 적었니?
선생님 : 그런데 왜 아버지 지거블 수사너비라고 저건니?
seonsaengnim : geureonde wae abeoji jigeobeul susaneobirago jeogeonni?

학생 : 우리 아버지는 학교 앞에서 붕어빵을 구우시거든요.
학쌩 : 우리 아버지는 학꾜 아페서 붕어빵을 구우시거드뇨.
haksaeng : uri abeojineun hakgyo apeseo bungeoppangeul guusigeodeunyo.

맛있어서 엄청 많이 팔려요.
마시써서 엄청 마니 팔려요.
masisseoseo eomcheong mani pallyeoyo.

선생님도 한번 드셔 보실래요?
선생님도 한번 드셔 보실래요?
seonsaengnimdo hanbeon deusyeo bosillaeyo?

● 어휘 (лексический запас) / 문법 (грамматика)

서울+의 한 초등학교+에서 가정 환경 조사+를 실시하+였+다.

담임 선생+님+이 학생+들+이 제출하+ㄴ 자료+를 꼼꼼히 살펴보+고 있+었+다.

잠시 후 고개+를 갸우뚱거리+시+더니 한 학생+에게 묻(물)+었+다.

선생님 : 아버님+이 선장+이+시+니?

학생: 아뇨.

선생님 : 그럼 어부+(이)+시+니?

학생 : 아니요.

선생님 : 그럼 양식 사업하+시+니?

학생 : 아니+ㄴ데요.

선생님 : 그런데 왜 아버지 직업+을 수산업+이라고 적+었+니?

학생 : 우리 아버지+는 학교 앞+에서 붕어빵+을 굽(구우)+시+거든요.

맛있+어서 엄청 많이 팔리+어요.

선생님+도 한번 들(드)+시+어 보+시+ㄹ래요?

서울+의 한 초등학교+에서 가정 환경 조사+를 실시하+였+다.

• **서울 (имя существительное)** : 한반도 중앙에 있는 특별시. 한국의 수도이자 정치, 경제, 산업, 사회, 문화, 교통의 중심지이다. 북한산, 관악산 등의 산에 둘러싸여 있고 가운데로는 한강이 흐른다.

город Сеул

Город, располагающийся в центре Корейского полуострова. Столица Южной Кореи и её политический, экономический, индустриальный, социальный, культурный и транспортный центр.

Окружён горами Пукхан, Кванаг и другими горами, по центру протекает река Хан.

• 의 : 앞의 말이 뒤의 말에 대하여 소유, 소속, 소재, 관계, 기원, 주체의 관계를 가짐을 나타내는 조사.

нет эквивалента

Частица, указывающая на то, что в предыдущем слове содержится значение собственности, принадлежности, сырья, источника, основы в отношении последующего.

• **한 (атрибутивное слово)** : 여럿 중 하나인 어떤.

какой-то

Какой-либо.

• **초등학교 (имя существительное)** : 학교 교육의 첫 번째 단계로 만 여섯 살에 입학하여 육 년 동안 기본 교육을 받는 학교.

начальная школа

Первая ступень школьного образования, где учащимся даются самые необходимые и поверхностные знания, учащиеся поступают в возрасте 6 лет и обучаются в течение 6 лет.

• 에서 : 앞말이 주어임을 나타내는 조사.

нет эквивалента

Окончание, указывающее на подлежащее.

• **가정 환경 (имя существительное)** : 가정의 분위기나 조건.

семейная обстановка

Условия проживания и атмосфера в семье.

• **조사 (имя существительное)** : 어떤 일이나 사물의 내용을 알기 위하여 자세히 살펴보거나 찾아봄.

обследование; расследование; выяснение; изучение; инспекция; осмотр; обозрение; исследование

Детальное рассмотрение или поиск, имеющие своей целью узнать содержание какого-либо дела или вещей.

• 를 : 동작이 직접적으로 영향을 미치는 대상을 나타내는 조사.
нет эквивалента
Частица, указывающая на объект, на который непосредственно распространяется влияние действия.

• **실시하다 (глагол)** : 어떤 일이나 법, 제도 등을 실제로 행하다.
осуществить; внедрить; выполнить
Привести в исполнение, воплотить в действительность.

• -였- : 어떤 사건이 과거에 완료되었거나 그 사건의 결과가 현재까지 지속되는 상황을 나타내는 어미.
нет эквивалента
Окончание, указывающее на полное завершение какого-либо события в прошлом и сохранения данного результата до настоящего времени.

• -다 : 어떤 사건이나 사실, 상태를 서술함을 나타내는 종결 어미.
нет эквивалента
Финитное окончание, выражающее изложение события или факта в настоящем времени.

담임 선생+님+이 학생+들+이 <u>제출하+ㄴ</u> 자료+를 꼼꼼히 살펴보+[고 있]+었+다. **제출한**

• **담임 선생 (имя существительное)** : 한 반이나 한 학년을 책임지고 맡아서 가르치는 선생님.
классный руководитель
Преподаватель, отвечающий за одну группу или класс.

• 님 : '높임'의 뜻을 더하는 접미사.
нет эквивалента
Суффикс, передающий уважительное отношение при обращении к людям.

• 이 : 어떤 상태나 상황의 대상이나 동작의 주체를 나타내는 조사.
нет эквивалента
Частица, показывающая какое-либо состояние, объект ситуации или субъект действия.

• **학생 (имя существительное)** : 학교에 다니면서 공부하는 사람.
учащийся; обучающийся; ученик; школьник; студент
Тот, кто учится где-либо.

• 들 : '복수'의 뜻을 더하는 접미사.
нет эквивалента
Суффикс со значением множественного числа.

• 이 : 어떤 상태나 상황의 대상이나 동작의 주체를 나타내는 조사.
нет эквивалента
Частица, показывающая какое-либо состояние, объект ситуации или субъект действия.

• **제출하다 (глагол)** : 어떤 안건이나 의견, 서류 등을 내놓다.
представлять; предлагать; выдвигать; вносить; подавать
Предъявлять какое-либо предложение, мнение, документ и т.п.

• -ㄴ : 앞의 말이 관형어의 기능을 하게 만들고 사건이나 동작이 완료되어 그 상태가 유지되고 있음을 나타내는 어미.
нет эквивалента
Окончание, которое указывает на завершенное постоянное действие или событие, преобразуя впередистоящее слово, словосочетание или придаточное предложение в определение.

• **자료 (имя существительное)** : 연구나 조사를 하는 데 기본이 되는 재료.
материал
Материалы, составляющие основу при исследованиях или изучении чего-либо.

• 를 : 동작이 직접적으로 영향을 미치는 대상을 나타내는 조사.
нет эквивалента
Частица, указывающая на объект, на который непосредственно распространяется влияние действия.

• **꼼꼼히 (наречие)** : 빈틈이 없이 자세하고 차분하게.
тщательно; аккуратно
Спокойно и осторожно.

• **살펴보다 (глагол)** : 여기저기 빠짐없이 자세히 보다.
разглядывать; рассматривать
Подробно всё осматривать, не пропуская ничего.

• -고 있다 : 앞의 말이 나타내는 행동이 계속 진행됨을 나타내는 표현.
нет эквивалента
Выражение, указывающее на длительность действия.

• -었- : 어떤 사건이 과거에 완료되었거나 그 사건의 결과가 현재까지 지속되는 상황을 나타내는 어미.
нет эквивалента
Окончание, указывающее на полное завершение какого-либо события в прошлом и сохранения данного результата до настоящего времени.

• -다 : 어떤 사건이나 사실, 상태를 서술함을 나타내는 종결 어미.
нет эквивалента
Финитное окончание, выражающее изложение события или факта в настоящем времени.

잠시 후 고개+를 갸우뚱거리+시+더니 한 학생+에게 묻(물)+었+다. **물었다**

• **잠시 (имя существительное)** : 잠깐 동안.
недолго; пара минут; пара секунд
Короткое время.

• **후 (имя существительное)** : 얼마만큼 시간이 지나간 다음.
после; впоследствии; потом; затем
После прохождения некоторого времени.

• **고개 (имя существительное)** : 목을 포함한 머리 부분.
загривок; голова
Голова, включая шею.

• 를 : 동작이 직접적으로 영향을 미치는 대상을 나타내는 조사.
нет эквивалента
Частица, указывающая на объект, на который непосредственно распространяется влияние действия.

• **갸우뚱거리다 (глагол)** : 물체가 자꾸 이쪽저쪽으로 기울어지며 흔들리다. 또는 그렇게 하다.
качаться; раскачиваться; шататься; раскачивать; шатать
Двигаться из стороны в сторону. Либо приводить в подобное движение.

• -시- : 어떤 동작이나 상태의 주체를 높이는 뜻을 나타내는 어미.
нет эквивалента
Гонорифический глагольный суффикс, указывающий на почтительное отношение к субъекту какого-либо состояния или действия.

• -더니 : 과거의 사실이나 상황에 뒤이어 어떤 사실이나 상황이 일어남을 나타내는 연결 어미.
нет эквивалента
Соединительное окончание, указывающее на проявление какого-либо факта или события вслед за каким-либо прошедшим фактом или событием.

• **한 (атрибутивное слово)** : 여럿 중 하나인 어떤.
какой-то
Какой-либо.

• **학생 (имя существительное)** : 학교에 다니면서 공부하는 사람.
учащийся; обучающийся; ученик; школьник; студент
Тот, кто учится где-либо.

• 에게 : 어떤 행동이 미치는 대상임을 나타내는 조사.
кому-, чему-либо
Окончание, указывающее на предмет, подвергающийся влиянию какого-либо действия.

• **묻다 (глагол)** : 대답이나 설명을 요구하며 말하다.
спрашивать; вопрошать; задавать вопрос
Говорить для того, чтобы получить ответ или разъяснение.

• -었- : 어떤 사건이 과거에 완료되었거나 그 사건의 결과가 현재까지 지속되는 상황을 나타내는 어미.
нет эквивалента
Окончание, указывающее на полное завершение какого-либо события в прошлом и сохранения данного результата до настоящего времени.

• -다 : 어떤 사건이나 사실, 상태를 서술함을 나타내는 종결 어미.
нет эквивалента
Финитное окончание, выражающее изложение события или факта в настоящем времени.

선생님 : 아버님+이 선장+이+시+니?
학생 : 아뇨.

• **아버님 (имя существительное)** : (높임말로) 자기를 낳아 준 남자를 이르거나 부르는 말.
отец; папа; батя
(вежл.) Слово, употребляемое при упоминании или обращении к мужчине, который родил тебя.

• 이 : 어떤 상태나 상황의 대상이나 동작의 주체를 나타내는 조사.
нет эквивалента
Частица, показывающая какое-либо состояние, объект ситуации или субъект действия.

• **선장 (имя существительное)** : 배에 탄 선원들을 감독하고, 배의 항해와 사무를 책임지는 사람.
капитан судна
Ответственное должностное лицо, возглавляющее экипаж и руководящее движением и направлением корабля и т.п.

• 이다 : 주어가 지시하는 대상의 속성이나 부류를 지정하는 뜻을 나타내는 서술격 조사.
нет эквивалента
Суффикс повествовательного падежа, выражающий смысл наименования свойства или разряда объекта, на который указывает подлежащее.

- -시- : 어떤 동작이나 상태의 주체를 높이는 뜻을 나타내는 어미.
  нет эквивалента
  Гонорифический глагольный суффикс, указывающий на почтительное отношение к субъекту какого-либо состояния или действия.

- -니 : (아주낮춤으로) 물음을 나타내는 종결 어미.
  нет эквивалента
  (простой стиль) Финитное окончание предиката, указывающее на вопрос.

- **아뇨 (восклицание)** : 윗사람이 묻는 말에 대하여 부정하며 대답할 때 쓰는 말.
  нет
  Выражение, употребляющееся при отрицательном ответе на вопрос вышестоящего лица.

선생님 : 그럼 어부+(이)+시+니? **어부시니** **학생** : 아니요.

- **그럼 (наречие)** : 앞의 내용을 받아들이거나 그 내용을 바탕으로 하여 새로운 주장을 할 때 쓰는 말.
  тогда; в таком случае
  Выражение, которое используют, когда соглашаются с чем-либо вышеупомянутым или же когда выдвигают новое утверждение, основываясь на вышеупомянутом.

- **어부 (имя существительное)** : 물고기를 잡는 일을 직업으로 하는 사람.
  рыбак
  Человек, профессией которого является ловля рыбы.

- 이다 : 주어가 지시하는 대상의 속성이나 부류를 지정하는 뜻을 나타내는 서술격 조사.
  нет эквивалента
  Суффикс повествовательного падежа, выражающий смысл наименования свойства или разряда объекта, на который указывает подлежащее.

- -시- : 어떤 동작이나 상태의 주체를 높이는 뜻을 나타내는 어미.
  нет эквивалента
  Гонорифический глагольный суффикс, указывающий на почтительное отношение к субъекту какого-либо состояния или действия.

- -니 : (아주낮춤으로) 물음을 나타내는 종결 어미.
  нет эквивалента
  (простой стиль) Финитное окончание предиката, указывающее на вопрос.

• **아니요 (восклицание)** : 윗사람이 묻는 말에 대하여 부정하며 대답할 때 쓰는 말.
нет
Слово, используемое при отрицательном ответе на вопрос старшего по возрасту.

> **선생님** : 그럼 양식 사업하+시+니?
>
> **학생** : 아니+ㄴ데요.
> **아닌데요**

• **그럼 (наречие)** : 앞의 내용을 받아들이거나 그 내용을 바탕으로 하여 새로운 주장을 할 때 쓰는 말.
тогда; в таком случае
Выражение, которое используют, когда соглашаются с чем-либо вышеупомянутым или же когда выдвигают новое утверждение, основываясь на вышеупомянутом.

• **양식 (имя существительное)** : 물고기, 김, 미역, 버섯 등을 인공적으로 길러서 번식하게 함.
выращивание; культивирование; возделывание; взращивание; обрабатывание; разведение
Выращивание и разведение искусственным путём рыб, морских водорослей, бурых водорослей, грибов и т.п.

• **사업하다 (глагол)** : 경제적 이익을 얻기 위하여 어떤 조직을 경영하다.
вести предпринимательскую деятельность; заниматься коммерцией; вести бизнес
Управлять какой-либо организацией для получения экономической прибыли.

• -시- : 어떤 동작이나 상태의 주체를 높이는 뜻을 나타내는 어미.
нет эквивалента
Гонорифический глагольный суффикс, указывающий на почтительное отношение к субъекту какого-либо состояния или действия.

• -니 : (아주낮춤으로) 물음을 나타내는 종결 어미.
нет эквивалента
(простой стиль) Финитное окончание предиката, указывающее на вопрос.

• **아니다 (имя прилагательное)** : 어떤 사실이나 내용을 부정하는 뜻을 나타내는 말.
не (быть)
Слово, выражающее отрицание какого-либо факта или содержания.

• -ㄴ데요 : (두루높임으로) 어떤 상황을 전달하여 듣는 사람의 반응을 기대함을 나타내는 표현.
нет эквивалента
(нейтрально-вежливый стиль) Выражение, употребляемое при сообщении чего-либо слушающему в ожидании реакции или отклика от него.

선생님 : 그런데 왜 아버지 직업+을 수산업+이라고 적+었+니?

- **그런데 (наречие)** : 이야기를 앞의 내용과 관련시키면서 다른 방향으로 바꿀 때 쓰는 말.
  а
  Слово, используемое для установления связи с содержанием предыдущего разговора и смены темы разговора.

- **왜 (наречие)** : 무슨 이유로. 또는 어째서.
  почему; зачем
  По какой причине.

- **아버지 (имя существительное)** : 자기를 낳아 준 남자를 이르거나 부르는 말.
  папа; отец; батя
  Слово, употребляемое при обращении к мужчине, родившему тебя, или его упоминании.

- **직업 (имя существительное)** : 보수를 받으면서 일정하게 하는 일.
  занятие; работа; профессия
  Определённое занятие, выполняемое за вознаграждение.

- 을 : 동작이 직접적으로 영향을 미치는 대상을 나타내는 조사.
  нет эквивалента
  Частица, указывающая на объект, на который непосредственно распространяется влияние действия.

- **수산업 (имя существительное)** : 바다나 강 등의 물에서 나는 생물을 잡거나 기르거나 가공하는 등의 산업.
  морская промышленность; рыбная промышленность; рыбный промысел
  Промышленность, занимающаяся ловлей, разведением и обработкой морских, речных и др. продуктов.

- 이라고 : 앞의 말이 원래 말해진 그대로 인용됨을 나타내는 조사.
  сказать, что... ; называемый
  Окончание, указывающее на использование ранее сказанных слов в их оригинальном содержании.

- **적다 (глагол)** : 어떤 내용을 글로 쓰다.
  записать; записывать
  Сделать надпись или написать.

- -었- : 어떤 사건이 과거에 완료되었거나 그 사건의 결과가 현재까지 지속되는 상황을 나타내는 어미.
  нет эквивалента
  Окончание, указывающее на полное завершение какого-либо события в прошлом и сохранения данного результата до настоящего времени.

• -니 : (아주낮춤으로) 물음을 나타내는 종결 어미.
нет эквивалента
(простой стиль) Финитное окончание предиката, указывающее на вопрос.

학생 : 우리 아버지+는 학교 앞+에서 붕어빵+을 굽(구우)+시+거든요.
구우시거든요

• **우리 (местоимение)** : 말하는 사람이 자기보다 높지 않은 사람에게 자기와 관련된 것을 친근하게 나타낼 때 쓰는 말.
мы; наш
Слово, используемое для выражения близости в чём-либо, связанном с говорящим и его собеседником, если он не намного старше или выше по социальному статусу.

• **아버지 (имя существительное)** : 자기를 낳아 준 남자를 이르거나 부르는 말.
папа; отец; батя
Слово, употребляемое при обращении к мужчине, родившему тебя, или его упоминании.

• 는 : 문장 속에서 어떤 대상이 화제임을 나타내는 조사.
нет эквивалента
Частица, указывающая на то, что какой-либо объект является основной темой в предложении.

• **학교 (имя существительное)** : 일정한 목적, 교과 과정, 제도 등에 의하여 교사가 학생을 가르치는 기관.
школа
Учебное заведение, где учитель обучает учащихся с определённой целью согласно предметному курсу, системе и т.п.

• **앞 (имя существительное)** : 향하고 있는 쪽이나 곳.
перед
Сторона или место, напротив которого от лицевой стороны находится кто-либо, что-либо.

• 에서 : 앞말이 행동이 이루어지고 있는 장소임을 나타내는 조사.
в; на
Окончание, указывающее на место, где происходит указанное действие.

• **붕어빵 (имя существительное)** : 붕어 모양 풀빵

붕어

карась

Пресноводная рыба с плоским и широким туловищем, обычно коричневого цвета с жёлтым оттенком, покрытая крупной чешуёй.

모양

внешность; образ

Внешний вид или облик.

풀빵

формовое печенье

Выпечка из заправленного в формочки жидкого, пшеничного теста с добавлением начинки из красных бобов.

• 을 : 동작이 직접적으로 영향을 미치는 대상을 나타내는 조사.

нет эквивалента

Частица, указывающая на объект, на который непосредственно распространяется влияние действия.

• **굽다 (глагол)** : 음식을 불에 익히다.

жарить

Доводить до готовности на огне (о еде).

• -시- : 어떤 동작이나 상태의 주체를 높이는 뜻을 나타내는 어미.

нет эквивалента

Гонорифический глагольный суффикс, указывающий на почтительное отношение к субъекту какого-либо состояния или действия.

• -거든요 : (두루높임으로) 앞의 내용에 대해 말하는 사람이 생각한 이유나 원인, 근거를 나타내는 표현.

нет эквивалента

(нейтрально-вежливый стиль) Финитное окончание, указывающее на причину, фактор, аргумент говорящего, которые касаются содержания, описанного в первой части высказывания.

학생 : 맛있+어서 엄청 많이 <u>팔리+어요</u>. **팔려요**

• **맛있다 (имя прилагательное)** : 맛이 좋다.

вкусный

Имеющий хороший вкус.

• -어서 : 이유나 근거를 나타내는 연결 어미.
нет эквивалента
Соединительное окончание предиката, указывающее на причину или обоснование чего-либо.

• **엄청 (наречие)** : 양이나 정도가 아주 지나치게.
очень; громадно; невообразимо; огромно; непомерно; чересчур; слишком
Чрезмерно (о количестве или степени).

• **많이 (наречие)** : 수나 양, 정도 등이 일정한 기준보다 넘게.
много
Превышая определённую норму (о числе, количестве, степени и т.п.).

• **팔리다 (глагол)** : 값을 받고 물건이나 권리가 다른 사람에게 넘겨지거나 노력 등이 제공되다.
продаваться
Прикладываться (об усилиях) или же отдаваться, передаваться кому-либо взамен уплаченной цены (о чём-либо или каком-либо праве).

• -어요 : (두루높임으로) 어떤 사실을 서술하거나 질문, 명령, 권유함을 나타내는 종결 어미.
нет эквивалента
(нейтрально-вежливый стиль) Финитное окончание предиката в повествовательном, вопросительном или побудительном предложении.

학생 : 선생님+도 한번 들(드)+시+[어 보]+시+ㄹ래요?
드셔 보실래요

• **선생님 (имя существительное)** : (높이는 말로) 학생을 가르치는 사람.
учитель; преподаватель
(уважит.) Человек, обучающий учеников.

• 도 : 이미 있는 어떤 것에 다른 것을 더하거나 포함함을 나타내는 조사.
нет эквивалента
Частица, указывающая на прибавление или включение чего-либо во что-либо уже имеющееся.

• **한번 (наречие)** : 어떤 일을 시험 삼아 시도함을 나타내는 말.
нет эквивалента
Слово, употребляемое при совершении попыток сделать что-либо для пробы.

• **들다 (глагол)** : (높임말로) 먹다.
есть; пить; принимать пищу
(вежл.) Есть, кушать.

• -시- : 어떤 동작이나 상태의 주체를 높이는 뜻을 나타내는 어미.

нет эквивалента

Гонорифический глагольный суффикс, указывающий на почтительное отношение к субъекту какого-либо состояния или действия.

• -어 보다 : 앞의 말이 나타내는 행동을 시험 삼아 함을 나타내는 표현.

нет эквивалента

Выражение, указывающее на пробу или попытку совершить какое-либо действие.

• -시- : 어떤 동작이나 상태의 주체를 높이는 뜻을 나타내는 어미.

нет эквивалента

Гонорифический глагольный суффикс, указывающий на почтительное отношение к субъекту какого-либо состояния или действия.

• -ㄹ래요 : (두루높임으로) 앞으로 어떤 일을 하려고 하는 자신의 의사를 나타내거나 그 일에 대하여 듣는 사람의 의사를 물어봄을 나타내는 표현.

нет эквивалента

(нейтрально-вежливый стиль) Выражение, употребляемое при указании на намерение говорящего совершить какое-либо действие или при обращении к слушающему с вопросом о намерении или желании совершить данное действие.

< 7 단원(глава) >

제목 : 도대체 어디가 아픈지 잘 모르겠어요.

● 본문 (Основной текст)

교통사고를 당한 사람이 진찰을 받으러 병원에 갔다.

환자 : 의사 선생님, 도대체 어디가 아픈지 잘 모르겠어요.

의사 : 일단 손가락으로 여기저기 한번 눌러 보세요.

환자 : 어디를 눌러도 까무러칠 만큼 아파요.

의사 : 제가 한번 눌러 볼게요.

어떠세요?

환자 : 그다지 아픈 것 같지 않은데요.

결국 그 환자는 다른 병원을 찾아 갔지만 역시 아픈 곳을 정확히 찾지 못했다.

답답했던 그 환자는 어느 한의원에 들어갔다.

환자 : 정확히 어디가 아픈지 잘 모르겠지만 어디를 눌러 봐도 아파 죽겠어요.

제발 좀 찾아 주세요.

한의사 선생님은 의미심장한 표정을 지으며 말했다.

한의사 : 손가락이 부러지셨군요!

● 발음 (произношение)

교통사고를 당한 사람이 진찰을 받으러 병원에 갔다.
교통사고를 당한 사라미 진차를 바드러 병워네 갇따.
gyotongsagoreul danghan sarami jinchareul badeureo byeongwone gatda.

환자 : 의사 선생님, 도대체 어디가 아픈지 잘 모르겠어요.
환자 : 의사 선생님, 도대체 어디가 아픈지 잘 모르게써요.
hwanja : uisa seonsaengnim, dodaeche eodiga apeunji jal moreugesseoyo.

의사 : 일단 손가락으로 여기저기 한번 눌러 보세요.
의사 : 일딴 손까라그로 여기저기 한번 눌러 보세요.
uisa : ildan songarageuro yeogijeogi hanbeon nulleo boseyo.

환자 : 어디를 눌러도 까무러칠 만큼 아파요.
환자 : 어디를 눌러도 까무러칠 만큼 아파요.
hwanja : eodireul nulleodo kkamureochil mankeum apayo.

의사 : 제가 한번 눌러 볼게요.
의사 : 제가 한번 눌러 볼께요.
uisa : jega hanbeon nulleo bolgeyo.

어떠세요?
어떠세요?
eotteoseyo?

환자 : 그다지 아픈 것 같지 않은데요.
환자 : 그다지 아픈 걷 갇찌 아는데요.
hwanja : geudaji apeun geot gatji aneundeyo.

결국 그 환자는 다른 병원을 찾아 갔지만 역시 아픈 곳을 정확히 찾지 못했다.
결국 그 환자는 다른 병워늘 차자 갇찌만 역씨 아픈 고슬 정화키 찯찌 모탣따.
gyeolguk geu hwanjaneun dareun byeongwoneul chaja gatjiman yeoksi apeun goseul jeonghwaki chatji motaetda.

답답했던 그 환자는 어느 한의원에 들어갔다.
답따팯떤 그 환자는 어느 하니워네 드러갇따.
dapdapaetdeon geu hwanjaneun eoneu hanuiwone(haniwone) deureogatda.

환자 : 정확히 어디가 아픈지 잘 모르겠지만 어디를 눌러 봐도 아파 죽겠어요.
환자 : 정화키 어디가 아픈지 잘 모르겓찌만 어디를 눌러 봐도 아파 죽게써요.
hwanja : jeonghwaki eodiga apeunji jal moreugetjiman eodireul nulleo bwado apa jukgesseoyo.

제발 좀 찾아 주세요.
제발 좀 차자 주세요.
jebal jom chaja juseyo.

한의사 선생님은 의미심장한 표정을 지으며 말했다.
하니사 선생니믄 의미심장한 표정을 지으며 말핻따.
hanuisa(hanisa) seonsaengnimeun uimisimjanghan pyojeongeul jieumyeo malhaetda.

한의사 : 손가락이 부러지셨군요!
하니사 : 손까라기 부러지셛꾸뇨!
hanuisa(hanisa) : songaragi bureojisyeotgunyo!

● 어휘 (лексический запас) / 문법 (грамматика)

교통사고+를 당하+ㄴ 사람+이 진찰+을 받+으러 병원+에 가+았+다.

환자 : 의사 선생님, 도대체 어디+가 아프+ㄴ지 잘 모르+겠+어요.

의사 : 일단, 손가락+으로 여기저기 한번 누르(눌ㄹ)+어 보+세요.

환자 : 어디+를 누르(눌ㄹ)+어도 까무러치+ㄹ 만큼 아프(아ㅍ)+아요.

의사 : 그럼, 제+가 한번 누르(눌ㄹ)+어 보+ㄹ게요.

어떻(어떠)+세요?

환자 : 그다지 아프+ㄴ 것 같+지 않+은데요.

결국 그 환자+는 다른 병원+을 찾아가+았+지만 역시 아프+ㄴ 곳+을 정확히 찾+지 못하+였+다.

답답하+였던 그 환자+는 어느 한의원+에 들어가+았+다.

환자 : 정확히 어디+가 아프+ㄴ지 잘 모르+겠+지만

어디+를 누르(눌ㄹ)+어 보+아도 아프(아ㅍ)+아 죽+겠+어요.

제발 좀 찾+아 주+세요.

한의사 선생님+은 의미심장하+ㄴ 표정+을 짓(지)+으며 말하+였+다.

한의사 : 손가락+이 부러지+시+었+군요!

교통사고+를 <u>당하+ㄴ</u> 사람+이 진찰+을 받+으러 병원+에 <u>가+았+다</u>. 당한 갔다

• **교통사고 (имя существительное)** : 자동차나 기차 등이 다른 교통 기관과 부딪치거나 사람을 치는 사고.
автомобильная авария; дорожно-транспортное происшествие
Авария, происходящая в результате столкновения автомашин, поездов и т.п. с другими видами транспорта или пешеходами.

• 를 : 동작이 직접적으로 영향을 미치는 대상을 나타내는 조사.
нет эквивалента
Частица, указывающая на объект, на который непосредственно распространяется влияние действия.

• **당하다 (глагол)** : 좋지 않은 일을 겪다.
испытать; подвергнуться
Испытать что-либо неприятное,нежелаемое, такое как отчисление с учебного заведения, увольнение и т.п.

• -ㄴ : 앞의 말이 관형어의 기능을 하게 만들고 사건이나 동작이 과거에 일어났음을 나타내는 어미.
нет эквивалента
Окончание, которое указывает на действие или событие в прошлом, преобразуя впередистоящее слово, словосочетание или придаточное предложение в определение.

• **사람 (имя существительное)** : 생각할 수 있으며 언어와 도구를 만들어 사용하고 사회를 이루어 사는 존재.
человек
Живое существо, образующее общество и обладающее способностью мыслить, производить и использовать язык и орудия труда.

• 이 : 어떤 상태나 상황의 대상이나 동작의 주체를 나타내는 조사.
нет эквивалента
Частица, показывающая какое-либо состояние, объект ситуации или субъект действия.

• **진찰 (имя существительное)** : 의사가 치료를 위하여 환자의 병이나 상태를 살핌.
медицинский осмотр
Обследование больного, его состояния с целью дальнейшего лечения (о враче).

• 을 : 동작이 직접적으로 영향을 미치는 대상을 나타내는 조사.
нет эквивалента
Частица, указывающая на объект, на который действие оказывает непосредственное влияние.

• **받다 (глагол)** : 다른 사람이 하는 행동, 심리적인 작용 등을 당하거나 입다.
получать; принимать
Подвергаться психическому воздействию, процессу и т.п. со стороны другого человека.

• -으러 : 가거나 오거나 하는 동작의 목적을 나타내는 연결 어미.
нет эквивалента
Соединительное окончание предиката, указывающее на цель движения.

• **병원 (имя существительное)** : 시설을 갖추고 의사와 간호사가 병든 사람을 치료해 주는 곳.
больница; госпиталь
Место, в котором имеется оборудование, для лечения больных людей докторами и медсестрами.

• 에 : 앞말이 목적지이거나 어떤 행위의 진행 방향임을 나타내는 조사.
нет эквивалента
Окончание, указывающее на направленность какого-либо действия или цели.

• **가다 (глагол)** : 어떤 목적을 가지고 일정한 곳으로 움직이다.
идти; ехать
Передвигаться в определённое место с какой-либо целью.

• -았- : 사건이 과거에 일어났음을 나타내는 어미.
нет эквивалента
Окончание прошедшего времени.

• -다 : 어떤 사건이나 사실, 상태를 서술함을 나타내는 종결 어미.
нет эквивалента
Финитное окончание, выражающее изложение события или факта в настоящем времени.

환자 : 의사 선생님, 도대체 어디+가 아프+ㄴ지 잘 모르+겠+어요.
아픈지

• **의사 (имя существительное)** : 일정한 자격을 가지고서 병을 진찰하고 치료하는 일을 직업으로 하는 사람.
врач; доктор
Человек, обладающий определённой квалификацией, в обязанности которого входит проведение медицинского осмотра и лечение болезней.

• **선생님 (имя существительное)** : 어떤 사람의 성이나 직업에 붙여 그 사람을 높이는 말.
мистер; господин; госпожа; мисс
Слово, присоединяющееся к фамилии или профессии какого-либо человека для вежливого обращения к нему.

• **도대체 (наречие)** : 유감스럽게도 전혀.
совершенно; совсем; абсолютно
к сожалению совсем.

• **어디 (местоимение)** : 모르는 곳을 가리키는 말.
где; куда
Выражение, используемое при расспрашивании о неизвестном месте.

• 가 : 어떤 상태나 상황에 놓인 대상이나 동작의 주체를 나타내는 조사.
нет эквивалента
Окончание, указывающее на объект какой-либо ситуации, состояния или на лицо, выполняющее какое-либо действие.

• **아프다 (имя прилагательное)** : 다치거나 병이 생겨 통증이나 괴로움을 느끼다.
болеть
Чувствовать боль или мучение в результате полученной травмы или заболевания.

• -ㄴ지 : 뒤에 오는 말의 내용에 대한 막연한 이유나 판단을 나타내는 연결 어미.
нет эквивалента
Соединительное предикативное окончание, указывающее на неопределённую причину или оценку говорящим того, о чём говорится во второй части предложения.

• **잘 (наречие)** : 분명하고 정확하게.
нет эквивалента
Ясно и точно.

• **모르다 (глагол)** : 사람이나 사물, 사실 등을 알지 못하거나 이해하지 못하다.
не знать; не понимать
Не знать или не понимать людей, предметы, факты и т.п.

• -겠- : 완곡하게 말하는 태도를 나타내는 어미.
нет эквивалента
Суффикс глагола или прилагательного, употребляемый для смягчения категоричности высказывания.

• -어요 : (두루높임으로) 어떤 사실을 서술하거나 질문, 명령, 권유함을 나타내는 종결 어미.
нет эквивалента
(нейтрально-вежливый стиль) Финитное окончание предиката в повествовательном, вопросительном или побудительном предложении.

의사 : 일단, 손가락+으로 여기저기 한번 <u>누르(눌ㄹ)+[어 보]+세요</u>. **눌러 보세요**

• **일단 (наречие)** : 우선 먼저.
сначала
Прежде всего.

• **손가락 (имя существительное)** : 사람의 손끝의 다섯 개로 갈라진 부분.
палец
Окончания кисти человеческой руки, разделяющиеся на пять частей.

• 으로 : 어떤 일의 수단이나 도구를 나타내는 조사.
нет эквивалента
Частица, указывающая на средство или инструмент для исполнения какой-либо работы.

• **여기저기 (имя существительное)** : 분명하게 정해지지 않은 여러 장소나 위치.
тут и там
Несколько неопределённых, неустановленных мест, позиций.

• **한번 (наречие)** : 어떤 일을 시험 삼아 시도함을 나타내는 말.
нет эквивалента
Слово, употребляемое при совершении попыток сделать что-либо для пробы.

• **누르다 (глагол)** : 물체의 전체나 부분에 대하여 위에서 아래로 힘을 주어 무게를 가하다.
нажать; прижать
С силой надавить на какой-либо предмет полностью или на какую-либо часть сверху вниз.

• -어 보다 : 앞의 말이 나타내는 행동을 시험 삼아 함을 나타내는 표현.
нет эквивалента
Выражение, указывающее на пробу или попытку совершить какое-либо действие.

• -세요 : (두루높임으로) 설명, 의문, 명령, 요청의 뜻을 나타내는 종결 어미.
нет эквивалента
(нейтрально-вежливый стиль) Финитное окончание предиката в повествовательном, вопросительном или побудительном предложении.

환자 : 어디+를 <u>누르(눌ㄹ)+어도</u> <u>까무러치+ㄹ</u> 만큼 <u>아프(아ㅍ)+아요</u>. **눌러도 까무러칠 아파요**

• **어디 (местоимение)** : 정해져 있지 않거나 정확하게 말할 수 없는 어느 곳을 가리키는 말.
куда-нибудь; куда-либо
Еще не определённое место или место, о котором невозможно точно сообщить.

• 를 : 동작이 직접적으로 영향을 미치는 대상을 나타내는 조사.
нет эквивалента
Частица, указывающая на объект, на который непосредственно распространяется влияние действия.

• **누르다 (глагол)** : 물체의 전체나 부분에 대하여 위에서 아래로 힘을 주어 무게를 가하다.
нажать; прижать
С силой надавить на какой-либо предмет полностью или на какую-либо часть сверху вниз.

• -어도 : 앞에 오는 말을 가정하거나 인정하지만 뒤에 오는 말에는 관계가 없거나 영향을 끼치지 않음을 나타내는 연결 어미.
нет эквивалента
Соединительное окончание со значением уступки, указывающее на то, что некий факт или обстоятельство, признание, допущение или предположение которого содержится в первой части предложения, не влияет или не имеет отношения к тому, о чём говорится во второй части.

• **까무러치다 (глагол)** : 정신을 잃고 쓰러지다.
потерять сознание
Упасть в обморок.

• -ㄹ : 앞의 말이 관형어의 기능을 하게 만드는 어미.
нет эквивалента
Окончание, преобразующее впередистоящее слово, словосочетание или придаточное предложение в определение.

• **만큼 (имя существительное)** : 앞의 내용과 같은 양이나 정도임을 나타내는 말.
настолько, насколько
Выражение, которое обозначает, что сказанное ранее имеется в одинаковом количестве или же в одинаковой степени со сказанным позже.

• **아프다 (имя прилагательное)** : 다치거나 병이 생겨 통증이나 괴로움을 느끼다.
болеть
Чувствовать боль или мучение в результате полученной травмы или заболевания.

• -아요 : (두루높임으로) 어떤 사실을 서술하거나 질문, 명령, 권유함을 나타내는 종결 어미.
нет эквивалента
(нейтрально-вежливый стиль) Финитное окончание предиката в повествовательном, вопросительном или побудительном предложении.

의사 : 그럼, 제+가 한번 <u>누르(눌ㄹ)+[어 보]+ㄹ게요</u>. <u>어떻(어떠)+세요</u>? **눌러 볼게요 어떠세요**

• **그럼 (наречие)** : 앞의 내용을 받아들이거나 그 내용을 바탕으로 하여 새로운 주장을 할 때 쓰는 말.
тогда; в таком случае
Выражение, которое используют, когда соглашаются с чем-либо вышеупомянутым или же когда выдвигают новое утверждение, основываясь на вышеупомянутом.

• **제 (местоимение)** : 말하는 사람이 자신을 낮추어 가리키는 말인 '저'에 조사 '가'가 붙을 때의 형태.
я
Форма, когда к '저' (вежливая форма '나') присоединяется падежное окончание '가'.

• 가 : 어떤 상태나 상황에 놓인 대상이나 동작의 주체를 나타내는 조사.
нет эквивалента
Окончание, указывающее на объект какой-либо ситуации, состояния или на лицо, выполняющее какое-либо действие.

• **한번 (наречие)** : 어떤 일을 시험 삼아 시도함을 나타내는 말.
нет эквивалента
Слово, употребляемое при совершении попыток сделать что-либо для пробы.

• **누르다 (глагол)** : 물체의 전체나 부분에 대하여 위에서 아래로 힘을 주어 무게를 가하다.
нажать; прижать
С силой надавить на какой-либо предмет полностью или на какую-либо часть сверху вниз.

• -어 보다 : 앞의 말이 나타내는 행동을 시험 삼아 함을 나타내는 표현.
нет эквивалента
Выражение, указывающее на пробу или попытку совершить какое-либо действие.

• -ㄹ게요 : (두루높임으로) 말하는 사람이 어떤 행동을 할 것을 듣는 사람에게 약속하거나 의지를 나타내는 표현.
нет эквивалента
(нейтрально-вежливый стиль) Выражение, употребляемое, когда говорящий обещает сделать что-либо или сообщает слушателю о своих будущих действиях.

• **어떻다 (имя прилагательное)** : 생각, 느낌, 상태, 형편 등이 어찌 되어 있다.
нет эквивалента
Быть в каком-то состоянии, проходить некоторым образом
(о мыслях, чувствах, состоянии, положении и т.п.).

• -세요 : (두루높임으로) 설명, 의문, 명령, 요청의 뜻을 나타내는 종결 어미.
нет эквивалента
(нейтрально-вежливый стиль) Финитное окончание предиката в повествовательном, вопросительном или побудительном предложении.

환자 : 그다지 아프+[ㄴ 것 같]+[지 않]+은데요. **아픈 것 같지 않은데요**

• **그다지 (наречие)** : 대단한 정도로는. 또는 그렇게까지는.
настолько
В такой большой степени.

• **아프다 (имя прилагательное)** : 다치거나 병이 생겨 통증이나 괴로움을 느끼다.
болеть
Чувствовать боль или мучение в результате полученной травмы или заболевания.

• -ㄴ 것 같다 : 추측을 나타내는 표현.
кажется, что …; вероятно; похоже
Выражение предположения.

• -지 않다 : 앞의 말이 나타내는 행위나 상태를 부정하는 뜻을 나타내는 표현.
нет эквивалента
Выражение, обозначающее отрицание какого-либо действия или состояния.

• -은데요 : (두루높임으로) 의외라 느껴지는 어떤 사실을 감탄하여 말할 때 쓰는 표현.
нет эквивалента
(нейтрально-вежливый стиль) Выражение, передающее восклицание и удивление при обнаружении неожиданного факта.

결국 그 환자+는 다른 병원+을 찾아가+았+지만 역시 아프+ㄴ 곳+을 정확히 찾+[지 못하]+였+다. **찾아갔지만 아픈 찾지 못했다**

• **결국 (наречие)** : 일의 결과로.
в результате; в конечном счёте; в конце концов; наконец; в итоге
Как результат чего-либо.

• **그 (атрибутивное слово; атрибут)** : 앞에서 이미 이야기한 대상을 가리킬 때 쓰는 말.
тот
Указывает на предмет, который уже был указан ранее.

• **환자 (имя существительное)** : 몸에 병이 들거나 다쳐서 아픈 사람.
больной
Страдающий от какой-либо боли, поражённый какой-либо болезнью.

• 는 : 문장 속에서 어떤 대상이 화제임을 나타내는 조사.
нет эквивалента
Частица, указывающая на то, что какой-либо объект является основной темой в предложении.

• **다른 (атрибутивное слово; атрибут)** : 해당하는 것 이외의.
другой
Не относящийся к данному.

• **병원 (имя существительное)** : 시설을 갖추고 의사와 간호사가 병든 사람을 치료해 주는 곳.
больница; госпиталь
Место, в котором имеется оборудование, для лечения больных людей докторами и медсестрами.

• 을 : 동작의 도착지나 동작이 이루어지는 장소를 나타내는 조사.
нет эквивалента
Частица, указывающая на место, являющееся целью действия или где происходит действие.

• **찾아가다 (глагол)** : 사람을 만나거나 어떤 일을 하러 가다.
навещать; идти с визитом; посещать
Идти в какое-либо место по делу или чтобы встретиться с определённым человеком.

• -았- : 사건이 과거에 일어났음을 나타내는 어미.
нет эквивалента
Окончание прошедшего времени.

• -지만 : 앞에 오는 말을 인정하면서 그와 반대되거나 다른 사실을 덧붙일 때 쓰는 연결 어미.
нет эквивалента
Соединительное окончание, при котором в оформленной им придаточной части содержится допущение либо признание некого факта, а в последующей главной части следует противоречащий или не соответствующий ему факт.

• **역시 (наречие)** : 이전과 마찬가지로.
так, как и раньше
Так, как и было.

• **아프다 (имя прилагательное)** : 다치거나 병이 생겨 통증이나 괴로움을 느끼다.
болеть
Чувствовать боль или мучение в результате полученной травмы или заболевания.

• -ㄴ : 앞의 말이 관형어의 기능을 하게 만들고 현재의 상태를 나타내는 어미.
нет эквивалента
Окончание, указывающее на состояние лица или предмета в настоящий момент, при котором впередистоящее слово, словосочетание или придаточное предложение выполняет функцию определения.

• **곳 (имя существительное)** : 일정한 장소나 위치.
Место
определённое пространство, специально отведённое, предназначенное для кого-, чего-л. или расположение.

• 을 : 동작이 직접적으로 영향을 미치는 대상을 나타내는 조사.
нет эквивалента
Частица, указывающая на объект, на который действие оказывает непосредственное влияние.

• **정확히 (наречие)** : 바르고 확실하게.
верно; правильно; безошибочно; в точности; точно
Правильно и достоверно.

• **찾다 (глагол)** : 모르는 것을 알아내려고 노력하다. 또는 모르는 것을 알아내다.
узнавать
Стараться, прикладывать усилия, чтобы найти информацию о чём-либо неизвестном, а также находить что-либо неизвестное.

• -지 못하다 : 앞의 말이 나타내는 행동을 할 능력이 없거나 주어의 의지대로 되지 않음을 나타내는 표현.
нет эквивалента
Выражение, указывающее на неспособность совершить какое-либо действие или на отсутствие возможности выполнить что-либо согласно желанию субъекта.

• -였- : 사건이 과거에 일어났음을 나타내는 어미.
нет эквивалента
Окончание прошедшего времени.

• -다 : 어떤 사건이나 사실, 상태를 서술함을 나타내는 종결 어미.
нет эквивалента
Финитное окончание, выражающее изложение события или факта в настоящем времени.

답답하+였던 그 환자+는 어느 한의원+에 들어가+았+다. **답답했던** **들어갔다**

• **답답하다 (имя прилагательное)** : 근심이나 걱정으로 마음이 초조하고 속이 시원하지 않다.
душный; тоскливый
Переполненный тревогой, беспокойством; неспокойный.

• -였던 : 과거의 사건이나 상태를 다시 떠올리거나 그 사건이나 상태가 완료되지 않고 중단되었다는 의미를 나타내는 표현.
нет эквивалента
Выражение, указывающее на событие или состояние в прошлом по воспоминаниям говорящего или же на то, что то событие или состояние было прервано и осталось незавершённым.

• **그 (атрибутивное слово; атрибут)** : 앞에서 이미 이야기한 대상을 가리킬 때 쓰는 말.
тот
Указывает на предмет, который уже был указан ранее.

• **환자 (имя существительное)** : 몸에 병이 들거나 다쳐서 아픈 사람.
больной
Страдающий от какой-либо боли, поражённый какой-либо болезнью.

• 는 : 문장 속에서 어떤 대상이 화제임을 나타내는 조사.
нет эквивалента
Частица, указывающая на то, что какой-либо объект является основной темой в предложении.

• **어느 (атрибутивное слово; атрибут)** : 확실하지 않거나 분명하게 말할 필요가 없는 사물, 사람, 때, 곳 등을 가리키는 말.
какой-то
Указывает на неопределённый или не нуждающийся в определении предмет, лицо, время, место и т.п.

• **한의원 (имя существительное)** : 우리나라 전통 의술로 환자를 치료하는 의원.
клиника корейской медицины
Клиника, где лечат больных методами корейской традиционной медицины.

• 에 : 앞말이 목적지이거나 어떤 행위의 진행 방향임을 나타내는 조사.
нет эквивалента
Окончание, указывающее на направленность какого-либо действия или цели.

• **들어가다 (глагол)** : 밖에서 안으로 향하여 가다.
входить
Заходить снаружи вовнутрь.

• -았- : 사건이 과거에 일어났음을 나타내는 어미.
нет эквивалента
Окончание прошедшего времени.

• -다 : 어떤 사건이나 사실, 상태를 서술함을 나타내는 종결 어미.
нет эквивалента
Финитное окончание, выражающее изложение события или факта в настоящем времени.

환자 : 정확히 어디+가 아프+ㄴ지 잘 모르+겠+지만
아픈지

어디+를 누르(눌ㄹ)+[어 보]+아도 아프(아ㅍ)+[아 죽]+겠+어요.
눌러 보아도 **아파 죽겠어요**

• **정확히 (наречие)** : 바르고 확실하게.
верно; правильно; безошибочно; в точности; точно
Правильно и достоверно.

• **어디 (местоимение)** : 모르는 곳을 가리키는 말.
где; куда
Выражение, используемое при расспрашивании о неизвестном месте.

• 가 : 어떤 상태나 상황에 놓인 대상이나 동작의 주체를 나타내는 조사.
нет эквивалента
Окончание, указывающее на объект какой-либо ситуации, состояния или на лицо, выполняющее какое-либо действие.

• **아프다 (имя прилагательное)** : 다치거나 병이 생겨 통증이나 괴로움을 느끼다.
болеть
Чувствовать боль или мучение в результате полученной травмы или заболевания.

• -ㄴ지 : 뒤에 오는 말의 내용에 대한 막연한 이유나 판단을 나타내는 연결 어미.
нет эквивалента
Соединительное предикативное окончание, указывающее на неопределённую причину или оценку говорящим того, о чём говорится во второй части предложения.

• **잘 (наречие)** : 분명하고 정확하게.
нет эквивалента
Ясно и точно.

• **모르다 (глагол)** : 사람이나 사물, 사실 등을 알지 못하거나 이해하지 못하다.
не знать; не понимать
Не знать или не понимать людей, предметы, факты и т.п.

• -겠- : 완곡하게 말하는 태도를 나타내는 어미.
нет эквивалента
Суффикс глагола или прилагательного, употребляемый для смягчения категоричности высказывания.

• -지만 : 앞에 오는 말을 인정하면서 그와 반대되거나 다른 사실을 덧붙일 때 쓰는 연결 어미.
нет эквивалента
Соединительное окончание, при котором в оформленной им придаточной части содержится допущение либо признание некого факта, а в последующей главной части следует противоречащий или не соответствующий ему факт.

• **어디 (местоимение)** : 정해져 있지 않거나 정확하게 말할 수 없는 어느 곳을 가리키는 말.
куда-нибудь; куда-либо
Еще не определённое место или место, о котором невозможно точно сообщить.

• 를 : 동작이 직접적으로 영향을 미치는 대상을 나타내는 조사.
нет эквивалента
Частица, указывающая на объект, на который непосредственно распространяется влияние действия.

• **누르다 (глагол)** : 물체의 전체나 부분에 대하여 위에서 아래로 힘을 주어 무게를 가하다.
нажать; прижать
С силой надавить на какой-либо предмет полностью или на какую-либо часть сверху вниз.

• -어 보다 : 앞의 말이 나타내는 행동을 시험 삼아 함을 나타내는 표현.
нет эквивалента
Выражение, указывающее на пробу или попытку совершить какое-либо действие.

• -아도 : 앞에 오는 말을 가정하거나 인정하지만 뒤에 오는 말에는 관계가 없거나 영향을 끼치지 않음을 나타내는 연결 어미.
нет эквивалента
Соединительное окончание со значением уступки, указывающее на то, что некий факт или обстоятельство, признание, допущение или предположение которого содержится в первой части предложения, не влияет или не имеет отношения к тому, о чём говорится во второй части.

• **아프다 (имя прилагательное)** : 다치거나 병이 생겨 통증이나 괴로움을 느끼다.
болеть
Чувствовать боль или мучение в результате полученной травмы или заболевания.

• -아 죽다 : 앞의 말이 나타내는 상태의 정도가 매우 심함을 나타내는 표현.
нет эквивалента
Выражение, указывающее на крайнюю степень проявления какого-либо чувства или состояния.

• -겠- : 완곡하게 말하는 태도를 나타내는 어미.
нет эквивалента
Суффикс глагола или прилагательного, употребляемый для смягчения категоричности высказывания.

• -어요 : (두루높임으로) 어떤 사실을 서술하거나 질문, 명령, 권유함을 나타내는 종결 어미.
нет эквивалента
(нейтрально-вежливый стиль) Финитное окончание предиката в повествовательном, вопросительном или побудительном предложении.

환자 : 제발 좀 찾+[아 주]+세요.
찾아 주세요

• **제발 (наречие)** : 간절히 부탁하는데.
пожалуйста; ради бога; убедительно прошу
Настоятельно упрашивая.

• **좀 (наречие)** : 주로 부탁이나 동의를 구할 때 부드러운 느낌을 주기 위해 넣는 말.
нет эквивалента
Выражение, употребляющееся для придания мягкости при обращении к кому-либо с просьбой или в поисках согласия, одобрения.

• **찾다 (глагол)** : 모르는 것을 알아내려고 노력하다. 또는 모르는 것을 알아내다.
узнавать
Стараться, прикладывать усилия, чтобы найти информацию о чём-либо неизвестном, а также находить что-либо неизвестное.

• -아 주다 : 남을 위해 앞의 말이 나타내는 행동을 함을 나타내는 표현.
нет эквивалента
Выражение, указывающее на то, что описанное действие выполняется в интересах другого лица.

• -세요 : (두루높임으로) 설명, 의문, 명령, 요청의 뜻을 나타내는 종결 어미.
нет эквивалента
(нейтрально-вежливый стиль) Финитное окончание предиката в повествовательном, вопросительном или побудительном предложении.

한의사 선생님+은 의미심장하+ㄴ 표정+을 짓(지)+으며 말하+였+다.
의미심장한 지으며 말했다

• **한의사 (имя существительное)** : 우리나라 전통 의술로 치료하는 의사.
врач корейской медицины
Врач, лечащий методом корейской народной медицины.

• **선생님 (имя существительное)** : 어떤 사람의 성이나 직업에 붙여 그 사람을 높이는 말.
мистер; господин; госпожа; мисс
Слово, присоединяющееся к фамилии или профессии какого-либо человека для вежливого обращения к нему.

• 은 : 문장 속에서 어떤 대상이 화제임을 나타내는 조사.
нет эквивалента
Частица, показывающая то, что какой-то объект является главной темой в предложении.

• **의미심장하다 (имя прилагательное)** : 뜻이 매우 깊다.
глубокомысленный
Смысл очень глубокий.

• -ㄴ : 앞의 말이 관형어의 기능을 하게 만들고 현재의 상태를 나타내는 어미.
нет эквивалента
Окончание, указывающее на состояние лица или предмета в настоящий момент, при котором впередистоящее слово, словосочетание или придаточное предложение выполняет функцию определения.

• **표정 (имя существительное)** : 마음속에 품은 감정이나 생각 등이 얼굴에 드러남. 또는 그런 모습.
выражение лица; чувство, выраженное на лице; мимика
Чувства или мысли, выраженные на лице; данное выражение лица.

• 을 : 동작이 직접적으로 영향을 미치는 대상을 나타내는 조사.
нет эквивалента
Частица, указывающая на объект, на который действие оказывает непосредственное влияние.

• **짓다 (глагол)** : 어떤 표정이나 태도 등을 얼굴이나 몸에 나타내다.
поступать (определённым образом)
Показывать какое-либо выражение на лице или в поведении.

• -으며 : 두 가지 이상의 동작이나 상태가 함께 일어남을 나타내는 연결 어미.
нет эквивалента
Соединительное окончание предиката, указывающее на одновременность двух или более действий или состояний.

• **말하다 (глагол)** : 어떤 사실이나 자신의 생각 또는 느낌을 말로 나타내다.
говорить
Выражать словесно какой-либо факт, собственные мысли, чувства.

• -였- : 사건이 과거에 일어났음을 나타내는 어미.
нет эквивалента
Окончание прошедшего времени.

• -다 : 어떤 사건이나 사실, 상태를 서술함을 나타내는 종결 어미.
нет эквивалента
Финитное окончание, выражающее изложение события или факта в настоящем времени.

한의사 : 손가락+이 부러지+시+었+군요! **부러지셨군요**

• **손가락 (имя существительное)** : 사람의 손끝의 다섯 개로 갈라진 부분.
палец
Окончания кисти человеческой руки, разделяющиеся на пять частей.

• 이 : 어떤 상태나 상황의 대상이나 동작의 주체를 나타내는 조사.
нет эквивалента
Частица, показывающая какое-либо состояние, объект ситуации или субъект действия.

• **부러지다 (глагол)** : 단단한 물체가 꺾여 둘로 겹쳐지거나 동강이 나다.
сломаться; ломаться
Ударившись, переламываться или делиться на куски (о твёрдом предмете).

• -시- : 높이고자 하는 인물과 관계된 소유물이나 신체의 일부가 문장의 주어일 때 그 인물을 높이는 뜻을 나타내는 어미.
нет эквивалента
Гонорифический глагольный суффикс, указывающий на почтительное отношение к лицу в предложениях, где субъектом какого-либо состояния или действия является предмет, принадлежащий или относящийся к этому лицу.

• -었- : 어떤 사건이 과거에 완료되었거나 그 사건의 결과가 현재까지 지속되는 상황을 나타내는 어미.
нет эквивалента
Окончание, указывающее на полное завершение какого-либо события в прошлом и сохранения данного результата до настоящего времени.

• -군요 : (두루높임으로) 새롭게 알게 된 사실에 주목하거나 감탄함을 나타내는 표현.
нет эквивалента
(нейтрально-вежливый стиль) Финитное окончание, выражающее восклицание при обнаружении или осознание нового факта.

< 8 단원(глава) >

제목 : 소는 왜 안 보이니?

● 본문 (Основной текст)

어느 초등학교 미술 시간이었다.

선생님 : 여러분! 지금은 미술 시간이에요.

오늘은 목장 풍경을 한번 그려 보세요.

시간이 한참 지난 후에 선생님께서는 아이들 자리를 돌아다니며 그림을 살펴보았다.

선생님 : 소가 참 한가로워 보이네요.

잘 그렸어요.

이렇게 선생님께서는 학생들의 그림을 보면서 칭찬을 해 주셨다.

그런데 한 학생의 스케치북은 백지상태 그대로였다.

선생님 : 넌 어떤 그림을 그린 거니?

학생 : 풀을 뜯고 있는 소를 그렸어요.

선생님 : 그런데 풀은 어디 있니?

학생 : 소가 이미 다 먹어 버렸어요.

선생님 : 그럼 소는 왜 안 보이니?

학생 : 선생님도 참, 소가 풀을 다 먹었는데 여기에 있겠어요?

● 발음 (произношение)

어느 초등학교 미술 시간이었다.
어느 초등학꾜 미술 시가니얻따.
eoneu chodeunghaggyo misul siganieotda.

선생님 : 여러분! 지금은 미술 시간이에요.
선생님 : 여러분! 지그믄 미술 시가니에요.
seonsaengnim : yeoreobun! jigeumeun misul siganieyo.

오늘은 목장 풍경을 한번 그려 보세요.
오느른 목짱 풍경을 한번 그려 보세요.
oneureun mokjang punggyeongeul hanbeon geuryeo boseyo.

시간이 한참 지난 후에 선생님께서는 아이들 자리를 돌아다니며 그림을 살펴보았다.
시가니 한참 지난 후에 선생님께서는 아이들 자리를 도라다니며 그리믈 살펴보앋따.
sigani hancham jinan hue seonsaengnimkkeseoneun aideul jarireul doradanimyeo geurimeul salpyeoboatda.

선생님 : 소가 참 한가로워 보이네요.
선생님 : 소가 참 한가로워 보이네요.
seonsaengnim : soga cham hangarowo boineyo.

잘 그렸어요.
잘 그려써요.
jal geuryeosseoyo.

이렇게 선생님께서는 학생들의 그림을 보면서 칭찬을 해 주셨다.
이러케 선생님께서는 학쌩드레 그리믈 보면서 칭차늘 해 주셛따.
ireoke seonsaengnimkkeseoneun haksaengdeurui(haksaengdeure) geurimeul bomyeonseo chingchaneul hae jusyeotda.

그런데 한 학생의 스케치북은 백지상태 그대로였다.
그런데 한 학쌩에 스케치부근 백찌상태 그대로엳따.
geureonde han haksaengui(haksaenge) seukechibugeun baekjisangtae geudaeroyeotda.

선생님 : 넌 어떤 그림을 그린 거니?
선생님 : 넌 어떤 그리믈 그린 거니?
seonsaengnim : neon eotteon geurimeul geurin geoni?

학생 : 풀을 뜯고 있는 소를 그렸어요.
학쌩 : 푸를 뜯꼬 인는 소를 그려써요.
haksaeng : pureul tteutgo inneun soreul geuryeosseoyo.

선생님 : 그런데 풀은 어디 있니?
선생님 : 그런데 푸른 어디 인니?
seonsaengnim : geureonde pureun eodi inni?

학생 : 소가 이미 다 먹어 버렸어요.
학쌩 : 소가 이미 다 머거 버려써요.
haksaeng : soga imi da meogeo beoryeosseoyo.

선생님 : 그럼 소는 왜 안 보이니?
선생님 : 그럼 소는 왜 안 보이니?
seonsaengnim : geureom soneun wae an boini?

학생 : 선생님도 참, 소가 풀을 다 먹었는데 여기에 있겠어요?
학쌩 : 선생님도 참, 소사 푸를 다 머건는데 여기에 읻께써요?
haksaeng : seonsaengnimdo cham, soga pureul da meogeonneunde yeogie itgesseoyo?

● 어휘 (лексический запас) / 문법 (грамматика)

어느 초등학교 미술 시간+이+었+다.

선생님 : 여러분! 지금+은 미술 시간+이+에요.

오늘+은 목장 풍경+을 한번 그리+어 보+세요.

시간+이 한참 지나+ㄴ 후에 선생님+께서+는 아이+들 자리+를 돌아다니+며 그림+을 살펴보+았+다.

선생님 : 소+가 참 한가롭(한가로우)+어 보이+네요.

잘 그리+었+어요.

이렇+게 선생님+께서+는 학생+들+의 그림+을 보+면서 칭찬+을 하+여 주+시+었+다.

그런데 한 학생+의 스케치북+은 백지상태 그대로+이+었+다.

선생님 : 너+는 어떤 그림+을 그리+ㄴ 것(거)+(이)+니?

학생 : 풀+을 뜯+고 있+는 소+를 그리+었+어요.

선생님 : 그런데 풀+은 어디 있+니?

학생 : 소+가 이미 다 먹+어 버리+었+어요.

선생님 : 그럼 소+는 왜 안 보이+니?

학생 : 선생님+도 참, 소+가 풀+을 다 먹+었+는데 여기+에 있+겠+어요?

어느 초등학교 미술 시간+이+었+다.

• **어느 (атрибутивное слово)** : 확실하지 않거나 분명하게 말할 필요가 없는 사물, 사람, 때, 곳 등을 가리키는 말.

какой-то

Указывает на неопределённый или не нуждающийся в определении предмет, лицо, время, место и т.п.

• **초등학교 (имя существительное)** : 학교 교육의 첫 번째 단계로 만 여섯 살에 입학하여 육 년 동안 기본 교육을 받는 학교.

начальная школа

Первая ступень школьного образования, где учащимся даются самые необходимые и поверхностные знания, учащиеся поступают в возрасте 6 лет и обучаются в течение 6 лет.

• **미술 (имя существительное)** : 그림이나 조각처럼 눈으로 볼 수 있는 아름다움을 표현한 예술.

изобразительное искусство

Искусство отображать, создавать зрительно воспринимаемую реальность через картины, скульптуры и другие изобразительные средства.

• **시간 (имя существительное)** : 어떤 일이 시작되어 끝날 때까지의 동안.

пора

Промежуток времени от начала какого-либо дела до его завершения.

• 이다 : 주어가 지시하는 대상의 속성이나 부류를 지정하는 뜻을 나타내는 서술격 조사.

нет эквивалента

Суффикс повествовательного падежа, выражающий смысл наименования свойства или разряда объекта, на который указывает подлежащее.

• -었- : 사건이 과거에 일어났음을 나타내는 어미.

нет эквивалента

Окончание прошедшего времени.

• -다 : 어떤 사건이나 사실, 상태를 서술함을 나타내는 종결 어미.

нет эквивалента

Финитное окончание, выражающее изложение события или факта в настоящем времени.

선생님 : 여러분! 지금+은 미술 시간+이+에요.

• **여러분 (местоимение)** : 듣는 사람이 여러 명일 때 그 사람들을 높여 이르는 말.
господа
Слово, указывающее на вежливое обращение к нескольким слушающим людям.

• **지금 (имя существительное)** : 말을 하고 있는 바로 이때.
сейчас; теперь
Прямо в то время, когда говоришь.

• 은 : 문장 속에서 어떤 대상이 화제임을 나타내는 조사.
нет эквивалента
Частица, показывающая то, что какой-то объект является главной темой в предложении.

• **미술 (имя существительное)** : 그림이나 조각처럼 눈으로 볼 수 있는 아름다움을 표현한 예술.
изобразительное искусство
Искусство отображать, создавать зрительно воспринимаемую реальность через картины, скульптуры и другие изобразительные средства.

• **시간 (имя существительное)** : 어떤 일이 시작되어 끝날 때까지의 동안.
пора
Промежуток времени от начала какого-либо дела до его завершения.

• 이다 : 주어가 지시하는 대상의 속성이나 부류를 지정하는 뜻을 나타내는 서술격 조사.
нет эквивалента
Суффикс повествовательного падежа, выражающий смысл наименования свойства или разряда объекта, на который указывает подлежащее.

• -에요 : (두루높임으로) 어떤 사실을 서술하거나 질문함을 나타내는 종결 어미.
нет эквивалента
(нейтрально-вежливый стиль) Финитное окончание предиката в повествовательном или вопросительном предложении.

선생님 : 오늘+은 목장 풍경+을 한번 그리+[어 보]+세요.
그려 보세요

• **오늘 (имя существительное)** : 지금 지나가고 있는 이날.
сегодня
Этот текущий день.

• 은 : 문장 속에서 어떤 대상이 화제임을 나타내는 조사.
нет эквивалента
Частица, показывающая то, что какой-то объект является главной темой в предложении.

• **목장 (имя существительное)** : 우리와 풀밭 등을 갖추어 소나 말이나 양 등을 놓아 기르는 곳.
животноводческая ферма; скотоводческая ферма
Место, где имеется загон и пастбище и т.д., в котором выращивают коров или овец и пр.

• **풍경 (имя существительное)** : 감정을 불러일으키는 경치나 상황.
вид; обстановка; декорации
Обстановка или пейзаж, которые вызывают эмоции.

• 을 : 동작이 직접적으로 영향을 미치는 대상을 나타내는 조사.
нет эквивалента
Частица, указывающая на объект, на который действие оказывает непосредственное влияние.

• **한번 (наречие)** : 어떤 일을 시험 삼아 시도함을 나타내는 말.
нет эквивалента
Слово, употребляемое при совершении попыток сделать что-либо для пробы.

• **그리다 (глагол)** : 연필이나 붓 등을 이용하여 사물을 선이나 색으로 나타내다.
рисовать
Создавать плоские изображения с помощью карандаша, кисти и т.п.

• -어 보다 : 앞의 말이 나타내는 행동을 시험 삼아 함을 나타내는 표현.
нет эквивалента
Выражение, указывающее на пробу или попытку совершить какое-либо действие.

• -세요 : (두루높임으로) 설명, 의문, 명령, 요청의 뜻을 나타내는 종결 어미.
нет эквивалента
(нейтрально-вежливый стиль) Финитное окончание предиката в повествовательном, вопросительном или побудительном предложении.

시간+이 한참 <u>지나+[ㄴ 후에]</u> 선생님+께서+는 아이+들 자리+를 돌아다니+며 그림+을 살펴보+았+다. **지난 후에**

• **시간 (имя существительное)** : 자연히 지나가는 세월.
пора; время
Естественно проходящее время.

• 이 : 어떤 상태나 상황의 대상이나 동작의 주체를 나타내는 조사.
нет эквивалента
Частица, показывающая какое-либо состояние, объект ситуации или субъект действия.

• **한참 (имя существительное)** : 시간이 꽤 지나는 동안.
некоторое время; длительное время
Длительный промежуток времени.

• **지나다 (глагол)** : 시간이 흘러 그 시기에서 벗어나다.
проходить; протекать
Миновать (о времени).

• -ㄴ 후에 : 앞에 오는 말이 나타내는 행동을 하고 시간적으로 뒤에 다른 행동을 함을 나타내는 표현.
после
Выражение, указывающее на то, некое действие следует во времени после совершения другого действия.

• **선생님 (имя существительное)** : (높이는 말로) 학생을 가르치는 사람.
учитель; преподаватель
(уважит.) Человек, обучающий учеников.

• 께서 : (높임말로) 가. 이. 어떤 동작의 주체가 높여야 할 대상임을 나타내는 조사.
нет эквивалента
(вежл.) 가. 이. Частица, указывающая на необходимость возвышения объекта, являющегося субъектом какого-либо действия.

• 는 : 문장 속에서 어떤 대상이 화제임을 나타내는 조사.
нет эквивалента
Частица, указывающая на то, что какой-либо объект является основной темой в предложении.

• **아이 (имя существительное)** : 나이가 어린 사람.
ребёнок
Человек, которому мало лет от роду.

• 들 : '복수'의 뜻을 더하는 접미사.
нет эквивалента
Суффикс со значением множественного числа.

• **자리 (имя существительное)** : 사람이 앉을 수 있도록 만들어 놓은 곳.
сиденье
Сторона, приготовленная для того, чтобы человек мог сесть.

• 를 : 동작의 도착지나 동작이 이루어지는 장소를 나타내는 조사.
нет эквивалента
Частица, указывающая на конечную цель действия или место, где происходит действие.

• **돌아다니다 (глагол)** : 여기저기를 두루 다니다.
прогуливаться; ездить; бродить
Ходить не спеша, взад и вперед.

• -며 : 두 가지 이상의 동작이나 상태가 함께 일어남을 나타내는 연결 어미.
нет эквивалента
Соединительное окончание предиката, указывающее на одновременность двух или более действий или состояний.

• **그림 (имя существительное)** : 선이나 색채로 사물의 모양이나 이미지 등을 평면 위에 나타낸 것.
картина; картинка; рисунок
Изображение образа предметов линиями или оттенками на плоской поверхности.

• 을 : 동작이 직접적으로 영향을 미치는 대상을 나타내는 조사.
нет эквивалента
Частица, указывающая на объект, на который действие оказывает непосредственное влияние.

• **살펴보다 (глагол)** : 여기저기 빠짐없이 자세히 보다.
разглядывать; рассматривать
Подробно всё осматривать, не пропуская ничего.

• -았- : 사건이 과거에 일어났음을 나타내는 어미.
нет эквивалента
Окончание прошедшего времени.

• -다 : 어떤 사건이나 사실, 상태를 서술함을 나타내는 종결 어미.
нет эквивалента
Финитное окончание, выражающее изложение события или факта в настоящем времени.

선생님 : 소+가 참 한가롭(한가로우)+[어 보이]+네요.
한가로워 보이네요

• **소 (имя существительное)** : 몸집이 크고 갈색이나 흰색과 검은색의 털이 있으며, 젖을 짜 먹거나 고기를 먹기 위해 기르는 짐승.
корова; бык
Крупное животное коричневой или белой с чёрными пятнами окраски, выращиваемое для получения молока или мяса.

• 가 : 어떤 상태나 상황에 놓인 대상이나 동작의 주체를 나타내는 조사.
нет эквивалента
Окончание, указывающее на объект какой-либо ситуации, состояния или на лицо, выполняющее какое-либо действие.

• **참 (наречие)** : 사실이나 이치에 조금도 어긋남이 없이 정말로.
истинно; правдиво; справедливо; реалистично; откровенно
Правдиво, без малейших расхождений с реальностью или фактом.

• **한가롭다 (имя прилагательное)** : 바쁘지 않고 여유가 있는 듯하다.
свободный
Не занятый, имеющий лишнее время.

• -어 보이다 : 겉으로 볼 때 앞의 말이 나타내는 것처럼 느껴지거나 추측됨을 나타내는 표현.
выглядеть
Выражение, указывающее на предположение, догадку о чём-либо на основании внешних признаков ситуации.

• -네요 : (두루높임으로) 말하는 사람이 직접 경험하여 새롭게 알게 된 사실에 대해 감탄함을 나타낼 때 쓰는 표현.
нет эквивалента
(нейтрально-вежливый стиль) Выражение, указывающее на восклицание при личном обнаружении какого-либо факта.

선생님 : 잘 그리+었+어요.
그렸어요

• **잘 (наречие)** : 익숙하고 솜씨 있게.
хорошо
Привычно, умело.

• **그리다 (глагол)** : 연필이나 붓 등을 이용하여 사물을 선이나 색으로 나타내다.
рисовать
Создавать плоские изображения с помощью карандаша, кисти и т.п.

• -었- : 어떤 사건이 과거에 완료되었거나 그 사건의 결과가 현재까지 지속되는 상황을 나타내는 어미.
нет эквивалента
Окончание, указывающее на полное завершение какого-либо события в прошлом и сохранения данного результата до настоящего времени.

• -어요 : (두루높임으로) 어떤 사실을 서술하거나 질문, 명령, 권유함을 나타내는 종결 어미.
нет эквивалента
(нейтрально-вежливый стиль) Финитное окончание предиката в повествовательном, вопросительном или побудительном предложении.

이렇+게 선생님+께서+는 학생+들+의 그림+을 보+면서 칭찬+을 하+[여 주]+시+었+다. **해 주셨다**

• **이렇다 (имя прилагательное)** : 상태, 모양, 성질 등이 이와 같다.
быть таковым
Быть таким; быть следующим (о состоянии, виде, качестве и т.п.).

• -게 : 앞의 말이 뒤에서 가리키는 일의 목적이나 결과, 방식, 정도 등이 됨을 나타내는 연결 어미.
нет эквивалента
Соединительное окончание предиката, указывающее на то, описанное в первой части предложения действие или состояние является целью, результатом, образом действия, степенью и т.п. того, о чём говорится в последующей главной части предложения.

• **선생님 (имя существительное)** : (높이는 말로) 학생을 가르치는 사람.
учитель; преподаватель
(уважит.) Человек, обучающий учеников.

• 께서 : (높임말로) 가. 이. 어떤 동작의 주체가 높여야 할 대상임을 나타내는 조사.
нет эквивалента
(вежл.) 가. 이. Частица, указывающая на необходимость возвышения объекта, являющегося субъектом какого-либо действия.

• 는 : 문장 속에서 어떤 대상이 화제임을 나타내는 조사.
нет эквивалента
Частица, указывающая на то, что какой-либо объект является основной темой в предложении.

• **학생 (имя существительное)** : 학교에 다니면서 공부하는 사람.
учащийся; обучающийся; ученик; школьник; студент
Тот, кто учится где-либо.

• 들 : '복수'의 뜻을 더하는 접미사.
нет эквивалента
Суффикс со значением множественного числа.

• 의 : 앞의 말이 뒤의 말에 대하여 소유, 소속, 소재, 관계, 기원, 주체의 관계를 가짐을 나타내는 조사.
нет эквивалента
Частица, указывающая на то, что в предыдущем слове содержится значение собственности, принадлежности, сырья, источника, основы в отношении последующего.

• **그림 (имя существительное)** : 선이나 색채로 사물의 모양이나 이미지 등을 평면 위에 나타낸 것.
картина; картинка; рисунок
Изображение образа предметов линиями или оттенками на плоской поверхности.

• 을 : 동작이 직접적으로 영향을 미치는 대상을 나타내는 조사.
нет эквивалента
Частица, указывающая на объект, на который действие оказывает непосредственное влияние.

• **보다 (глагол)** : 책이나 신문, 지도 등의 글자나 그림, 기호 등을 읽고 내용을 이해하다.
читать; просматривать; рассматривать
Читать и понимать буквы, картины, знаки и т.п. содержание книг, газет, карт и т.п.

• -면서 : 두 가지 이상의 동작이나 상태가 함께 일어남을 나타내는 연결 어미.
нет эквивалента
Соединительное окончание предиката, указывающее на одновременность двух или более действий или состояний.

• **칭찬 (имя существительное)** : 좋은 점이나 잘한 일 등을 매우 훌륭하게 여기는 마음을 말로 나타냄. 또는 그런 말.
похвала
Высказывание одобрения, хвалы кому-либо, чему-либо. Или подобная речь.

• 을 : 동작이 직접적으로 영향을 미치는 대상을 나타내는 조사.
нет эквивалента
Частица, указывающая на объект, на который действие оказывает непосредственное влияние.

• **하다 (глагол)** : 어떤 행동이나 동작, 활동 등을 행하다.
делать
Выполнять какое-либо действие, движение, работу и т.п.

• -여 주다 : 남을 위해 앞의 말이 나타내는 행동을 함을 나타내는 표현.
нет эквивалента
Выражение, указывающее на то, что описанное действие выполняется в интересах другого лица.

• -시- : 어떤 동작이나 상태의 주체를 높이는 뜻을 나타내는 어미.
нет эквивалента
Гонорифический глагольный суффикс, указывающий на почтительное отношение к субъекту какого-либо состояния или действия.

• -었- : 사건이 과거에 일어났음을 나타내는 어미.
нет эквивалента
Окончание прошедшего времени.

• -다 : 어떤 사건이나 사실, 상태를 서술함을 나타내는 종결 어미.
нет эквивалента
Финитное окончание, выражающее изложение события или факта в настоящем времени.

그런데 한 학생+의 스케치북+은 백지상태 그대로+이+었+다. **그대로였다**

• **그런데 (наречие)** : 이야기를 앞의 내용과 관련시키면서 다른 방향으로 바꿀 때 쓰는 말.
а
Слово, используемое для установления связи с содержанием предыдущего разговора и смены темы разговора.

• **한 (атрибутивное слово)** : 여럿 중 하나인 어떤.
какой-то
Какой-либо.

• **학생 (имя существительное)** : 학교에 다니면서 공부하는 사람.
учащийся; обучающийся; ученик; школьник; студент
Тот, кто учится где-либо.

• 의 : 앞의 말이 뒤의 말에 대하여 소유, 소속, 소재, 관계, 기원, 주체의 관계를 가짐을 나타내는 조사.
нет эквивалента
Частица, указывающая на то, что в предыдущем слове содержится значение собственности, принадлежности, сырья, источника, основы в отношении последующего.

• **스케치북 (имя существительное)** : 그림을 그릴 수 있는 하얀 도화지를 여러 장 묶어 놓은 책.
альбом для рисования; тетрадь для рисования; альбом
Скрепленные вместе несколько листов белой бумаги для рисования.

• 은 : 문장 속에서 어떤 대상이 화제임을 나타내는 조사.
нет эквивалента
Частица, показывающая то, что какой-то объект является главной темой в предложении.

• **백지상태 (имя существительное)** : 종이에 아무것도 쓰지 않은 상태.
нет эквивалента
Состояние чистого, неиспачканого листа бумаги.

• **그대로 (имя существительное)** : 그것과 똑같은 것.
тот же; одинаковый
Такой же как и тот

• 이다 : 주어가 지시하는 대상의 속성이나 부류를 지정하는 뜻을 나타내는 서술격 조사.
нет эквивалента
Суффикс повествовательного падежа, выражающий смысл наименования свойства или разряда объекта, на который указывает подлежащее.

• -었- : 사건이 과거에 일어났음을 나타내는 어미.
нет эквивалента
Окончание прошедшего времени.

• -다 : 어떤 사건이나 사실, 상태를 서술함을 나타내는 종결 어미.
нет эквивалента
Финитное окончание, выражающее изложение события или факта в настоящем времени.

선생님 : 너+는 어떤 그림+을 그리+[ㄴ 것(거)]+(이)+니? 넌 그린 거니

• **너 (местоимение)** : 듣는 사람이 친구나 아랫사람일 때, 그 사람을 가리키는 말.
ты
Употребляется при указании на собеседника, если он является ровесником или человеком, младшим по возрасту или статусу.

• 는 : 문장 속에서 어떤 대상이 화제임을 나타내는 조사.
нет эквивалента
Частица, указывающая на то, что какой-либо объект является основной темой в предложении.

• **어떤 (атрибутивное слово)** : 사람이나 사물의 특징, 내용, 성격, 성질, 모양 등이 무엇인지 물을 때 쓰는 말.
какой; какой бы то ни был; какой-либо
Слова, употребляемые при вопросе об особенности, сущности, характере, натуре, внешнем виде и т.п. человека или предметов.

• **그림 (имя существительное)** : 선이나 색채로 사물의 모양이나 이미지 등을 평면 위에 나타낸 것.
картина; картинка; рисунок
Изображение образа предметов линиями или оттенками на плоской поверхности.

• 을 : 서술어의 명사형 목적어임을 나타내는 조사.
нет эквивалента
Частица, указывающая на дополнение излагательного характера к сказуемому.

• **그리다 (глагол)** : 연필이나 붓 등을 이용하여 사물을 선이나 색으로 나타내다.
рисовать
Создавать плоские изображения с помощью карандаша, кисти и т.п.

• -ㄴ 것 : 명사가 아닌 것을 문장에서 명사처럼 쓰이게 하거나 '이다' 앞에 쓰일 수 있게 할 때 쓰는 표현.
нет эквивалента
Выражение, субстантивирующее предшествующее слово неименной части речи или группу слов, которое также может употребляться с глаголом-связкой '이다'.

• 이다 : 주어가 지시하는 대상의 속성이나 부류를 지정하는 뜻을 나타내는 서술격 조사.
нет эквивалента
Суффикс повествовательного падежа, выражающий смысл наименования свойства или разряда объекта, на который указывает подлежащее.

• -니 : (아주낮춤으로) 물음을 나타내는 종결 어미.
нет эквивалента
(простой стиль) Финитное окончание предиката, указывающее на вопрос.

학생 : 풀+을 뜯+[고 있]+는 소+를 <u>그리+었+어요</u>.
그렸어요

• **풀 (имя существительное)** : 줄기가 연하고, 대개 한 해를 지내면 죽는 식물.
трава
Растение со светлым, мягким стеблем, которое отмирает каждый год.

• 을 : 동작이 직접적으로 영향을 미치는 대상을 나타내는 조사.
нет эквивалента
Частица, указывающая на объект, на который действие оказывает непосредственное влияние.

• **뜯다 (глагол)** : 풀이나 질긴 음식을 입에 물고 떼어서 먹다.
рвать; разрывать
Кушать траву или жесткую пищу, отрывая её ртом.

• -고 있다 : 앞의 말이 나타내는 행동이 계속 진행됨을 나타내는 표현.
нет эквивалента
Выражение, указывающее на длительность действия.

• -는 : 앞의 말이 관형어의 기능을 하게 만들고 사건이나 동작이 현재 일어남을 나타내는 어미.
нет эквивалента
Окончание, которое указывает на действие или событие в настоящем, преобразуя впередистоящее слово, словосочетание или придаточное предложение в определение.

• **소 (имя существительное)** : 몸집이 크고 갈색이나 흰색과 검은색의 털이 있으며, 젖을 짜 먹거나 고기를 먹기 위해 기르는 짐승.
корова; бык
Крупное животное коричневой или белой с чёрными пятнами окраски, выращиваемое для получения молока или мяса.

• 를 : 동작이 직접적으로 영향을 미치는 대상을 나타내는 조사.
нет эквивалента
Частица, указывающая на объект, на который непосредственно распространяется влияние действия.

• **그리다 (глагол)** : 연필이나 붓 등을 이용하여 사물을 선이나 색으로 나타내다.
рисовать
Создавать плоские изображения с помощью карандаша, кисти и т.п.

• -었- : 어떤 사건이 과거에 완료되었거나 그 사건의 결과가 현재까지 지속되는 상황을 나타내는 어미.
нет эквивалента
Окончание, указывающее на полное завершение какого-либо события в прошлом и сохранения данного результата до настоящего времени.

• -어요 : (두루높임으로) 어떤 사실을 서술하거나 질문, 명령, 권유함을 나타내는 종결 어미.
нет эквивалента
(нейтрально-вежливый стиль) Финитное окончание предиката в повествовательном, вопросительном или побудительном предложении.

선생님 : 그런데 풀+은 어디 있+니?

• **그런데 (наречие)** : 이야기를 앞의 내용과 관련시키면서 다른 방향으로 바꿀 때 쓰는 말.
а
Слово, используемое для установления связи с содержанием предыдущего разговора и смены темы разговора.

• **풀 (имя существительное)** : 줄기가 연하고, 대개 한 해를 지내면 죽는 식물.
трава
Растение со светлым, мягким стеблем, которое отмирает каждый год.

• 은 : 문장 속에서 어떤 대상이 화제임을 나타내는 조사.
нет эквивалента
Частица, показывающая то, что какой-то объект является главной темой в предложении.

• **어디 (местоимение)** : 모르는 곳을 가리키는 말.
где; куда
Выражение, используемое при расспрашивании о неизвестном месте.

• **있다 (имя прилагательное)** : 무엇이 어떤 곳에 자리나 공간을 차지하고 존재하는 상태이다.
нет эквивалента
Пребывать или занимать какое-либо место или пространство.

• -니 : (아주낮춤으로) 물음을 나타내는 종결 어미.
нет эквивалента
(простой стиль) Финитное окончание предиката, указывающее на вопрос.

학생 : 소+가 이미 다 먹+[어 버리]+었+어요. **먹어 버렸어요**

• **소 (имя существительное)** : 몸집이 크고 갈색이나 흰색과 검은색의 털이 있으며, 젖을 짜 먹거나 고기를 먹기 위해 기르는 짐승.
корова; бык
Крупное животное коричневой или белой с чёрными пятнами окраски, выращиваемое для получения молока или мяса.

• 가 : 어떤 상태나 상황에 놓인 대상이나 동작의 주체를 나타내는 조사.
нет эквивалента
Окончание, указывающее на объект какой-либо ситуации, состояния или на лицо, выполняющее какое-либо действие.

• **이미 (наречие)** : 어떤 일이 이루어진 때가 지금 시간보다 앞서.
уже
Наступать, происходить ранее настоящего времени
(о моменте, когда что-то произошло).

• **다 (наречие)** : 남거나 빠진 것이 없이 모두.
всё; все
Весь, полный, без изъятия, целиком.

• **먹다 (глагол)** : 음식 등을 입을 통하여 배 속에 들여보내다.
есть; кушать
Принимать пищу во внутрь посредством ротовой полости.

• -어 버리다 : 앞의 말이 나타내는 행동이 완전히 끝났음을 나타내는 표현.
нет эквивалента
Выражение, указывающее на исчерпывающую завершённость действия.

• -었- : 어떤 사건이 과거에 완료되었거나 그 사건의 결과가 현재까지 지속되는 상황을 나타내는 어미.
нет эквивалента
Окончание, указывающее на полное завершение какого-либо события в прошлом и сохранения данного результата до настоящего времени.

• -어요 : (두루높임으로) 어떤 사실을 서술하거나 질문, 명령, 권유함을 나타내는 종결 어미.
нет эквивалента
(нейтрально-вежливый стиль) Финитное окончание предиката в повествовательном, вопросительном или побудительном предложении.

선생님 : 그럼 소+는 왜 안 보이+니?

• **그럼 (наречие)** : 앞의 내용을 받아들이거나 그 내용을 바탕으로 하여 새로운 주장을 할 때 쓰는 말.
тогда; в таком случае
Выражение, которое используют, когда соглашаются с чем-либо вышеупомянутым или же когда выдвигают новое утверждение, основываясь на вышеупомянутом.

• **소 (имя существительное)** : 몸집이 크고 갈색이나 흰색과 검은색의 털이 있으며, 젖을 짜 먹거나 고기를 먹기 위해 기르는 짐승.
корова; бык
Крупное животное коричневой или белой с чёрными пятнами окраски, выращиваемое для получения молока или мяса.

• 는 : 문장 속에서 어떤 대상이 화제임을 나타내는 조사.
нет эквивалента
Частица, указывающая на то, что какой-либо объект является основной темой в предложении.

• **왜 (наречие)** : 무슨 이유로. 또는 어째서.
почему; зачем
По какой причине.

• **안 (наречие)** : 부정이나 반대의 뜻을 나타내는 말.
не; нет; ни
Выражение, означающее отрицание или противоположность.

• **보이다 (глагол)** : 눈으로 대상의 존재나 겉모습을 알게 되다.
быть видным; виднеться
Ознакамливаться зрительно (о существовании какого-либо объекта или формы).

• -니 : (아주낮춤으로) 물음을 나타내는 종결 어미.
нет эквивалента
(простой стиль) Финитное окончание предиката, указывающее на вопрос.

학생 : 선생님+도 참, 소+가 풀+을 다 먹+었+는데 여기+에 있+겠+어요?

• **선생님 (имя существительное)** : (높이는 말로) 학생을 가르치는 사람.
учитель; преподаватель
(уважит.) Человек, обучающий учеников.

• 도 : 놀라움, 감탄, 실망 등의 감정을 강조함을 나타내는 조사.
нет эквивалента
Частица, подчёркивающая такие эмоции, как изумление, восхищение, разочарование и т.п.

• **참 (восклицание)** : 어이가 없거나 난처할 때 내는 소리.
ох!; а...
Междометие, употребляемое в ситуации неловкости, невообразимого состояния.

• **소 (имя существительное)** : 몸집이 크고 갈색이나 흰색과 검은색의 털이 있으며, 젖을 짜 먹거나 고기를 먹기 위해 기르는 짐승.
корова; бык
Крупное животное коричневой или белой с чёрными пятнами окраски, выращиваемое для получения молока или мяса.

• 가 : 어떤 상태나 상황에 놓인 대상이나 동작의 주체를 나타내는 조사.
нет эквивалента
Окончание, указывающее на объект какой-либо ситуации, состояния или на лицо, выполняющее какое-либо действие.

• **풀 (имя существительное)** : 줄기가 연하고, 대개 한 해를 지내면 죽는 식물.
трава
Растение со светлым, мягким стеблем, которое отмирает каждый год.

• 을 : 동작이 직접적으로 영향을 미치는 대상을 나타내는 조사.
нет эквивалента
Частица, указывающая на объект, на который действие оказывает непосредственное влияние.

• **다 (наречие)** : 남거나 빠진 것이 없이 모두.
всё; все
Весь, полный, без изъятия, целиком.

• **먹다 (глагол)** : 음식 등을 입을 통하여 배 속에 들여보내다.
есть; кушать
Принимать пищу во внутрь посредством ротовой полости.

• -었- : 어떤 사건이 과거에 완료되었거나 그 사건의 결과가 현재까지 지속되는 상황을 나타내는 어미.
нет эквивалента
Окончание, указывающее на полное завершение какого-либо события в прошлом и сохранения данного результата до настоящего времени.

• -는데 : 뒤의 말을 하기 위하여 그 대상과 관련이 있는 상황을 미리 말함을 나타내는 연결 어미.
нет эквивалента
Соединительное окончание, вводящее некую предварительную информацию об объекте, о котором говорится в последующей части предложения.

• **여기 (местоимение)** : 말하는 사람에게 가까운 곳을 가리키는 말.
здесь; тут; в этом месте
Слово, указывающее на место, близкое к говорящему.

• 에 : 앞말이 어떤 장소나 자리임을 나타내는 조사.
нет эквивалента
Окончание, указывающее на какое-либо место или пространство.

• **있다 (глагол)** : 사람이나 동물이 어느 곳에서 떠나거나 벗어나지 않고 머물다.
быть
Находиться в каком-либо месте, никуда не уходить (о человеке или животном).

• -겠- : 완곡하게 말하는 태도를 나타내는 어미.
нет эквивалента
Суффикс глагола или прилагательного, употребляемый для смягчения категоричности высказывания.

• -어요 : (두루높임으로) 어떤 사실을 서술하거나 질문, 명령, 권유함을 나타내는 종결 어미.
нет эквивалента
(нейтрально-вежливый стиль) Финитное окончание предиката в повествовательном, вопросительном или побудительном предложении.

< 9 단원(глава) >

제목 : 가장 큰 장애 요소는 무엇일까요?

● 본문 (Основной текст)

한 중학교에서 선생님이 꿈의 중요성에 대해 이야기하고 있었다.

선생님 : 자, 여러분들에게 질문 하나 할게요.

여러분들이 꿈을 펼치려고 할 때 가장 큰 장애 요소는 무엇일까요?

잘 생각해 보세요.

힌트를 하나 줄게요.

답은 '자'로 시작하는 네 글자예요.

학생 1 : 정답은 자기 비하라고 생각합니다.

학생 2 : 정답은 자기 부정이라고 생각합니다.

선생님 : 맞아요.

자기 비하 또는 자기 부정은 꿈을 이루는 데 장애 요소가 돼요.

그때 한 학생이 천연덕스럽게 대답했다.

학생 3 : 정답은 자기 부모라고 생각합니다.

● 발음 (произношение)

한 중학교에서 선생님이 꿈의 중요성에 대해 이야기하고 있었다.
한 중학꾜에서 선생니미 꾸메 중요성에 대해 이야기하고 이썯따.
han junghakgyoeseo seonsaengnimi kkumui(kkume) jungyoseonge daehae iyagihago isseotda.

선생님 : 자, 여러분들에게 질문 하나 할게요.
선생님 : 자, 여러분드레게 질문 하나 할께요.
seonsaengnim : ja, yeoreobundeurege jilmun hana halgeyo.

여러분들이 꿈을 펼치려고 할 때 가장 큰 장애 요소는 무엇일까요?
여러분드리 꾸믈 펼치려고 할 때 가장 큰 장애 요소는 무어실까요?
yeoreobundeuri kkumeul pyeolchiryeogo hal ttae gajang keun jangae yosoneun mueosilkkayo?

잘 생각해 보세요.
잘 생가캐 보세요.
jal saenggakae boseyo.

힌트를 하나 줄게요.
힌트를 하나 줄께요.
hinteureul hana julgeyo.

답은 '자'로 시작하는 네 글자예요.
다븐 '자'로 시자카는 네 글자예요.
dabeun 'ja'ro sijakaneun ne geuljayeyo.

학생 1 : 정답은 자기 비하라고 생각합니다.
학쌩 1 : 정다븐 자기 비하라고 생가캄니다.
haksaeng 1 : jeongdabeun jagi biharago saenggakamnida.

학생 2 : 정답은 자기 부정이라고 생각합니다.
학생 2 : 정다븐 자기 부정이라고 생가캄니다.
haksaeng 2 : jeongdabeun jagi bujeongirago saenggakamnida.

선생님 : 맞아요.
선생님 : 마자요.
seonsaengnim : majayo.

자기 비하 또는 자기 부정은 꿈을 이루는 데 장애 요소가 돼요.
자기 비하 또는 자기 부정은 꾸믈 이루는 데 장애 요소가 돼요.
jagi biha ttoneun jagi bujeongeun kkumeul iruneun de jangae yosoga dwaeyo.

그때 한 학생이 천연덕스럽게 대답했다.
그때 한 학쌩이 처년덕쓰럽께 대다팯따.
geuttae han haksaengi cheonyeondeokseureopge daedapaetda.

학생 3 : 정답은 자기 부모라고 생각합니다.
학쌩 3 : 정다븐 자기 부모라고 생가캄니다.
haksaeng 3 : jeongdabeun jagi bumorago saenggakamnida.

● 어휘 (лексический запас) / 문법 (грамматика)

한 중학교+에서 선생님+이 꿈+의 중요성+에 대하+여 이야기하+고 있+었+다.

선생님 : 자, 여러분+들+에게 질문 하나 하+ㄹ게요.

여러분+들+이 꿈+을 펼치+려고 하+ㄹ 때 가장 크+ㄴ 장애 요소+는

무엇+이+ㄹ까요?

잘 생각하+여 보+세요.

힌트+를 하나 주+ㄹ게요.

답+은 '자'+로 시작하+는 네 글자+이+에요.

학생 1 : 정답+은 자기 비하+(이)+라고 생각하+ㅂ니다.

학생 2 : 정답+은 자기 부정+이+라고 생각하+ㅂ니다.

선생님 : 맞+아요.

자기 비하 또는 자기 부정+은 꿈+을 이루+는 데 장애 요소+가 되+어요.

그때 한 학생+이 천연덕스럽+게 대답하+였+다.

학생 3 : 정답+은 자기 부모+(이)+라고 생각하+ㅂ니다.

한 중학교+에서 선생님+이 꿈+의 중요성+에 대하+여 이야기하+[고 있]+었+다. **대해 이야기하고 있었다**

• **한 (атрибутивное слово)** : 여럿 중 하나인 어떤.
какой-то
Какой-либо.

• **중학교 (имя существительное)** : 초등학교를 졸업하고 중등 교육을 받기 위해 다니는 학교.
девятилетняя школа; (досл.) средняя школа
Школа, где обучаются ученики, окончившие начальную школу, для получения девятилетнего образования.

• 에서 : 앞말이 행동이 이루어지고 있는 장소임을 나타내는 조사.
в; на
Окончание, указывающее на место, где происходит указанное действие.

• **선생님 (имя существительное)** : (높이는 말로) 학생을 가르치는 사람.
учитель; преподаватель
(уважит.) Человек, обучающий учеников.

• 이 : 어떤 상태나 상황의 대상이나 동작의 주체를 나타내는 조사.
нет эквивалента
Частица, показывающая какое-либо состояние, объект ситуации или субъект действия.

• **꿈 (имя существительное)** : 앞으로 이루고 싶은 희망이나 목표.
мечта
Предмет страстного желания, стремления.

• 의 : 앞의 말이 뒤의 말에 대하여 속성이나 수량을 한정하거나 같은 자격임을 나타내는 조사.
нет эквивалента
Частица, указывающая на ограниченные свойства или количество или одинаковые признаки, выраженные в предыдущем слове по отношению к последующему.

• **중요성 (имя существительное)** : 귀중하고 꼭 필요한 요소나 성질.
важность
Очень драгоценные и необходимые факторы или свойства.

• 에 : 앞말이 말하고자 하는 특정한 대상임을 나타내는 조사.
нет эквивалента
Окончание, указывающее на специфический объект, о котором будет идти речь.

- **대하다 (глагол)** : 대상이나 상대로 삼다.
  о; про; насчёт
  Употребляется при обозначении чего-либо, что представляет собой объект, сторону чего-либо.

- -여 : 앞의 말이 뒤의 말보다 먼저 일어났거나 뒤의 말에 대한 방법이나 수단이 됨을 나타내는 연결 어미.
  нет эквивалента
  Соединительное окончание, указывающее на то, что действие, описанное в первой части предложения произошло раньше действия, описанного во второй части предложения, или на то, что оно является способом или средством его выполнения.

- **이야기하다 (глагол)** : 어떠한 사실이나 상태, 현상, 경험, 생각 등에 관해 누군가에게 말을 하다.
  говорить; рассказывать; сообщать
  Рассказывать кому-либо о каком-либо факте, состоянии, явлении, опыте, мыслях и т.д.

- -고 있다 : 앞의 말이 나타내는 행동이 계속 진행됨을 나타내는 표현.
  нет эквивалента
  Выражение, указывающее на длительность действия.

- -었- : 사건이 과거에 일어났음을 나타내는 어미.
  нет эквивалента
  Окончание прошедшего времени.

- -다 : 어떤 사건이나 사실, 상태를 서술함을 나타내는 종결 어미.
  нет эквивалента
  Финитное окончание, выражающее изложение события или факта в настоящем времени.

선생님 : 자, 여러분+들+에게 질문 하나 <u>하+ㄹ게요</u>. **할게요**

- **자 (восклицание)** : 남의 주의를 끌려고 할 때에 하는 말.
  нет эквивалента
  Употребляется для привлечения чьего-либо внимания.

- **여러분 (местоимение)** : 듣는 사람이 여러 명일 때 그 사람들을 높여 이르는 말.
  господа
  Слово, указывающее на вежливое обращение к нескольким слушающим людям.

• 들 : '복수'의 뜻을 더하는 접미사.
нет эквивалента
Суффикс со значением множественного числа.

• 에게 : 어떤 행동이 미치는 대상임을 나타내는 조사.
кому-, чему-либо
Окончание, указывающее на предмет, подвергающийся влиянию какого-либо действия.

• **질문 (имя существительное)** : 모르는 것이나 알고 싶은 것을 물음.
вопрос; спрос; запрос
Вопрос о чем-либо, чего не знаешь или хочешь узнать.

• **하나 (имя числительное)** : 숫자를 셀 때 맨 처음의 수.
один
Самое первое число при подсчёте цифр.

• **하다 (глагол)** : 어떤 행동이나 동작, 활동 등을 행하다.
делать
Выполнять какое-либо действие, движение, работу и т.п.

• -ㄹ게요 : (두루높임으로) 말하는 사람이 어떤 행동을 할 것을 듣는 사람에게 약속하거나 의지를 나타내는 표현.
нет эквивалента
(нейтрально-вежливый стиль) Выражение, употребляемое, когда говорящий обещает сделать что-либо или сообщает слушателю о своих будущих действиях.

> **선생님 : 여러분+들+이 꿈+을 펼치+[려고 하]+[ㄹ 때] 가장 크+ㄴ 장애 요소+는**
> **펼치려고 할 때 큰**
>
> **무엇+이+ㄹ까요?**
> **무엇일까요**

• **여러분 (местоимение)** : 듣는 사람이 여러 명일 때 그 사람들을 높여 이르는 말.
господа
Слово, указывающее на вежливое обращение к нескольким слушающим людям.

• 들 : '복수'의 뜻을 더하는 접미사.
нет эквивалента
Суффикс со значением множественного числа.

• 이 : 어떤 상태나 상황의 대상이나 동작의 주체를 나타내는 조사.
нет эквивалента
Частица, показывающая какое-либо состояние, объект ситуации или субъект действия.

• **꿈 (имя существительное)** : 앞으로 이루고 싶은 희망이나 목표.
мечта
Предмет страстного желания, стремления.

• 을 : 동작이 직접적으로 영향을 미치는 대상을 나타내는 조사.
нет эквивалента
Частица, указывающая на объект, на который действие оказывает непосредственное влияние.

• **펼치다 (глагол)** : 꿈이나 계획 등을 실제로 행하다.
осуществлять; воплощать; претворять в жизнь
Воплощать мечту, план и т.п. в жизнь.

• -려고 하다 : 앞의 말이 나타내는 행동을 할 의도나 의향이 있음을 나타내는 표현.
собираться; намереваться
Выражение, указывающее на стремление или намерение выполнить обозначенное действие.

• -ㄹ 때 : 어떤 행동이나 상황이 일어나는 동안이나 그 시기 또는 그러한 일이 일어난 경우를 나타내는 표현.
нет эквивалента
Выражение, указывающее на момент или период во времени, когда происходит некое событие, либо случай возникновения такого события.

• **가장 (наречие)** : 여럿 가운데에서 제일로.
самый; наиболее
Лучший из определенного множества, превосходящий остальных по определенному признаку.

• **크다 (имя прилагательное)** : 길이, 넓이, 높이, 부피 등이 보통 정도를 넘다.
большой
Превосходящий обычный размер (о длине, ширине, высоте, объёме и т.п.).

• -ㄴ : 앞의 말이 관형어의 기능을 하게 만들고 현재의 상태를 나타내는 어미.
нет эквивалента
Окончание, указывающее на состояние лица или предмета в настоящий момент, при котором впередистоящее слово, словосочетание или придаточное предложение выполняет функцию определения.

• **장애 (имя существительное)** : 가로막아서 어떤 일을 하는 데 거슬리거나 방해가 됨. 또는 그런 일이나 물건.
препятствие; преграда
Что-либо, вставшее поперёк и мешающее выполнению какого-либо дела. Такое дело или вещь.

• **요소 (имя существительное)** : 무엇을 이루는 데 반드시 있어야 할 중요한 성분이나 조건.
(важный) элемент; (существенный) фактор
Составная часть или условие, использующиеся при осуществлении чего-либо.

• 는 : 문장 속에서 어떤 대상이 화제임을 나타내는 조사.
нет эквивалента
Частица, указывающая на то, что какой-либо объект является основной темой в предложении.

• **무엇 (местоимение)** : 모르는 사실이나 사물을 가리키는 말.
что; что-то; что-нибудь
Слова, указывающие на неизвестный факт или предмет.

• 이다 : 주어가 지시하는 대상의 속성이나 부류를 지정하는 뜻을 나타내는 서술격 조사.
нет эквивалента
Суффикс повествовательного падежа, выражающий смысл наименования свойства или разряда объекта, на который указывает подлежащее.

• -ㄹ까요 : (두루높임으로) 아직 일어나지 않았거나 모르는 일에 대해서 말하는 사람이 추측하며 질문할 때 쓰는 표현.
нет эквивалента
(нейтрально-вежливый стиль) Выражение, передающее вопрос или предположение говорящего о чём-либо неизвестном или том, что ещё не произошло.

선생님 : 잘 생각하+[여 보]+세요.
생각해 보세요

힌트+를 하나 주+ㄹ게요.
줄게요

• **잘 (наречие)** : 생각이 매우 깊고 조심스럽게.
нет эквивалента
Глубокомысленно и осторожно.

• **생각하다 (глагол)** : 사람이 머리를 써서 판단하거나 인식하다.
думать
Судить о чём-либо, используя голову.

• -여 보다 : 앞의 말이 나타내는 행동을 시험 삼아 함을 나타내는 표현.
нет эквивалента
Выражение, указывающее на пробу или попытку совершить какое-либо действие.

• -세요 : (두루높임으로) 설명, 의문, 명령, 요청의 뜻을 나타내는 종결 어미.
нет эквивалента
(нейтрально-вежливый стиль) Финитное окончание предиката в повествовательном, вопросительном или побудительном предложении.

• **힌트 (имя существительное)** : 문제를 풀거나 일을 해결하는 데 도움이 되는 것.
подсказка; намёк
То, что помогает при решении какого-либо дела, вопроса.

• 를 : 동작이 직접적으로 영향을 미치는 대상을 나타내는 조사.
нет эквивалента
Частица, указывающая на объект, на который непосредственно распространяется влияние действия.

• **하나 (имя числительное)** : 숫자를 셀 때 맨 처음의 수.
один
Самое первое число при подсчёте цифр.

• **주다 (глагол)** : 남에게 경고, 암시 등을 하여 어떤 내용을 알 수 있게 하다.
сообщать; предупреждать; доносить
Предупреждать кого-либо о чем-либо и доносить определенную информацию.

• -ㄹ게요 : (두루높임으로) 말하는 사람이 어떤 행동을 할 것을 듣는 사람에게 약속하거나 의지를 나타내는 표현.
нет эквивалента
(нейтрально-вежливый стиль) Выражение, употребляемое, когда говорящий обещает сделать что-либо или сообщает слушателю о своих будущих действиях.

선생님 : 답+은 '자'+로 시작하+는 네 글자+이+에요.
글자예요

• **답 (имя существительное)** : 질문이나 문제가 요구하는 것을 밝혀 말함. 또는 그런 말.
ответ
Высказывание, изложение по заданному вопросу или проблеме.

• 은 : 문장 속에서 어떤 대상이 화제임을 나타내는 조사.
нет эквивалента
Частица, показывающая то, что какой-то объект является главной темой в предложении.

• 로 : 움직임의 방향을 나타내는 조사.
нет эквивалента
Частица, указывающая на направление движения.

• **시작하다 (глагол)** : 어떤 일이나 행동의 처음 단계를 이루거나 이루게 하다.
начинать
Приступать впервые к осущестлению какого-либо дела или действия или осущетсвлять что-либо.

• -는 : 앞의 말이 관형어의 기능을 하게 만들고 사건이나 동작이 현재 일어남을 나타내는 어미.
нет эквивалента
Окончание, которое указывает на действие или событие в настоящем, преобразуя впередистоящее слово, словосочетание или придаточное предложение в определение.

• **네 (атрибутивное слово)** : 넷의.
нет эквивалента
Четыре.

• **글자 (имя существительное)** : 말을 적는 기호.
буква; письменный знак; литера
Знак, при помощи которого записывают слова или речь.

• 이다 : 주어가 지시하는 대상의 속성이나 부류를 지정하는 뜻을 나타내는 서술격 조사.
нет эквивалента
Суффикс повествовательного падежа, выражающий смысл наименования свойства или разряда объекта, на который указывает подлежащее.

• -에요 : (두루높임으로) 어떤 사실을 서술하거나 질문함을 나타내는 종결 어미.
нет эквивалента
(нейтрально-вежливый стиль) Финитное окончание предиката в повествовательном или вопросительном предложении.

학생 1 : 정답+은 자기 비하+(이)+라고 생각하+ㅂ니다.
자기 비하라고 생각합니다

• **정답 (имя существительное)** : 어떤 문제나 질문에 대한 옳은 답.
правильный ответ
Верный ответ на заданный вопрос или поставленную задачу.

• 은 : 문장 속에서 어떤 대상이 화제임을 나타내는 조사.
нет эквивалента
Частица, показывающая то, что какой-то объект является главной темой в предложении.

• **자기 (имя существительное)** : 그 사람 자신.
сам; свой; себя
Местоимение, указывающее на лицо, являющееся источником или объектом действия.

• **비하 (имя существительное)** : 자기 자신을 낮춤.
самобичевание
Занижение самооценки.

• 이다 : 주어가 지시하는 대상의 속성이나 부류를 지정하는 뜻을 나타내는 서술격 조사.
нет эквивалента
Суффикс повествовательного падежа, выражающий смысл наименования свойства или разряда объекта, на который указывает подлежащее.

• -라고 : 다른 사람에게서 들은 내용을 간접적으로 전달하거나 주어의 생각, 의견 등을 나타내는 표현.
нет эквивалента
Выражение, употребляемое для оформления косвенной речи при передаче чужих слов или мыслей.

• **생각하다 (глагол)** : 사람이 머리를 써서 판단하거나 인식하다.
думать
Судить о чём-либо, используя голову.

• -ㅂ니다 : (아주높임으로) 현재의 동작이나 상태, 사실을 정중하게 설명함을 나타내는 종결 어미.
нет эквивалента
(формально-вежливый стиль) Финитное окончание предиката, употребляемое при описании событий, действий или состояний в форме настоящего времени в ситуациях вежливого общения.

학생 2 : 정답+은 자기 부정+이+라고 <u>생각하+ㅂ니다</u>. **생각합니다**

• **정답 (имя существительное)** : 어떤 문제나 질문에 대한 옳은 답.
правильный ответ
Верный ответ на заданный вопрос или поставленную задачу.

• 은 : 문장 속에서 어떤 대상이 화제임을 나타내는 조사.
нет эквивалента
Частица, показывающая то, что какой-то объект является главной темой в предложении.

• **자기 (имя существительное)** : 그 사람 자신.
сам; свой; себя
Местоимение, указывающее на лицо, являющееся источником или объектом действия.

• **부정 (имя существительное)** : 그렇지 않다고 판단하여 결정하거나 옳지 않다고 반대함.
отрицание; отказ
Принятие решения о несоответствии или отвержение чего-либо неприемлемого.

• 이다 : 주어가 지시하는 대상의 속성이나 부류를 지정하는 뜻을 나타내는 서술격 조사.
нет эквивалента
Суффикс повествовательного падежа, выражающий смысл наименования свойства или разряда объекта, на который указывает подлежащее.

• -라고 : 다른 사람에게서 들은 내용을 간접적으로 전달하거나 주어의 생각, 의견 등을 나타내는 표현.
нет эквивалента
Выражение, употребляемое для оформления косвенной речи при передаче чужих слов или мыслей.

• **생각하다 (глагол)** : 사람이 머리를 써서 판단하거나 인식하다.
думать
Судить о чём-либо, используя голову.

• -ㅂ니다 : (아주높임으로) 현재의 동작이나 상태, 사실을 정중하게 설명함을 나타내는 종결 어미.
нет эквивалента
(формально-вежливый стиль) Финитное окончание предиката, употребляемое при описании событий, действий или состояний в форме настоящего времени в ситуациях вежливого общения.

선생님 : 맞+아요.

• **맞다 (глагол)** : 문제에 대한 답이 틀리지 않다.
быть правильным; быть точным
Быть безошибочным (об ответе на какую-либо задачу).

• -아요 : (두루높임으로) 어떤 사실을 서술하거나 질문, 명령, 권유함을 나타내는 종결 어미.
нет эквивалента
(нейтрально-вежливый стиль) Финитное окончание предиката в повествовательном, вопросительном или побудительном предложении.

선생님 : 자기 비하 또는 자기 부정+은 꿈+을 이루+는 데 장애 요소+가 되+어요. **돼요**

• **자기 (имя существительное)** : 그 사람 자신.
сам; свой; себя
Местоимение, указывающее на лицо, являющееся источником или объектом действия.

• **비하 (имя существительное)** : 자기 자신을 낮춤.
самобичевание
Занижение самооценки.

• **또는 (наречие)** : 그렇지 않으면.
или; либо то, либо другое
Если не это, то другое.

• **자기 (имя существительное)** : 그 사람 자신.
сам; свой; себя
Местоимение, указывающее на лицо, являющееся источником или объектом действия.

• **부정 (имя существительное)** : 그렇지 않다고 판단하여 결정하거나 옳지 않다고 반대함.
отрицание; отказ
Принятие решения о несоответствии или отвержение чего-либо неприемлемого.

• 은 : 문장 속에서 어떤 대상이 화제임을 나타내는 조사.
нет эквивалента
Частица, показывающая то, что какой-то объект является главной темой в предложении.

• **꿈 (имя существительное)** : 앞으로 이루고 싶은 희망이나 목표.
мечта
Предмет страстного желания, стремления.

• 을 : 동작이 직접적으로 영향을 미치는 대상을 나타내는 조사.
нет эквивалента
Частица, указывающая на объект, на который действие оказывает непосредственное влияние.

• **이루다 (глагол)** : 뜻대로 되어 바라는 결과를 얻다.
достигать; осуществлять; добиваться
Получать желаемый результат.

• -는 : 앞의 말이 관형어의 기능을 하게 만들고 사건이나 동작이 현재 일어남을 나타내는 어미.
нет эквивалента
Окончание, которое указывает на действие или событие в настоящем, преобразуя впередистоящее слово, словосочетание или придаточное предложение в определение.

• **데 (имя существительное)** : 일이나 것.
нет эквивалента
Употребляется для обозначения какого-либо события, момента, дела.

• **장애 (имя существительное)** : 가로막아서 어떤 일을 하는 데 거슬리거나 방해가 됨. 또는 그런 일이나 물건.
препятствие; преграда
Что-либо, вставшее поперёк и мешающее выполнению какого-либо дела. Такое дело или вещь.

• **요소 (имя существительное)** : 무엇을 이루는 데 반드시 있어야 할 중요한 성분이나 조건.
(важный) элемент; (существенный) фактор
Составная часть или условие, использующиеся при осуществлении чего-либо.

• 가 : 바뀌게 되는 대상이나 부정하는 대상임을 나타내는 조사.
нет эквивалента
Окончание, указывающее на неопределённый предмет или на предмет, заменяющий что-либо.

• **되다 (глагол)** : 어떤 특별한 뜻을 가지는 상태에 놓이다.
стать
Быть в состоянии, имеющем какое-либо особенное значение.

• -어요 : (두루높임으로) 어떤 사실을 서술하거나 질문, 명령, 권유함을 나타내는 종결 어미.
нет эквивалента
(нейтрально-вежливый стиль) Финитное окончание предиката в повествовательном, вопросительном или побудительном предложении.

그때 한 학생+이 천연덕스럽+게 대답하+였+다. **대답했다**

• **그때 (имя существительное)** : 앞에서 이야기한 어떤 때.
в то время; тогда
В какое-то время, о котором упоминалось ранее.

• **한 (атрибутивное слово)** : 여럿 중 하나인 어떤.
какой-то
Какой-либо.

• **학생 (имя существительное)** : 학교에 다니면서 공부하는 사람.
учащийся; обучающийся; ученик; школьник; студент
Тот, кто учится где-либо.

• 이 : 어떤 상태나 상황의 대상이나 동작의 주체를 나타내는 조사.
нет эквивалента
Частица, показывающая какое-либо состояние, объект ситуации или субъект действия.

• **천연덕스럽다 (имя прилагательное)** : 생긴 그대로 조금도 거짓이나 꾸밈이 없고 자연스러운 데가 있다.
естественный
Природный, не имеющий ни малейшей лжи или приукрашивания.

• -게 : 앞의 말이 뒤에서 가리키는 일의 목적이나 결과, 방식, 정도 등이 됨을 나타내는 연결 어미.
нет эквивалента
Соединительное окончание предиката, указывающее на то, описанное в первой части предложения действие или состояние является целью, результатом, образом действия, степенью и т.п. того, о чём говорится в последующей главной части предложения.

• **대답하다 (глагол)** : 묻거나 요구하는 것에 해당하는 것을 말하다.
отвечать
Говорить то, что соответствует требованиям или заданному вопросу.

• -였- : 사건이 과거에 일어났음을 나타내는 어미.
нет эквивалента
Окончание прошедшего времени.

• -다 : 어떤 사건이나 사실, 상태를 서술함을 나타내는 종결 어미.
нет эквивалента
Финитное окончание, выражающее изложение события или факта в настоящем времени.

학생 3 : 정답+은 <u>자기 부모+(이)+라고</u> <u>생각하+ㅂ니다</u>. **자기부모라고 생각합니다**

• **정답 (имя существительное)** : 어떤 문제나 질문에 대한 옳은 답.
правильный ответ
Верный ответ на заданный вопрос или поставленную задачу.

• 은 : 문장 속에서 어떤 대상이 화제임을 나타내는 조사.
нет эквивалента
Частица, показывающая то, что какой-то объект является главной темой в предложении.

• **자기 (имя существительное)** : 그 사람 자신.
сам; свой; себя
Местоимение, указывающее на лицо, являющееся источником или объектом действия.

• **부모 (имя существительное)** : 아버지와 어머니.
родители
Отец и мать.

• 이다 : 주어가 지시하는 대상의 속성이나 부류를 지정하는 뜻을 나타내는 서술격 조사.
нет эквивалента
Суффикс повествовательного падежа, выражающий смысл наименования свойства или разряда объекта, на который указывает подлежащее.

• -라고 : 다른 사람에게서 들은 내용을 간접적으로 전달하거나 주어의 생각, 의견 등을 나타내는 표현.
нет эквивалента
Выражение, употребляемое для оформления косвенной речи при передаче чужих слов или мыслей.

• **생각하다 (глагол)** : 사람이 머리를 써서 판단하거나 인식하다.
думать
Судить о чём-либо, используя голову.

• -ㅂ니다 : (아주높임으로) 현재의 동작이나 상태, 사실을 정중하게 설명함을 나타내는 종결 어미.
нет эквивалента
(формально-вежливый стиль) Финитное окончание предиката, употребляемое при описании событий, действий или состояний в форме настоящего времени в ситуациях вежливого общения.

< 10 단원(глава) >

제목 : 뭐, 없어진 물건이라도 있으세요?

● 본문 (Основной текст)

북적거리는 쇼핑몰에서 한 여성이 핸드백을 잃어버렸다.

핸드백을 주운 정직한 소년은 그 여성에게 가방을 돌려줬다.

건네받은 핸드백 안을 이리저리 살펴보던 여자가 말했다.

여자 : 핸드백에 중요한 것이 많아서 못 찾을까 봐 걱정했는데 너무 고맙구나.

그런데 음, 이상한 일이구나.

소년 : 뭐, 없어진 물건이라도 있으세요?

여자 : 그건 아니고, 지갑 안에 분명히 오만 원짜리 지폐 한 장이 들어 있었는데

지금은 만 원짜리 다섯 장이 들어 있네.

거참, 신기하네.

소년 : 아, 그거요.

저번에 제가 어떤 여자분 지갑을 찾아 줬는데 그분이 잔돈이 없다고

사례금을 안 주셨거든요.

● 발음 (произношение)

북적거리는 쇼핑몰에서 한 여성이 핸드백을 잃어버렸다.
북쩍꺼리는 쇼핑모레서 한 여성이 핸드배글 이러버렫따.
bukjeokgeorineun syopingmoreseo han yeoseongi haendeubaegeul ireobeoryeotda.

핸드백을 주운 정직한 소년은 그 여성에게 가방을 돌려줬다.
핸드배글 주운 정지칸 소녀는 그 여성에게 가방을 돌려줟따.
haendeubaegeul juun jeongjikan sonyeoneun geu yeoseongege gabangeul dollyeojwotda.

건네받은 핸드백 안을 이리저리 살펴보던 여자가 말했다.
건네바든 핸드백 아늘 이리저리 살펴보던 여자가 말핻따.
geonnebadeun haendeubaek aneul irijeori salpyeobodeon yeojaga malhaetda.

여자 : 핸드백에 중요한 것이 많아서 못 찾을까 봐 걱정했는데 너무 고맙구나.
여자 : 핸드배게 중요한 거시 마나서 몯 차즐까 봐 걱쩡핸는데 너무 고맙꾸나.
yeoja : haendeubaege jungyohan geosi manaseo mot chajeulkka bwa geokjeonghaenneunde neomu gomapguna.

그런데 음, 이상한 일이구나.
그런데 음, 이상한 이리구나.
geureonde eum, isanghan iriguna.

소년 : 뭐, 없어진 물건이라도 있으세요?
소년 : 뭐, 업써진 물거니라도 이쓰세요?
sonyeon : mwo, eopseojin mulgeonirado isseuseyo?

여자 : 그건 아니고, 지갑 안에 분명히 오만 원짜리 지폐 한 장이 들어 있었는데
여자 : 그건 아니고, 지갑 아네 분명히 오만 원짜리 지폐 한 장이 드러 이썬는데
yeoja : geugeon anigo, jigap ane bunmyeonghi oman wonjjari jipye(jipe) han jangi deureo isseonneunde

지금은 만 원짜리 다섯 장이 들어 있네.
지그믄 만 원짜리 다섣 장이 드러 인네.
jigeumeun man wonjjari daseot jangi deureo inne.

거참, 신기하네.
거참, 신기하네.
geocham, singihane.

소년 : 아, 그거요.
소년 : 아, 그거요.
sonyeon : a, geugeoyo.

저번에 제가 어떤 여자분 지갑을 찾아 줬는데 그분이 잔돈이 없다고
저버네 제가 어떤 여자분 지가블 차자 줜는데 그부니 잔도니 업따고
jeobeone jega eotteon yeojabun jigabeul chaja jwonneunde geubuni jandoni eopdago

사례금을 안 주셨거든요.
사례그믈 안 주셛꺼드뇨.
saryegeumeul an jusyeotgeodeunyo.

● 어휘 (лексический запас) / 문법 (грамматика)

북적거리+는 쇼핑몰+에서 한 여성+이 핸드백+을 잃어버리+었+다.

핸드백+을 줍(주우)+ㄴ 정직하+ㄴ 소년+은 그 여성+에게 가방+을 돌려주+었+다.

건네받+은 핸드백 안+을 이리저리 살펴보+던 여자+가 말하+였+다.

여자 : 핸드백+에 중요하+ㄴ 것+이 많+아서 못 찾+을까 보+아 걱정하+였+는데 너무

고맙+구나.

그런데 음, 이상하+ㄴ 일+이+구나.

소년 : 뭐, 없어지+ㄴ 물건+이라도 있+으세요?

여자 : 그것(그거)+은 아니+고, 지갑 안+에 분명히 오만 원+짜리 지폐 한 장+이

들+어 있+었+는데 지금+은 만 원+짜리 다섯 장+이 들+어 있+네.

거참, 신기하+네.

소년 : 아, 그거+요.

저번+에 제+가 어떤 여자+분 지갑+을 찾+아 주+었+는데 그분+이 잔돈+이

없+다고 사례금+을 안 주+시+었+거든요.

북적거리+는 쇼핑몰+에서 한 여성+이 핸드백+을 잃어버리+었+다. 잃어버렸다

• **북적거리다 (глагол)** : 많은 사람이 한곳에 모여 매우 어수선하고 시끄럽게 자꾸 떠들다.
шуметь; галдеть
Громко, беспорядочно говорить, кричать одновременно (о людях).

• -는 : 앞의 말이 관형어의 기능을 하게 만들고 사건이나 동작이 현재 일어남을 나타내는 어미.
нет эквивалента
Окончание, которое указывает на действие или событие в настоящем, преобразуя впередистоящее слово, словосочетание или придаточное предложение в определение.

• **쇼핑몰 (имя существительное)** : 여러 가지 물건을 파는 상점들이 모여 있는 곳.
торговый центр
Место, в котором объединены торговые точки с различным товаром.

• 에서 : 앞말이 행동이 이루어지고 있는 장소임을 나타내는 조사.
в; на
Окончание, указывающее на место, где происходит указанное действие.

• **한 (атрибутивное слово)** : 여럿 중 하나인 어떤.
какой-то
Какой-либо.

• **여성 (имя существительное)** : 어른이 되어 아이를 낳을 수 있는 여자.
женщина; женский пол
Женщина детородного возраста.

• 이 : 어떤 상태나 상황의 대상이나 동작의 주체를 나타내는 조사.
нет эквивалента
Частица, показывающая какое-либо состояние, объект ситуации или субъект действия.

• **핸드백 (имя существительное)** : 여자들이 손에 들거나 한쪽 어깨에 메는 작은 가방.
дамская сумочка
Маленькая сумка, которую женщины носят в руках или вешают через плечо.

• 을 : 동작이 직접적으로 영향을 미치는 대상을 나타내는 조사.
нет эквивалента
Частица, указывающая на объект, на который действие оказывает непосредственное влияние.

• **잃어버리다 (глагол)** : 가졌던 물건을 흘리거나 놓쳐서 더 이상 갖지 않게 되다.
терять; лишаться; обронить
Переставать обладать каким-либо предметом, по небрежности или рассеянности.

• -었- : 사건이 과거에 일어났음을 나타내는 어미.
нет эквивалента
Окончание прошедшего времени.

• -다 : 어떤 사건이나 사실, 상태를 서술함을 나타내는 종결 어미.
нет эквивалента
Финитное окончание, выражающее изложение события или факта в настоящем времени.

핸드백+을 줍(주우)+ㄴ 정직하+ㄴ 소년+은 그 여성+에게 가방+을 돌려주+었+다. **주운** **정직한** **돌려줬다**

• **핸드백 (имя существительное)** : 여자들이 손에 들거나 한쪽 어깨에 메는 작은 가방.
дамская сумочка
Маленькая сумка, которую женщины носят в руках или вешают через плечо.

• 을 : 동작이 직접적으로 영향을 미치는 대상을 나타내는 조사.
нет эквивалента
Частица, указывающая на объект, на который действие оказывает непосредственное влияние.

• **줍다 (глагол)** : 남이 잃어버린 물건을 집다.
подбирать
Поднимать то, что было потеряно кем-либо.

• -ㄴ : 앞의 말이 관형어의 기능을 하게 만들고 사건이나 동작이 완료되어 그 상태가 유지되고 있음을 나타내는 어미.
нет эквивалента
Окончание, которое указывает на завершенное постоянное действие или событие, преобразуя впередистоящее слово, словосочетание или придаточное предложение в определение.

• **정직하다 (имя прилагательное)** : 마음에 거짓이나 꾸밈이 없고 바르고 곧다.
честный; правдивый
Прямой и правильный без лжи или притворства в душе.

• -ㄴ : 앞의 말이 관형어의 기능을 하게 만들고 현재의 상태를 나타내는 어미.
нет эквивалента
Окончание, указывающее на состояние лица или предмета в настоящий момент, при котором впередистоящее слово, словосочетание или придаточное предложение выполняет функцию определения.

• **소년 (имя существительное)** : 아직 어른이 되지 않은 어린 남자아이.
мальчик; подросток; юноша
Ещё не зрелый маленький мальчик.

• 은 : 문장 속에서 어떤 대상이 화제임을 나타내는 조사.
нет эквивалента
Частица, показывающая то, что какой-то объект является главной темой в предложении.

• **그 (атрибутивное слово)** : 앞에서 이미 이야기한 대상을 가리킬 때 쓰는 말.
тот
Указывает на предмет, который уже был указан ранее.

• **여성 (имя существительное)** : 어른이 되어 아이를 낳을 수 있는 여자.
женщина; женский пол
Женщина детородного возраста.

• 에게 : 어떤 행동이 미치는 대상임을 나타내는 조사.
кому-, чему-либо
Окончание, указывающее на предмет, подвергающийся влиянию какого-либо действия.

• **가방 (имя существительное)** : 물건을 넣어 손에 들거나 어깨에 멜 수 있게 만든 것.
сумка
Изделие, в которое кладут вещи и носят в руке или на плече.

• 을 : 동작이 직접적으로 영향을 미치는 대상을 나타내는 조사.
нет эквивалента
Частица, указывающая на объект, на который действие оказывает непосредственное влияние.

• **돌려주다 (глагол)** : 빌리거나 뺏거나 받은 것을 주인에게 도로 주거나 갚다.
отдавать; возвращать
Возвращать хозяину взятое взаймы или отобранное.

• -었- : 사건이 과거에 일어났음을 나타내는 어미.
нет эквивалента
Окончание прошедшего времени.

• -다 : 어떤 사건이나 사실, 상태를 서술함을 나타내는 종결 어미.
нет эквивалента
Финитное окончание, выражающее изложение события или факта в настоящем времени.

건네받+은 핸드백 안+을 이리저리 살펴보+던 여자+가 말하+였+다. **말했다**

• **건네받다 (глагол)** : 다른 사람으로부터 어떤 것을 옮기어 받다.
получать передачу
Получать что-либо, переданное другим человеком.

• -은 : 앞의 말이 관형어의 기능을 하게 만들고 사건이나 동작이 완료되어 그 상태가 유지되고 있음을 나타내는 어미.
нет эквивалента
Окончание, которое указывает на сохранившийся результат совершённого действия, преобразуя впередистоящее слово, словосочетание или придаточное предложение в определение.

• **핸드백 (имя существительное)** : 여자들이 손에 들거나 한쪽 어깨에 메는 작은 가방.
дамская сумочка
Маленькая сумка, которую женщины носят в руках или вешают через плечо.

• **안 (имя существительное)** : 어떤 물체나 공간의 둘레에서 가운데로 향한 쪽. 또는 그러한 부분.
внутреняя сторона
Сторона, находящаяся внутри какого-либо предмета или пространства. Или подобная часть.

• 을 : 동작이 직접적으로 영향을 미치는 대상을 나타내는 조사.
нет эквивалента
Частица, указывающая на объект, на который действие оказывает непосредственное влияние.

• **이리저리 (наречие)** : 방향을 정하지 않고 이쪽저쪽으로.
и туда и сюда; и тут и там
(склоняться) То туда, то сюда, не имея определённого направления.

• **살펴보다 (глагол)** : 무엇을 찾거나 알아보다.
рассматривать; разглядывать; просматривать
Искать или узнавать что-либо.

• -던 : 앞의 말이 관형어의 기능을 하게 만들고 사건이나 동작이 과거에 완료되지 않고 중단되었음을 나타내는 어미.
нет эквивалента
Окончание, которое указывает на незавершённое, прерванное действие в прошлом, преобразуя впередистоящее слово, словосочетание или придаточное предложение в определение.

• **여자 (имя существительное)** : 여성으로 태어난 사람.
женщина
Человек женского пола.

• 가 : 어떤 상태나 상황에 놓인 대상이나 동작의 주체를 나타내는 조사.
нет эквивалента
Частица, показывающая какое-либо состояние, объект ситуации или субъект действия.

• **말하다 (глагол)** : 어떤 사실이나 자신의 생각 또는 느낌을 말로 나타내다.
говорить
Выражать словесно какой-либо факт, собственные мысли, чувства.

• -였- : 사건이 과거에 일어났음을 나타내는 어미.
нет эквивалента
Окончание прошедшего времени.

• -다 : 어떤 사건이나 사실, 상태를 서술함을 나타내는 종결 어미.
нет эквивалента
Финитное окончание, выражающее изложение события или факта в настоящем времени.

여자 : 핸드백+에 중요하+[ㄴ 것]+이 많+아서 못 찾+[을까 보]+아 걱정하+였+는데
중요한 것이 **찾을까 봐** **걱정했는데**
너무 고맙+구나.

• **핸드백 (имя существительное)** : 여자들이 손에 들거나 한쪽 어깨에 메는 작은 가방.
дамская сумочка
Маленькая сумка, которую женщины носят в руках или вешают через плечо.

• 에 : 앞말이 어떤 장소나 자리임을 나타내는 조사.
нет эквивалента
Окончание, указывающее на какое-либо место или пространство.

• **중요하다 (имя прилагательное)** : 귀중하고 꼭 필요하다.
важный
Имеющий большое значение и необходимость.

• -ㄴ 것 : 명사가 아닌 것을 문장에서 명사처럼 쓰이게 하거나 '이다' 앞에 쓰일 수 있게 할 때 쓰는 표현.

нет эквивалента

Выражение, позволяющее использовать в качестве существительного слово неименной части речи, которое также может употребляться перед глаголом-связкой '이다'.

• 이 : 어떤 상태나 상황의 대상이나 동작의 주체를 나타내는 조사.

нет эквивалента

Частица, показывающая какое-либо состояние, объект ситуации или субъект действия.

• **많다 (имя прилагательное)** : 수나 양, 정도 등이 일정한 기준을 넘다.

много

Численность, количество, уровень и т.п. превышает стандарты.

• -아서 : 이유나 근거를 나타내는 연결 어미.

нет эквивалента

Соединительное окончание предиката, указывающее на причину или обоснование чего-либо.

• **못 (наречие)** : 동사가 나타내는 동작을 할 수 없게.

не [мочь]

Без возможности совершать какое-либо действие, выраженное глаголом.

• **찾다 (глагол)** : 무엇을 얻거나 누구를 만나려고 여기저기를 살피다. 또는 그것을 얻거나 그 사람을 만나다.

искать; находить; разыскивать

Смотреть тут и там с целью отыскать или встретить что-либо или кого-либо, а также результат этого действия.

• -을까 보다 : 앞에 오는 말이 나타내는 상황이 될 것을 걱정하거나 두려워함을 나타내는 표현.

бояться, что

Выражение, указывающее на опасение или беспокойство из-за возможности возникновения определённой ситуации.

• -아 : 앞에 오는 말이 뒤에 오는 말에 대한 원인이나 이유임을 나타내는 연결 어미.

нет эквивалента

Соединительное окончание, указывающее на то, что действие первой части предложения является причиной или основанием действия, описанного во второй части предложения.

• **걱정하다 (глагол)** : 좋지 않은 일이 있을까 봐 두려워하고 불안해하다.

беспокоиться; тревожиться; переживать; заботиться

Испытывать сильное душевное волнение, смятение в ожидании опасности, чего-нибудь неизвестного.

• -였- : 어떤 사건이 과거에 완료되었거나 그 사건의 결과가 현재까지 지속되는 상황을 나타내는 어미.
нет эквивалента
Окончание, указывающее на полное завершение какого-либо события в прошлом и сохранения данного результата до настоящего времени.

• -는데 : 뒤의 말을 하기 위하여 그 대상과 관련이 있는 상황을 미리 말함을 나타내는 연결 어미.
нет эквивалента
Соединительное окончание, вводящее некую предварительную информацию об объекте, о котором говорится в последующей части предложения.

• **너무 (наречие)** : 일정한 정도나 한계를 훨씬 넘어선 상태로.
очень; чересчур
Состояние чрезмерного превышения определенного уровня или рубежа.

• **고맙다 (имя прилагательное)** : 남이 자신을 위해 무엇을 해주어서 마음이 흐뭇하고 보답하고 싶다.
благодарный
Чувствующий признательность за оказанное ему добро, выражающий признательность.

• -구나 : (아주낮춤으로) 새롭게 알게 된 사실에 어떤 느낌을 실어 말함을 나타내는 종결 어미.
нет эквивалента
(простой стиль) Финитное окончание, выражающее эмоциональную реакцию говорящего на обнаружение какого-либо факта.

여자 : 그런데 음, <u>이상하+ㄴ</u> 일+이+구나. **이상한**

• **그런데 (наречие)** : 이야기를 앞의 내용과 관련시키면서 다른 방향으로 바꿀 때 쓰는 말.
а
Слово, используемое для установления связи с содержанием предыдущего разговора и смены темы разговора.

• **음 (восклицание)** : 믿지 못할 때 내는 소리.
нет эквивалента
Употребляется при выражении сомнений, отсутствии веры во что-либо.

• **이상하다 (имя прилагательное)** : 원래 알고 있던 것과 달리 별나거나 색다르다.
необычный; странный
Сильно отличающийся от известного, ожидаемого.

• -ㄴ : 앞의 말이 관형어의 기능을 하게 만들고 현재의 상태를 나타내는 어미.
нет эквивалента
Окончание, указывающее на состояние лица или предмета в настоящий момент, при котором впередистоящее слово, словосочетание или придаточное предложение выполняет функцию определения.

• **일 (имя существительное)** : 어떤 내용을 가진 상황이나 사실.
дело
Ситуация или условия с определённым содержанием.

• 이다 : 주어가 지시하는 대상의 속성이나 부류를 지정하는 뜻을 나타내는 서술격 조사.
нет эквивалента
Суффикс повествовательного падежа, выражающий смысл наименования свойства или разряда объекта, на который указывает подлежащее.

• -구나 : (아주낮춤으로) 새롭게 알게 된 사실에 어떤 느낌을 실어 말함을 나타내는 종결 어미.
нет эквивалента
(простой стиль) Финитное окончание, выражающее эмоциональную реакцию говорящего на обнаружение какого-либо факта.

소년 : 뭐, 없어지+ㄴ 물건+이라도 있+으세요?
없어진

• **뭐 (восклицание)** : 놀랐을 때 내는 소리.
что
Восклицание, выражающее удивление.

• **없어지다 (глагол)** : 사람, 사물, 현상 등이 어떤 곳에 자리나 공간을 차지하고 존재하지 않게 되다.
исчезать
Прекратить существовать в каком-либо месте или пространстве
(о человеке, предмете, явлении и т.п.).

• -ㄴ : 앞의 말이 관형어의 기능을 하게 만들고 사건이나 동작이 완료되어 그 상태가 유지되고 있음을 나타내는 어미.
нет эквивалента
Окончание, которое указывает на завершенное постоянное действие или событие, преобразуя впередистоящее слово, словосочетание или придаточное предложение в определение.

• **물건 (имя существительное)** : 일정한 모양을 갖춘 어떤 물질.
вещь; предмет
Материальный объект, имеющий определённую форму.

• 이라도 : 불확실한 사실에 대한 말하는 이의 의심이나 의문을 나타내는 조사.
нет эквивалента
Частица, выражающая сомнение или вопрос говорящего относительно неточного факта.

• **있다 (имя прилагательное)** : 무엇이 어떤 곳에 자리나 공간을 차지하고 존재하는 상태이다.
нет эквивалента
Пребывать или занимать какое-либо место или пространство.

• -으세요 : (두루높임으로) 설명, 의문, 명령, 요청의 뜻을 나타내는 종결 어미.
нет эквивалента
(нейтрально-вежливый стиль) Финитное окончание предиката в повествовательном, вопросительном или побудительном предложении.

여자 : <u>그것(그거)+은</u> 아니+고, 지갑 안+에 분명히 오만 원+짜리 지폐 한 장+이 **그건** **들+[어 있]+었+는데 지금+은 만 원+짜리 다섯 장+이 들+[어 있]+네.**

• **그것 (местоимение)** : 앞에서 이미 이야기한 대상을 가리키는 말.
это; то; этот; тот
Слово, указывающее на предмет или факт, упоминавшийся ранее.

• 은 : 문장 속에서 어떤 대상이 화제임을 나타내는 조사.
нет эквивалента
Частица, показывающая то, что какой-то объект является главной темой в предложении.

• **아니다 (имя прилагательное)** : 어떤 사실이나 내용을 부정하는 뜻을 나타내는 말.
не (быть)
Слово, выражающее отрицание какого-либо факта или содержания.

• -고 : 두 가지 이상의 대등한 사실을 나열할 때 쓰는 연결 어미.
нет эквивалента
Соединительное окончание предиката, используемое при перечислении двух и более равноправных фактов.

• **지갑 (имя существительное)** : 돈, 카드, 명함 등을 넣어 가지고 다닐 수 있게 가죽이나 헝겊 등으로 만든 물건.
кошелёк; портмоне; бумажник
Мешочек или карманная сумочка, кожаная или матерчатая, для ношения денег, кредитных, визитных и других карт.

• **안 (имя существительное)** : 어떤 물체나 공간의 둘레에서 가운데로 향한 쪽. 또는 그러한 부분.
внутреняя сторона
Сторона, находящаяся внутри какого-либо предмета или пространства. Или подобная часть.

• 에 : 앞말이 어떤 장소나 자리임을 나타내는 조사.
нет эквивалента
Окончание, указывающее на какое-либо место или пространство.

• **분명히 (наречие)** : 어떤 사실이 틀림이 없이 확실하게.
ясно; точно; очевидно
Точно и безошибочно (о каком-либо факте).

• **오만 : 50,000**

• **원 (имя существительное)** : 한국의 화폐 단위.
вона
Денежная единица Кореи.

• 짜리 : '그만한 수나 양을 가진 것' 또는 '그만한 가치를 가진 것'의 뜻을 더하는 접미사.
по; на
Суффикс со значением "соответствующий данному количеству, имеющийся в данном объёме".

• **지폐 (имя существительное)** : 종이로 만든 돈.
купюра; банкнота
Бумажные деньги.

• **한 (атрибутивное слово)** : 하나의.
нет эквивалента
Один.

• **장 (имя существительное)** : 종이나 유리와 같이 얇고 넓적한 물건을 세는 단위.
лист
Счётное слово для бумажных листов, стёкол и других подобных тонких и плоских предметов.

• 이 : 어떤 상태나 상황의 대상이나 동작의 주체를 나타내는 조사.
нет эквивалента
Частица, показывающая какое-либо состояние, объект ситуации или субъект действия.

• **들다 (глагол)** : 안에 담기거나 그 일부를 이루다.
вступать
Входить в состав или становиться частью чего-либо.

• -어 있다 : 앞의 말이 나타내는 상태가 계속됨을 나타내는 표현.
нет эквивалента
Выражение, указывающее на длительность какого-либо состояния.

• -었- : 어떤 사건이 과거에 완료되었거나 그 사건의 결과가 현재까지 지속되는 상황을 나타내는 어미.
нет эквивалента
Окончание, указывающее на полное завершение какого-либо события в прошлом и сохранения данного результата до настоящего времени.

• -는데 : 뒤의 말을 하기 위하여 그 대상과 관련이 있는 상황을 미리 말함을 나타내는 연결 어미.
нет эквивалента
Соединительное окончание, вводящее некую предварительную информацию об объекте, о котором говорится в последующей части предложения.

• **지금 (имя существительное)** : 말을 하고 있는 바로 이때.
сейчас; теперь
Прямо в то время, когда говоришь.

• 은 : 문장 속에서 어떤 대상이 화제임을 나타내는 조사.
нет эквивалента
Частица, показывающая то, что какой-то объект является главной темой в предложении.

• **만** : 10,000

• **원 (имя существительное)** : 한국의 화폐 단위.
вона
Денежная единица Кореи.

• 짜리 : '그만한 수나 양을 가진 것' 또는 '그만한 가치를 가진 것'의 뜻을 더하는 접미사.
по; на
Суффикс со значением "соответствующий данному количеству, имеющийся в данном объёме".

• **다섯 (атрибутивное слово)** : 넷에 하나를 더한 수의.
пять
Количество, полученное путём прибавления одного к четырём.

• **장 (имя существительное)** : 종이나 유리와 같이 얇고 넓적한 물건을 세는 단위.
лист
Счётное слово для бумажных листов, стёкол и других подобных тонких и плоских предметов.

• 이 : 어떤 상태나 상황의 대상이나 동작의 주체를 나타내는 조사.
нет эквивалента
Частица, показывающая какое-либо состояние, объект ситуации или субъект действия.

• **들다 (глагол)** : 안에 담기거나 그 일부를 이루다.
вступать
Входить в состав или становиться частью чего-либо.

• -어 있다 : 앞의 말이 나타내는 상태가 계속됨을 나타내는 표현.
нет эквивалента
Выражение, указывающее на длительность какого-либо состояния.

• -네 : (아주낮춤으로) 지금 깨달은 일에 대하여 말함을 나타내는 종결 어미.
нет эквивалента
(простой стиль) Финитное окончание, указывающее на обнаружение или осознание нового факта.

여자 : 거참, 신기하+네.

• **거참 (восклицание)** : 안타까움이나 아쉬움, 놀라움의 뜻을 나타낼 때 하는 말.
нет эквивалента
Восклицание, используемое для выражения сожаления, восторга, удивления или негодования.

• **신기하다 (имя прилагательное)** : 믿을 수 없을 정도로 색다르고 이상하다.
удивительный; поразительный
Такой, в который сложно поверить; необычный.

• -네 : (아주낮춤으로) 지금 깨달은 일에 대하여 말함을 나타내는 종결 어미.
нет эквивалента
(простой стиль) Финитное окончание, указывающее на обнаружение или осознание нового факта.

소년 : 아, 그거+요.

• **아 (восклицание)** : 남에게 말을 걸거나 주의를 끌 때, 말에 앞서 내는 소리.
а
Звук, издаваемый для того, чтобы заговорить с другим человеком или привлечь чье-то внимание.

• **그거 (местоимение)** : 앞에서 이미 이야기한 대상을 가리키는 말.
это; то; этот; тот
Слово, указывающее на предмет или факт, упоминавшийся ранее.

• 요 : 높임의 대상인 상대방에게 존대의 뜻을 나타내는 조사.
нет эквивалента
Частица, показывающая вежливое отношение к противоположной стороне, являющейся объектом уважения.

소년 : 저번+에 제+가 어떤 여자+분 지갑+을 찾+[아 주]+었+는데 그분+이 잔돈+이 **찾아 줬는데** **없+다고 사례금+을 안 주+시+었+거든요.** **주셨거든요**

• **저번 (имя существительное)** : 말하고 있는 때 이전의 지나간 차례나 때.
тот раз; тогда
Очередь или время в прошлом с момента разговора.

• 에 : 앞말이 시간이나 때임을 나타내는 조사.
нет эквивалента
Окончание, указывающее на время или период времени.

• **제 (местоимение)** : 말하는 사람이 자신을 낮추어 가리키는 말인 '저'에 조사 '가'가 붙을 때의 형태.
я
Форма, когда к '저' (вежливая форма '나') присоединяется падежное окончание '가'.

• 가 : 어떤 상태나 상황에 놓인 대상이나 동작의 주체를 나타내는 조사.
нет эквивалента
Частица, показывающая какое-либо состояние, объект ситуации или субъект действия.

• **어떤 (атрибутивное слово)** : 굳이 말할 필요가 없는 대상을 뚜렷하게 밝히지 않고 나타낼 때 쓰는 말.
какой; какой бы то ни был; какой-либо
Слова, используемые в случае, если не надо раскрывать в точности и специально упоминать какой-либо объект.

• **여자 (имя существительное)** : 여성으로 태어난 사람.
женщина
Человек женского пола.

• 분 : '높임'의 뜻을 더하는 접미사.
нет эквивалента
Суффикс со значением "возвышение".

• **지갑 (имя существительное)** : 돈, 카드, 명함 등을 넣어 가지고 다닐 수 있게 가죽이나 헝겊 등으로 만든 물건.
кошелёк; портмоне; бумажник
Мешочек или карманная сумочка, кожанная или матерчатая, для ношения денег, кредитных, визитных и других карт.

• 을 : 동작이 직접적으로 영향을 미치는 대상을 나타내는 조사.
нет эквивалента
Частица, указывающая на объект, на который действие оказывает непосредственное влияние.

• **찾다 (глагол)** : 무엇을 얻거나 누구를 만나려고 여기저기를 살피다. 또는 그것을 얻거나 그 사람을 만나다.
искать; находить; разыскивать
Смотреть тут и там с целью отыскать или встретить что-либо или кого-либо, а также результат этого действия.

• -아 주다 : 남을 위해 앞의 말이 나타내는 행동을 함을 나타내는 표현.
нет эквивалента
Выражение, указывающее на то, что описанное действие выполняется в интересах другого лица.

• -었- : 사건이 과거에 일어났음을 나타내는 어미.
нет эквивалента
Окончание прошедшего времени.

• -는데 : 뒤의 말을 하기 위하여 그 대상과 관련이 있는 상황을 미리 말함을 나타내는 연결 어미.
нет эквивалента
Соединительное окончание, вводящее некую предварительную информацию об объекте, о котором говорится в последующей части предложения.

• **그분 (местоимение)** : (아주 높이는 말로) 그 사람.
нет эквивалента
(превежл.) Тот человек.

• 이 : 어떤 상태나 상황의 대상이나 동작의 주체를 나타내는 조사.
нет эквивалента
Частица, показывающая какое-либо состояние, объект ситуации или субъект действия.

• **잔돈 (имя существительное)** : 단위가 작은 돈.
мелочь
Деньги небольшого достоинства.

• 이 : 어떤 상태나 상황의 대상이나 동작의 주체를 나타내는 조사.
нет эквивалента
Частица, показывающая какое-либо состояние, объект ситуации или субъект действия.

• **없다 (имя прилагательное)** : 사람, 사물, 현상 등이 어떤 곳에 자리나 공간을 차지하고 존재하지 않는 상태이다.
не быть
Состояние несуществования человека, предмета, явления и т.п. в каком-либо месте или пространстве.

• -다고 : 어떤 행위의 목적, 의도를 나타내거나 어떤 상황의 이유, 원인을 나타내는 연결 어미.
нет эквивалента
Соединительное окончание, указывающее на намерение, цель какого-либо действия или на причину какой-либо ситуации.

• **사례금 (имя существительное)** : 고마운 뜻을 나타내려고 주는 돈.
денежное вознаграждение
Деньги, которые дают в знак благодарности за что-либо.

• 을 : 동작이 직접적으로 영향을 미치는 대상을 나타내는 조사.
нет эквивалента
Частица, указывающая на объект, на который действие оказывает непосредственное влияние.

• **안 (наречие)** : 부정이나 반대의 뜻을 나타내는 말.
не; нет; ни
Выражение, означающее отрицание или противоположность.

• **주다 (глагол)** : 물건 등을 남에게 건네어 가지거나 쓰게 하다.
давать
Предоставлять что-либо кому-либо для использования.

• -시- : 어떤 동작이나 상태의 주체를 높이는 뜻을 나타내는 어미.
нет эквивалента
Гонорифический глагольный суффикс, указывающий на почтительное отношение к субъекту какого-либо состояния или действия.

• -었- : 사건이 과거에 일어났음을 나타내는 어미.
нет эквивалента
Окончание прошедшего времени.

• -거든요 : (두루높임으로) 앞의 내용에 대해 말하는 사람이 생각한 이유나 원인, 근거를 나타내는 표현.
нет эквивалента
(нейтрально-вежливый стиль) Финитное окончание, указывающее на причину, фактор, аргумент говорящего, которые касаются содержания, описанного в первой части высказывания.

< 11 단원(глава) >

제목 : 새에 대한 논문을 쓰고 계시나 보죠?

● 본문 (Основной текст)

강의 준비를 하기 위해 교수님 한 분이 컴퓨터를 켜고 있었다.

그런데 컴퓨터가 바이러스에 걸렸는지 작동되지 않아 수리 기사를 부르게 되었다.

수리공이 컴퓨터를 고치다가 저장된 파일을 보니 독수리, 참새, 앵무새, 까치, 비둘기, 제비 등 모두 새 이름으로 되어 있었다.

수리 기사는 궁금증을 참다못해 교수님에게 물었다.

수리 기사 : 교수님, 파일 이름을 모두 새 이름으로 지으셨네요.

요즘 새에 대한 논문을 쓰고 계시나 보죠?

교수님이 울상을 지으면서 말했다.

교수님 : 아니에요.

실은 그것 때문에 짜증이 나서 미치겠어요.

파일 저장할 때마다 '새 이름으로 저장'이라고 나오는데 이제 생각나는 새 이름도 없는데.

● 발음 (произношение)

강의 준비를 하기 위해 교수님 한 분이 컴퓨터를 켜고 있었다.
강의 준비를 하기 위해 교수님 한 부니 컴퓨터를 켜고 이썯따.
gangui junbireul hagi wihae gyosunim han buni keompyuteoreul kyeogo isseotda.

그런데 컴퓨터가 바이러스에 걸렸는지 작동되지 않아 수리 기사를 부르게 되었다.
그런데 컴퓨터가 바이러스에 걸련는지 작똥되지 아나 수리 기사를 부르게 되얻따.
geureonde keompyuteoga baireoseue geollyeonneunji jakdongdoeji ana suri gisareul bureuge doeeotda.

수리공이 컴퓨터를 고치다가 저장된 파일을 보니 독수리, 참새, 앵무새, 까치, 비둘기, 제비 등 모두 새
수리공이 컴퓨터를 고치다가 저장된 파이를 보니 독쑤리, 참새, 앵무새, 까치, 비둘기, 제비 등 모두 새
surigongi keompyuteoreul gochidaga jeojangdoen paireul boni doksuri, chamsae, aengmusae, kkachi, bidulgi, jebi deung modu sae

이름으로 되어 있었다.
이르므로 되어 이썯따.
ireumeuro doeeo isseotda.

수리 기사는 궁금증을 참다못해 교수님에게 물었다.
수리 기사는 궁금쯩을 참따모태 교수니메게 무럳따.
suri gisaneun gunggeumjeungeul chamdamotae gyosunimege mureotda.

수리 기사 : 교수님, 파일 이름을 모두 새 이름으로 지으셨네요.
수리 기사 : 교수님, 파일 이르믈 모두 새 이르므로 지으션네요.
suri gisa : gyosunim, pail ireumeul modu sae ireumeuro jieusyeonneyo.

요즘 새에 대한 논문을 쓰고 계시나 보죠?
요즘 새에 대한 논무늘 쓰고 게시나 보죠?
yojeum saee daehan nonmuneul sseugo gyesina(gesina) bojyo?

교수님이 울상을 지으면서 말했다.
교수니미 울쌍을 지으면서 말핻따.
gyosunimi ulsangeul jieumyeonseo malhaetda.

교수님 : 아니에요.
교수님 : 아니에요
gyosunim : anieyo.

실은 그것 때문에 짜증이 나서 미치겠어요.
시른 그걷 때무네 짜증이 나서 미치게써요.
sireun geugeot ttaemune jjajeungi naseo michigesseoyo.

파일 저장할 때마다 '새 이름으로 저장'이라고 나오는데 이제 생각나는
파일 저장할 때마다 '새 이르므로 저장'이라고 나오는데 이제 생강나는
pail jeojanghal ttaemada 'sae ireumeuro jeojang'irago naoneunde ije saenggangnaneun

새 이름도 없는데.
새 이름도 엄는데.
sae ireumdo eomneunde.

● 어휘 (лексический запас) / 문법 (грамматика)

강의 준비+를 하+기 위해서 교수+님 한 분+이 컴퓨터+를 켜+고 있+었+다.

그런데 컴퓨터+가 바이러스+에 걸리+었+는지 작동되+지 않+아 수리 기사+를 부르+게 되+었+다.

수리공+이 컴퓨터+를 고치+다가 저장되+ㄴ 파일+을 보+니 독수리, 참새, 앵무새, 까치, 비둘기, 제비 등

모두 새 이름+으로 되+어 있+었+다.

수리 기사+는 궁금증+을 참다못하+여 교수+님+에게 묻(물)+었+다.

수리 기사 : 교수+님, 파일 이름+을 모두 새 이름+으로 짓(지)+으시+었+네요.

요즘 새+에 대한 논문+을 쓰+고 계시+나 보+지요?

교수+님+이 울상+을 짓(지)+으면서 말하+였+다.

교수님 : 아니+에요.

실은 그것 때문+에 짜증+이 나+(아)서 미치+겠+어요.

파일 저장하+ㄹ 때+마다 '새 이름+으로 저장'+이라고 나오+는데

이제 생각나+는 새 이름+도 없+는데.

강의 준비+를 하+[기 위해서] 교수+님 한 분+이 컴퓨터+를 켜+[고 있]+었+다.

• **강의 (имя существительное)** : 대학이나 학원, 기관 등에서 지식이나 기술 등을 체계적으로 가르침.
лекция
Систематическое преподавание знаний или мастерства, осуществляющееся в университете, на платных курсах и т.п.

• **준비 (имя существительное)** : 미리 마련하여 갖춤.
подготовка; приготовление
Заблаговременная подготовленность.

• 를 : 동작이 직접적으로 영향을 미치는 대상을 나타내는 조사.
нет эквивалента
Частица, указывающая на объект, на который непосредственно распространяется влияние действия.

• **하다 (глагол)** : 어떤 행동이나 동작, 활동 등을 행하다.
делать
Выполнять какое-либо действие, движение, работу и т.п.

• -기 위해서 : 어떤 일을 하는 목적인 의도를 나타내는 표현.
нет эквивалента
Выражение, указывающее намерение и цель совершить какое-либо действие.

• **교수 (имя существительное)** : 대학에서 학문을 연구하고 가르치는 일을 하는 사람. 또는 그 직위.
преподаватель вуза
Тот, кто занимается научно-исследовательской и преподавательской деятельностью в высшем учебном заведении. Или подобная должность.

• 님 : '높임'의 뜻을 더하는 접미사.
нет эквивалента
Суффикс, передающий уважительное отношение при обращении к людям.

• **한 (атрибутивное слово)** : 하나의.
нет эквивалента
Один.

• **분 (имя существительное)** : 사람을 높여서 세는 단위.
человек
(уваж.) Счетное слово для людей.

• 이 : 어떤 상태나 상황의 대상이나 동작의 주체를 나타내는 조사.
нет эквивалента
Частица, показывающая какое-либо состояние, объект ситуации или субъект действия.

• **컴퓨터 (имя существительное)** : 전자 회로를 이용하여 문서, 사진, 영상 등의 대량의 데이터를 빠르고 정확하게 처리하는 기계.
компьютер
Прибор, обычно применяемый для быстрой и точной обработки документов, фотографий, видео и прочих данных крупных размеров, а также для работы в электронной сети.

• 를 : 동작이 직접적으로 영향을 미치는 대상을 나타내는 조사.
нет эквивалента
Частица, указывающая на объект, на который непосредственно распространяется влияние действия.

• **켜다 (глагол)** : 전기 제품 등을 작동하게 만들다.
включать
Привести в действие какой-либо электроприбор и т.п.

• -고 있다 : 앞의 말이 나타내는 행동이 계속 진행됨을 나타내는 표현.
нет эквивалента
Выражение, указывающее на длительность действия.

• -었- : 사건이 과거에 일어났음을 나타내는 어미.
нет эквивалента
Окончание прошедшего времени.

• -다 : 어떤 사건이나 사실, 상태를 서술함을 나타내는 종결 어미.
нет эквивалента
Финитное окончание, выражающее изложение события или факта в настоящем времени.

그런데 컴퓨터+가 바이러스+에 <u>걸리+었+는지</u> 작동되+[지 않]+아 수리 기사+를 **걸렸는지** 부르+[게 되]+었+다.

• **그런데 (наречие)** : 이야기를 앞의 내용과 관련시키면서 다른 방향으로 바꿀 때 쓰는 말.
а
Слово, используемое для установления связи с содержанием предыдущего разговора и смены темы разговора.

• **컴퓨터 (имя существительное)** : 전자 회로를 이용하여 문서, 사진, 영상 등의 대량의 데이터를 빠르고 정확하게 처리하는 기계.

компьютер

Прибор, обычно применяемый для быстрой и точной обработки документов, фотографий, видео и прочих данных крупных размеров, а также для работы в электронной сети.

• 가 : 어떤 상태나 상황에 놓인 대상이나 동작의 주체를 나타내는 조사.

нет эквивалента

Частица, показывающая какое-либо состояние, объект ситуации или субъект действия.

• **바이러스 (имя существительное)** : 컴퓨터를 비정상적으로 작용하게 만드는 프로그램.

вирус

Компьютерная программа, наносящая вред компьютеру.

• 에 : 앞말이 무엇의 조건, 환경, 상태 등임을 나타내는 조사.

нет эквивалента

Окончание, указывающее на состояние, окружение, условие и т.д. чего-либо.

• **걸리다 (глагол)** : 어떤 상태에 빠지게 되다.

нет эквивалента

Впадать в какое-либо состояние.

• -었- : 사건이 과거에 일어났음을 나타내는 어미.

нет эквивалента

Окончание прошедшего времени.

• -는지 : 뒤에 오는 말의 내용에 대한 막연한 이유나 판단을 나타내는 연결 어미.

нет эквивалента

Соединительное предикативное окончание, указывающее на неопределённую причину или оценку говорящим того, о чём говорится во второй части предложения.

• **작동되다 (глагол)** : 기계 등이 움직여 일하다.

работать; функционировать

Действовать (о каком-либо аппарате и т.п.).

• -지 않다 : 앞의 말이 나타내는 행위나 상태를 부정하는 뜻을 나타내는 표현.

нет эквивалента

Выражение, обозначающее отрицание какого-либо действия или состояния.

• -아 : 앞에 오는 말이 뒤에 오는 말에 대한 원인이나 이유임을 나타내는 연결 어미.

нет эквивалента

Соединительное окончание, указывающее на то, что действие первой части предложения является причиной или основанием действия, описанного во второй части предложения.

• **수리 (имя существительное)** : 고장 난 것을 손보아 고침.
ремонт; починка; исправление
Устранение каких-либо неполадок.

• **기사 (имя существительное)** : 국가나 단체가 인정한 기술 자격증을 가진 기술자.
инженер
Инженерно-технический работник, имеющий техническое удостоверение, которое признано государством или организацией.

• 를 : 동작이 직접적으로 영향을 미치는 대상을 나타내는 조사.
нет эквивалента
Частица, указывающая на объект, на который непосредственно распространяется влияние действия.

• **부르다 (глагол)** : 부탁하여 오게 하다.
звать; вызывать
Попросить явиться куда-либо.

• -게 되다 : 앞의 말이 나타내는 상태나 상황이 됨을 나타내는 표현.
нет эквивалента
Выражение, указывающее на возникновение некой ситуации или достижение какого-либо состояния.

• -었- : 사건이 과거에 일어났음을 나타내는 어미.
нет эквивалента
Окончание прошедшего времени.

• -다 : 어떤 사건이나 사실, 상태를 서술함을 나타내는 종결 어미.
нет эквивалента
Финитное окончание, выражающее изложение события или факта в настоящем времени.

수리공+이 컴퓨터+를 고치+다가 저장되+ㄴ 파일+을 보+니 독수리, 참새, 앵무새, 까치, 비둘기, 제비 **저장된** 등 모두 새 이름+으로 되+[어 있]+었+다.

• **수리공 (имя существительное)** : 고장 난 것을 고치는 일을 하는 사람.
ремонтник; ремонтный работник; специалист по ремонту
Тот, кто занимается починкой каких-либо поломок.

• 이 : 어떤 상태나 상황의 대상이나 동작의 주체를 나타내는 조사.
нет эквивалента
Частица, показывающая какое-либо состояние, объект ситуации или субъект действия.

• **컴퓨터 (имя существительное)** : 전자 회로를 이용하여 문서, 사진, 영상 등의 대량의 데이터를 빠르고 정확하게 처리하는 기계.
компьютер
Прибор, обычно применяемый для быстрой и точной обработки документов, фотографий, видео и прочих данных крупных размеров, а также для работы в электронной сети.

• 를 : 동작이 직접적으로 영향을 미치는 대상을 나타내는 조사.
нет эквивалента
Частица, указывающая на объект, на который непосредственно распространяется влияние действия.

• **고치다 (глагол)** : 고장이 나거나 못 쓰게 된 것을 손질하여 쓸 수 있게 하다.
ремонтировать
Чинить для дальнейшего использования поломанную или негодную для использования вещь.

• -다가 : 어떤 행동이 진행되는 중에 다른 행동이 나타남을 나타내는 연결 어미.
нет эквивалента
Соединительное окончание предиката, указывающее на возникновение какого либо действия в период осуществления другого действия.

• **저장되다 (глагол)** : 물건이나 재화 등이 모아져서 보관되다.
храниться
Находиться где-либо на сохранении (о вещах, имуществе и т.п.).

• -ㄴ : 앞의 말이 관형어의 기능을 하게 만들고 사건이나 동작이 완료되어 그 상태가 유지되고 있음을 나타내는 어미.
нет эквивалента
Окончание, которое указывает на завершенное постоянное действие или событие, преобразуя впередистоящее слово, словосочетание или придаточное предложение в определение.

• **파일 (имя существительное)** : 컴퓨터의 기억 장치에 일정한 단위로 저장된 정보의 묶음.
файл
Собрание сохранённой по определённому принципу информации в запоминающем устройстве компьютера.

• 을 : 동작이 직접적으로 영향을 미치는 대상을 나타내는 조사.
нет эквивалента
Частица, указывающая на объект, на который непосредственно распространяется влияние действия.

• **보다 (глагол)** : 대상의 내용이나 상태를 알기 위하여 살피다.
осматривать
Тщательно просматривать какой-либо объект с целью узнать его состояние или содержание.

• -니 : 앞에서 이야기한 내용과 관련된 다른 사실을 이어서 설명할 때 쓰는 연결 어미.
нет эквивалента
Соединительное окончание, употребляемое при объяснении какого-либо факта в продолжение того, чём говорится в предшествующей части предложения.

• **독수리 (имя существительное)** : 갈고리처럼 굽은 날카로운 부리와 발톱을 가지고 있으며 빛깔이 검은 큰 새.
орёл
Крупная птица с чёрным опереньем, изогнутым и острым клювом, похожим на крюк, и когтями.

• **참새 (имя существительное)** : 주로 사람이 사는 곳 근처에 살며, 몸은 갈색이고 배는 회백색인 작은 새.
воробей
Маленькая птичка с серо-коричневым оперением, проживающая среди людей.

• **앵무새 (имя существительное)** : 사람의 말을 잘 흉내 내며 여러 빛깔을 가진 새.
попугай
Птица с разноцветным оперением, умеющая повторять человеческую речь.

• **까치 (имя существительное)** : 머리에서 등까지는 검고 윤이 나며 어깨와 배는 흰, 사람의 집 근처에 사는 새.
сорока
Птица у которой голова, шея и спина окрашены в чёрный цвет с синевато-зелёным металлическим отливом, а живот и плечи белого цвета. Обитает рядом с жилищем людей.

• **비둘기 имя существительное)** : 공원이나 길가 등에서 흔히 볼 수 있는, 다리가 짧고 날개가 큰 회색 혹은 하얀색의 새.
голубь
Птица с короткими лапками и большими крыльями серой или белой окраски, часто встречается в парках, на дорогах и в других местах.

• **제비 имя существительное)** : 등은 검고 배는 희며 매우 빠르게 날고, 봄에 한국에 날아왔다가 가을에 남쪽으로 날아가는 작은 여름 철새.

ласточка

Летняя быстролетающая птичка с чёрной спинкой и белым брюшком, которая весной прилетает в Корею, а по осени улетает на юг.

• **등** (имя существительное) : 앞에서 말한 것 외에도 같은 종류의 것이 더 있음을 나타내는 말.

и другое; и так далее; и тому подобное

Выражение, обозначающее, что после уже сказанного однородный ряд продолжается.

• **모두 (наречие)** : 빠짐없이 다.

весь; все

Полностью, без остатка, без исключения.

• **새 (имя существительное)** : 몸에 깃털과 날개가 있고 날 수 있으며 다리가 둘인 동물.

птица

Животное, имеющее оперение и крылья, две ноги и умеющее летать.

• **이름 (имя существительное)** : 다른 것과 구별하기 위해 동물, 사물, 현상 등에 붙여서 부르는 말.

название

Слово, которое употребляется совместно со словом, обозначающим животных, вещи, явления и т.п., что необходимо для различения от других подобных подвидов.

• 으로 : 어떤 일의 방법이나 방식을 나타내는 조사.

нет эквивалента

Частица, указывающая на способ или метод для исполнения какой-либо работы.

• **되다 (глагол)** : 어떤 형태나 구조로 이루어지다.

быть

Иметь какую-либо форму или конструкцию.

• -어 있다 : 앞의 말이 나타내는 상태가 계속됨을 나타내는 표현.

нет эквивалента

Выражение, указывающее на длительность какого-либо состояния.

• -었- : 사건이 과거에 일어났음을 나타내는 어미.

нет эквивалента

Окончание прошедшего времени.

• -다 : 어떤 사건이나 사실, 상태를 서술함을 나타내는 종결 어미.

нет эквивалента

Финитное окончание, выражающее изложение события или факта в настоящем времени.

수리 기사+는 궁금증+을 <u>참다못하+여</u> 교수+님+에게 <u>묻(물)+었+다</u>. **참다못해** **물었다**

• **수리 (имя существительное)** : 고장 난 것을 손보아 고침.
ремонт; починка; исправление
Устранение каких-либо неполадок.

• **기사 (имя существительное)** : 국가나 단체가 인정한 기술 자격증을 가진 기술자.
инженер
Инженерно-технический работник, имеющий техническое удостоверение, которое признано государством или организацией.

• 는 : 문장 속에서 어떤 대상이 화제임을 나타내는 조사.
нет эквивалента
Частица, указывающая на то, что какой-либо объект является основной темой в предложении.

• **궁금증 (имя существительное)** : 몹시 궁금한 마음.
интерес; любопытство; волнение; тревога; беспокойство
Сильное желание узнать что-либо.

• 을 : 동작이 직접적으로 영향을 미치는 대상을 나타내는 조사.
нет эквивалента
Частица, указывающая на объект, на который непосредственно распространяется влияние действия.

• **참다못하다 (глагол)** : 참을 수 있는 만큼 참다가 더 이상 참지 못하다.
больше не в силах терпеть
Быть больше не в состоянии выносить или переносить что-либо.

• -여 : 앞의 말이 뒤의 말보다 먼저 일어났거나 뒤의 말에 대한 방법이나 수단이 됨을 나타내는 연결 어미.
нет эквивалента
Соединительное окончание, указывающее на то, что действие, описанное в первой части предложения произошло раньше действия, описанного во второй части предложения, или на то, что оно является способом или средством его выполнения.

• **교수 (имя существительное)** : 대학에서 학문을 연구하고 가르치는 일을 하는 사람. 또는 그 직위.
преподаватель вуза
Тот, кто занимается научно-исследовательской и преподавательской деятельностью в высшем учебном заведении. Или подобная должность.

• 님 : '높임'의 뜻을 더하는 접미사.
нет эквивалента
Суффикс, передающий уважительное отношение при обращении к людям.

• 에게 : 어떤 행동이 미치는 대상임을 나타내는 조사.
кому-, чему-либо
Окончание, указывающее на предмет, подвергающийся влиянию какого-либо действия.

• **묻다 (глагол)** : 대답이나 설명을 요구하며 말하다.
спрашивать; вопрошать; задавать вопрос
Говорить для того, чтобы получить ответ или разъяснение.

• -었- : 사건이 과거에 일어났음을 나타내는 어미.
нет эквивалента
Окончание прошедшего времени.

• -다 : 어떤 사건이나 사실, 상태를 서술함을 나타내는 종결 어미.
нет эквивалента
Финитное окончание, выражающее изложение события или факта в настоящем времени.

수리 기사 : 교수+님, 파일 이름+을 모두 새 이름+으로 <u>짓(지)+으시+었+네요</u>.
지으셨네요

• **교수 (имя существительное)** : 대학에서 학문을 연구하고 가르치는 일을 하는 사람. 또는 그 직위.
преподаватель вуза
Тот, кто занимается научно-исследовательской и преподавательской деятельностью в высшем учебном заведении. Или подобная должность.

• 님 : '높임'의 뜻을 더하는 접미사.
нет эквивалента
Суффикс, передающий уважительное отношение при обращении к людям.

• **파일 (имя существительное)** : 컴퓨터의 기억 장치에 일정한 단위로 저장된 정보의 묶음.
файл
Собрание сохранённой по определённому принципу информации в запоминающем устройстве компьютера.

• **이름 (имя существительное)** : 다른 것과 구별하기 위해 동물, 사물, 현상 등에 붙여서 부르는 말.
название
Слово, которое употребляется совместно со словом, обозначающим животных, вещи, явления и т.п., что необходимо для различения от других подобных подвидов.

• 을 : 동작이 직접적으로 영향을 미치는 대상을 나타내는 조사.
нет эквивалента
Частица, указывающая на объект, на который непосредственно распространяется влияние действия.

• **모두 (наречие)** : 빠짐없이 다.
весь; все
Полностью, без остатка, без исключения.

• **새 (имя существительное)** : 몸에 깃털과 날개가 있고 날 수 있으며 다리가 둘인 동물.
птица
Животное, имеющее оперение и крылья, две ноги и умеющее летать.

• **이름 (имя существительное)** : 다른 것과 구별하기 위해 동물, 사물, 현상 등에 붙여서 부르는 말.
название
Слово, которое употребляется совместно со словом, обозначающим животных, вещи, явления и т.п., что необходимо для различения от других подобных подвидов.

• 으로 : 어떤 일의 방법이나 방식을 나타내는 조사.
нет эквивалента
Частица, указывающая на способ или метод для исполнения какой-либо работы.

• **짓다 (глагол)** : 이름 등을 정하다.
называть
Давать имя.

• -으시- : 어떤 동작이나 상태의 주체를 높이는 뜻을 나타내는 어미.
нет эквивалента
Гонорифический глагольный суффикс, указывающий на почтительное отношение к субъекту какого-либо состояния или действия.

• -었- : 어떤 사건이 과거에 완료되었거나 그 사건의 결과가 현재까지 지속되는 상황을 나타내는 어미.
нет эквивалента
Окончание, указывающее на полное завершение какого-либо события в прошлом и сохранения данного результата до настоящего времени.

• -네요 : (두루높임으로) 말하는 사람이 직접 경험하여 새롭게 알게 된 사실에 대해 감탄함을 나타낼 때 쓰는 표현.
нет эквивалента
(нейтрально-вежливый стиль) Выражение, указывающее на восклицание при личном обнаружении какого-либо факта.

수리 기사 : 요즘 새+[에 대한] 논문+을 쓰+[고 계시]+[나 보]+지요? **쓰고 계시나 보죠**

• **요즘 (имя существительное)** : 아주 가까운 과거부터 지금까지의 사이.
в последнее время; недавно; на днях
Промежуток от недалёкого прошлого до настоящего времени.

• **새 (имя существительное)** : 몸에 깃털과 날개가 있고 날 수 있으며 다리가 둘인 동물.
птица
Животное, имеющее оперение и крылья, две ноги и умеющее летать.

• 에 대한 : 뒤에 오는 명사를 수식하며 앞에 오는 명사를 뒤에 오는 명사의 대상으로 함을 나타내는 표현.
о; относительно; что касается
Выражение, являющееся обстоятельством к последующему имени существительному, которое указывает на то, что предыдущее существительное является объектом последующего существительного.

• **논문 (имя существительное)** : 어떠한 주제에 대한 학술적인 연구 결과를 일정한 형식에 맞추어 체계적으로 쓴 글.
статья; монография; диссертация; научная работа
Систематически упорядоченный и написанный по установленной форме текст, отображающий результаты научных исследований по какой-либо теме.

• 을 : 동작이 직접적으로 영향을 미치는 대상을 나타내는 조사.
нет эквивалента
Частица, указывающая на объект, на который непосредственно распространяется влияние действия.

• **쓰다 (глагол)** : 머릿속의 생각이나 느낌 등을 종이 등에 글로 적어 나타내다.
писать; записывать; делать запись
Выражать текстом на бумаге и т.д. собственные мысли или чувства.

• -고 계시다 : (높임말로) 앞의 말이 나타내는 행동이 계속 진행됨을 나타내는 표현.
нет эквивалента
(вежл.) Выражение, указывающее на длительность действия.

• -나 보다 : 앞의 말이 나타내는 사실을 추측함을 나타내는 표현.
наверное; видимо; по-видимому
Выражение, указывающее на предположение о неком действии или состоянии.

• -지요 : (두루높임으로) 말하는 사람이 듣는 사람에게 친근함을 나타내며 물을 때 쓰는 종결 어미.
нет эквивалента
(нейтрально-вежливый стиль) Финитное окончание предиката, показывающее доверительный тон в разговоре между говорящим и слушающим.

교수+님+이 울상+을 짓(지)+으면서 말하+였+다. **지으면서** **말했다**

• **교수 (имя существительное)** : 대학에서 학문을 연구하고 가르치는 일을 하는 사람. 또는 그 직위.
преподаватель вуза
Тот, кто занимается научно-исследовательской и преподавательской деятельностью в высшем учебном заведении. Или подобная должность.

• 님 : '높임'의 뜻을 더하는 접미사.
нет эквивалента
Суффикс, передающий уважительное отношение при обращении к людям.

• 이 : 어떤 상태나 상황의 대상이나 동작의 주체를 나타내는 조사.
нет эквивалента
Частица, показывающая какое-либо состояние, объект ситуации или субъект действия.

• **울상 (имя существительное)** : 울려고 하는 얼굴 표정.
нет эквивалента
Плаксивое выражение лица.

• 을 : 동작이 직접적으로 영향을 미치는 대상을 나타내는 조사.
нет эквивалента
Частица, указывающая на объект, на который непосредственно распространяется влияние действия.

• **짓다 (глагол)** : 어떤 표정이나 태도 등을 얼굴이나 몸에 나타내다.
поступать (определённым образом)
Показывать какое-либо выражение на лице или в поведении.

• -으면서 : 두 가지 이상의 동작이나 상태가 함께 일어남을 나타내는 연결 어미.
нет эквивалента
Соединительное окончание предиката, указывающее на одновременность двух или более действий или состояний.

• **말하다 (глагол)** : 어떤 사실이나 자신의 생각 또는 느낌을 말로 나타내다.
говорить
Выражать словесно какой-либо факт, собственные мысли, чувства.

• -였- : 사건이 과거에 일어났음을 나타내는 어미.
нет эквивалента
Окончание прошедшего времени.

• -다 : 어떤 사건이나 사실, 상태를 서술함을 나타내는 종결 어미.
нет эквивалента
Финитное окончание, выражающее изложение события или факта в настоящем времени.

교수님 : 아니+에요. **실은 그것 때문+에 짜증+이 <u>나+(아)서</u> 미치+겠+어요.** **나서**

• **아니다 (имя прилагательное)** : 어떤 사실이나 내용을 부정하는 뜻을 나타내는 말.
не (быть)
Слово, выражающее отрицание какого-либо факта или содержания.

• -에요 : (두루높임으로) 어떤 사실을 서술하거나 질문함을 나타내는 종결 어미.
нет эквивалента
(нейтрально-вежливый стиль) Финитное окончание предиката в повествовательном или вопросительном предложении.

• **실은 (наречие)** : 사실을 말하자면. 실제로는.
на самом деле; в действительности; фактически; честно говоря
Если говорить правду.

• **그것 (местоимение)** : 앞에서 이미 이야기한 대상을 가리키는 말.
это
Указывает на предмет или факт, который был ранее указан.

• **때문 (имя существительное)** : 어떤 일의 원인이나 이유.
Из-за
причина чего-либо в отрицательном контексте.

• 에 : 앞말이 어떤 일의 원인임을 나타내는 조사.
нет эквивалента
Окончание, указывающее на причину какого-либо дела.

• **짜증 (имя существительное)** : 마음에 들지 않아서 화를 내거나 싫은 느낌을 겉으로 드러내는 일. 또는 그런 성미.
недовольство; раздражительность
Показ недовольства из-за того, что что-либо не нравится. А также такой характер.

• 이 : 어떤 상태나 상황의 대상이나 동작의 주체를 나타내는 조사.
нет эквивалента
Частица, показывающая какое-либо состояние, объект ситуации или субъект действия.

• **나다 (глагол)** : 어떤 감정이나 느낌이 생기다.
возникать
Появляться (о каких-либо чувствах или ощущении).

• -아서 : 이유나 근거를 나타내는 연결 어미.
нет эквивалента
Соединительное окончание предиката, указывающее на причину или обоснование чего-либо.

• **미치다 (глагол)** : 어떤 상태가 너무 심해서 정신이 없어질 정도로 괴로워하다.
выходить из рамок; переходть границы
Мучаться от какой-либо серьёзной ситуации до умопомрачения.

• -겠- : 완곡하게 말하는 태도를 나타내는 어미.
нет эквивалента
Суффикс глагола или прилагательного, употребляемый для смягчения категоричности высказывания.

• -어요 : (두루높임으로) 어떤 사실을 서술하거나 질문, 명령, 권유함을 나타내는 종결 어미.
нет эквивалента
(нейтрально-вежливый стиль) Финитное окончание предиката в повествовательном, вопросительном или побудительном предложении.

교수님 : 파일 저장하+[ㄹ 때]+마다 '새 이름+으로 저장'+이라고 나오+는데
저장할 때

이제 생각나+는 새 이름+도 없+는데.

• **파일 (имя существительное)** : 컴퓨터의 기억 장치에 일정한 단위로 저장된 정보의 묶음.
файл
Собрание сохранённой по определённому принципу информации в запоминающем устройстве компьютера

• **저장하다 (глагол)** : 물건이나 재화 등을 모아서 보관하다.
хранить; складировать
Отдавать на хранение вещи, имущество и т.п.

• -ㄹ 때 : 어떤 행동이나 상황이 일어나는 동안이나 그 시기 또는 그러한 일이 일어난 경우를 나타내는 표현.
нет эквивалента
Выражение, указывающее на момент или период во времени, когда происходит некое событие, либо случай возникновения такого события.

• 마다 : 하나하나 빠짐없이 모두의 뜻을 나타내는 조사.
каждый
Окончание, указывающее на каждого без исключения.

• **새 (атрибутивное слово)** : 생기거나 만든 지 얼마 되지 않은.
новый
Недавно появившийся или созданный.

• **이름 (имя существительное)** : 다른 것과 구별하기 위해 동물, 사물, 현상 등에 붙여서 부르는 말.
название
Слово, которое употребляется совместно со словом, обозначающим животных, вещи, явления и т.п., что необходимо для различения от других подобных подвидов.

• 으로 : 어떤 일의 방법이나 방식을 나타내는 조사.
нет эквивалента
Частица, указывающая на способ или метод для исполнения какой-либо работы.

• **저장 (имя существительное)** : 물건이나 재화 등을 모아서 보관함.
хранение; складирование
Хранение вещей, имущества и т.п.

• 이라고 : 앞의 말이 원래 말해진 그대로 인용됨을 나타내는 조사.
сказать, что... ; называемый
Окончание, указывающее на использование ранее сказанных слов в их оригинальном содержании.

• **나오다 (глагол)** : 책, 신문, 방송 등에 글이나 그림 등이 실리거나 어떤 내용이 나타나다.
напечататься; выйти в печать; выйти в свет
Находиться в контексте какой-либо книги, газеты, телепередачи и т.п.
(о рисунке или тексте, какой-либо истории и т.п.)

• -는데 : 뒤의 말을 하기 위하여 그 대상과 관련이 있는 상황을 미리 말함을 나타내는 연결 어미.
нет эквивалента
Соединительное окончание, вводящее некую предварительную информацию об объекте, о котором говорится в последующей части предложения.

• **이제 (наречие)** : 말하고 있는 바로 이때에.
теперь
В момент разговора.

• **생각나다 (глагол)** : 새로운 생각이 머릿속에 떠오르다.
приходить в голову
Всплывать в голове (о новых мыслях).

• -는 : 앞의 말이 관형어의 기능을 하게 만들고 사건이나 동작이 현재 일어남을 나타내는 어미.
нет эквивалента
Окончание, которое указывает на действие или событие в настоящем, преобразуя впередистоящее слово, словосочетание или придаточное предложение в определение.

• **새 (имя существительное)** : 몸에 깃털과 날개가 있고 날 수 있으며 다리가 둘인 동물.
птица
Животное, имеющее оперение и крылья, две ноги и умеющее летать.

• **이름 (имя существительное)** : 다른 것과 구별하기 위해 동물, 사물, 현상 등에 붙여서 부르는 말.
название
Слово, которое употребляется совместно со словом, обозначающим животных, вещи, явления и т.п., что необходимо для различения от других подобных подвидов.

• 도 : 이미 있는 어떤 것에 다른 것을 더하거나 포함함을 나타내는 조사.
нет эквивалента
Частица, указывающая на прибавление или включение чего-либо во что-либо уже имеющееся.

• **없다 (имя прилагательное)** : 어떤 물건을 가지고 있지 않거나 자격이나 능력 등을 갖추지 않은 상태이다.
не иметь
Состояние неимения какого-либо предмета, квалификации, способности и т.п.

• -는데 : (두루낮춤으로) 듣는 사람의 반응을 기대하며 어떤 일에 대해 감탄함을 나타내는 종결 어미.
нет эквивалента
(нейтральный стиль) Окончание, передающее восклицание или удивление в ожидании отклика слушающего.

< 12 단원(глава) >

제목 : 이 늦은 시간에 여기서 뭐 하고 계세요?

● 본문 (Основной текст)

늦은 밤 담력 훈련에 참가한 두 여자가 마지막 코스인 공동묘지를 지나가고 있었다.

그녀들은 무서웠지만 애써 태연한 모습으로 걸어가고 있었는데 갑자기 '톡탁톡탁' 하는 소리가 들려오기 시작했다.

깜짝 놀란 두 여자는 공포에 질려 가까스로 천천히 발걸음을 내딛고 있었다.

그때 눈앞에 망치를 들고 정으로 묘비를 쪼고 있는 노인의 모습이 희미하게 보였다.

순간 두 여자는 안도의 한숨을 내쉬며 말했다.

여자 1 : 할아버지, 귀신인 줄 알고 깜짝 놀랐잖아요.

그런데 이 늦은 시간에 여기서 뭐 하고 계세요?

여자 2 : 내일 밝을 때 하시는 게 좋을 것 같아요.

지금은 어두워서 위험하세요.

할아버지 : 음, 오늘 안에 빨리 끝내야 돼.

여자 1 : 그런데 묘비에 무슨 문제라도 있나요?

할아버지 : 글쎄, 어떤 멍청한 녀석들이 묘비에 내 이름을 잘못 써 놨잖아.

● 발음 (произношение)

늦은 밤 담력 훈련에 참가한 두 여자가 마지막 코스인 공동묘지를 지나가고 있었다.
느즌 밤 담녁 훌려네 참가한 두 여자가 마지막 코스인 공동묘지를 지나가고 이썯따.
neujeun bam damnyeok hullyeone chamgahan du yeojaga majimak koseuin gongdongmyojireul jinagago isseotda.

그녀들은 무서웠지만 애써 태연한 모습으로 걸어가고 있었는데 갑자기 '톡탁톡탁' 하는 소리가 들려오기
그녀드른 무서웓찌만 애써 태연한 모스브로 거러가고 이썬는데 갑짜기 '톡탁톡탁' 하는 소리가 들려오기
geunyeodeureun museowotjiman aesseo taeyeonhan moseubeuro georeogago isseonneunde gapjagi 'toktaktoktak' haneun soriga deullyeoogi

시작했다.
시자캗따.
sijakaetda.

깜짝 놀란 두 여자는 공포에 질려 가까스로 천천히 발걸음을 내딛고 있었다.
깜짝 놀란 두 여자는 공포에 질려 가까스로 천천히 발꺼르믈 내딛꼬 이썯따.
kkamjjak nollan du yeojaneun gongpoe jillyeo gakkaseuro cheoncheonhi balgeoreumeul naeditgo isseotda.

그때 눈앞에 망치를 들고 정으로 묘비를 쪼고 있는 노인의 모습이 희미하게 보였다.
그때 누나페 망치를 들고 정으로 묘비를 쪼고 인는 노이네 모스비 히미하게 보엳따.
geuttae nunape mangchireul deulgo jeongeuro myobireul jjogo inneun noinui(noine) moseubi huimihage(himihage) boyeotda.

순간 두 여자는 안도의 한숨을 내쉬며 말했다.
순간 두 여자는 안도에 한수믈 내쉬며 말핻따.
sungan du yeojaneun andoui(andoe) hansumeul naeswimyeo malhaetda.

여자 1 : 할아버지, 귀신인 줄 알고 깜짝 놀랐잖아요.
여자 1 : 하라버지, 귀시닌 줄 알고 깜짝 놀랃짜나요.
yeoja 1 : harabeoji, gwisinin jul algo kkamjjak nollatjanayo.

그런데 이 늦은 시간에 여기서 뭐 하고 계세요?
그런데 이 느즌 시가네 여기서 뭐 하고 게세요?
geureonde i neujeun sigane yeogiseo mwo hago gyeseyo(geseyo)?

여자 2 : 내일 밝을 때 하시는 게 좋을 것 같아요.
여자 2 : 내일 발글 때 하시는 게 조을 껃 가타요.
yeoja 2 : naeil balgeul ttae hasineun ge joeul geot gatayo.

지금은 어두워서 위험하세요.
지그믄 어두워서 위험하세요.
jigeumeun eoduwoseo wiheomhaseyo.

할아버지 : 음, 오늘 안에 빨리 끝내야 돼.
하라버지 : 음, 오늘 아네 빨리 끈내에 돼.
harabeoji : eum, oneul ane ppalli kkeunnaeya dwae.

여자 1 : 그런데 묘비에 무슨 문제라도 있나요?
여자 1 : 그런데 묘비에 무슨 문제라도 인나요?
yeoja 1 : geureonde myobie museun munjerado innayo?

할아버지 : 글쎄, 어떤 멍청한 녀석들이 묘비에 내 이름을 잘못 써 놨잖아.
하라버지 : 글쎄, 어떤 멍청한 녀석드리 묘비에 내 이르믈 잘몯 써 놛짜나.
harabeoji : geulsse, eotteon meongcheonghan nyeoseokdeuri myobie nae ireumeul jalmot sseo nwatjana.

● 어휘 (лексический запас) / 문법 (грамматика)

늦+은 밤 담력 훈련+에 참가하+ㄴ 두 여자+가 마지막 코스+이+ㄴ 공동묘지+를 지나가+고 있+었+다.

그녀+들+은 무섭(무서우)+었+지만 애쓰(애ㅆ)+어 태연하+ㄴ 모습+으로 걸어가+고 있+었+는데 갑자기

'톡탁톡탁' 하+는 소리+가 들려오+기 시작하+였+다.

깜짝 놀라+ㄴ 두 여자+는 공포+에 질리+어 가까스로 천천히 발걸음+을 내딛+고 있+었+다.

그때 눈앞+에 망치+를 들+고 정+으로 묘비+를 쪼+고 있+는 노인+의 모습+이 희미하+게 보이+었+다.

순간 두 여자+는 안도+의 한숨+을 내쉬+며 말하+였+다.

여자 1 : 할아버지, 귀신+이+ㄴ 줄 알+고 깜짝 놀라+았+잖아요.

그런데 이 늦+은 시간+에 여기+서 뭐 하+고 계시+어요?

여자 2 : 내일 밝+을 때 하+시+는 것(거)+이 좋+을 것 같+아요.

지금+은 어둡(어두우)+어서 위험하+세요.

할아버지 : 음, 오늘 안+에 빨리 끝내+(어)야 되+어.

여자 1 : 그런데 묘비+에 무슨 문제+라도 있+나요?

할아버지 : 글쎄, 어떤 멍청하+ㄴ 녀석+들+이 묘비+에 나+의 이름+을 잘못

쓰(ㅆ)+어 놓+았+잖아.

늦+은 밤 담력 훈련+에 참가하+ㄴ 두 여자+가 마지막 코스+이+ㄴ 공동묘지+를 지나가+[고 있]+었+다. **참가한** **코스인** **지나가고 있었다**

• **늦다 (имя прилагательное)** : 적당한 때를 지나 있다. 또는 시기가 한창인 때를 지나 있다.
поздний
Представляющий конечный этап какого-либо отрезка времени.

• -은 : 앞의 말이 관형어의 기능을 하게 만들고 현재의 상태를 나타내는 어미.
нет эквивалента
Окончание, которое указывает на состояние лица или предмета в настоящем, преобразуя впередистоящее слово, словосочетание или придаточное предложение в определение.

• **밤 (имя существительное)** : 해가 진 후부터 다음 날 해가 뜨기 전까지의 어두운 동안.
ночь
Тёмное время суток от захода до восхода солнца.

• **담력 (имя существительное)** : 겁이 없고 용감한 기운.
смелость
Бесстрашная и смелая энергия.

• **훈련 (имя существительное)** : 가르쳐서 익히게 함.
тренировка
Учение и введение в привычку.

• 에 : 앞말이 목적지이거나 어떤 행위의 진행 방향임을 나타내는 조사.
нет эквивалента
Окончание, указывающее на направленность какого-либо действия или цели.

• **참가하다 (глагол)** : 모임이나 단체, 경기, 행사 등의 자리에 가서 함께하다.
участвовать в чём-либо; принимать участие в чём-либо
Вместе участвовать в деятельности какой-либо организации, соревновании, мероприятии и т.п.

• -ㄴ : 앞의 말이 관형어의 기능을 하게 만들고 사건이나 동작이 과거에 일어났음을 나타내는 어미.
нет эквивалента
Окончание, которое указывает на действие или событие в прошлом, преобразуя впередистоящее слово, словосочетание или придаточное предложение в определение.

• **두 (атрибутивное слово)** : 둘의.
два
Два по количеству.

• **여자 (имя существительное)** : 여성으로 태어난 사람.
женщина
Человек женского пола.

• 가 : 어떤 상태나 상황에 놓인 대상이나 동작의 주체를 나타내는 조사.
нет эквивалента
Окончание, указывающее на объект какой-либо ситуации, состояния или на лицо, выполняющее какое-либо действие.

• **마지막 (имя существительное)** : 시간이나 순서의 맨 끝.
последнее; конец; последний; конечный; окончательный; заключительный
Последний момент чего-либо протекающего во времени или завершающий этап какого-либо действия, дела, занятия.

• **코스 (имя существительное)** : 어떤 목적에 따라 정해진 길.
маршрут
Путь следования кого-либо, чего-либо, обычно заранее намеченный и с указанием остановочных пунктов.

• 이다 : 주어가 지시하는 대상의 속성이나 부류를 지정하는 뜻을 나타내는 서술격 조사.
нет эквивалента
Суффикс повествовательного падежа, выражающий смысл наименования свойства или разряда объекта, на который указывает подлежащее.

• -ㄴ : 앞의 말이 관형어의 기능을 하게 만들고 현재의 상태를 나타내는 어미.
нет эквивалента
Окончание, которое указывает на состояние лица или предмета в настоящем, преобразуя впередистоящее слово, словосочетание или придаточное предложение в определение.

• **공동묘지 (имя существительное)** : 한 지역에 여러 사람의 무덤이 있어 공동으로 관리하는 무덤.
общественное кладбище
Кладбище, которое совместно используется людьми для захоронения.

• 를 : 동작의 도착지나 동작이 이루어지는 장소를 나타내는 조사.
нет эквивалента
Частица, указывающая на конечную цель действия или место, где происходит действие.

• **지나가다 (глагол)** : 어떤 곳을 통과하여 가다.
проходить; проезжать
Проходить через какое-либо место.

• -고 있다 : 앞의 말이 나타내는 행동이 계속 진행됨을 나타내는 표현.
нет эквивалента
Выражение, указывающее на длительность действия.

• -었- : 사건이 과거에 일어났음을 나타내는 어미.
нет эквивалента
Окончание прошедшего времени.

• -다 : 어떤 사건이나 사실, 상태를 서술함을 나타내는 종결 어미.
нет эквивалента
Финитное окончание, выражающее изложение события или факта в настоящем времени.

그녀+들+은 무섭(무서우)+었+지만 애쓰(애ㅆ)+어 태연하+ㄴ 모습+으로 걸어가+[고 있]+었+는데
무서웠지만 **애써** **태연한**

갑자기 '톡탁톡탁' 하+는 소리+가 들려오+기 시작하+였+다.
시작했다

• **그녀 (местоимение)** : 앞에서 이미 이야기한 여자를 가리키는 말.
она
Слово, указывающее на лицо женского пола, которое было названо ранее.

• 들 : '복수'의 뜻을 더하는 접미사.
нет эквивалента
Суффикс со значением множественного числа.

• 은 : 문장 속에서 어떤 대상이 화제임을 나타내는 조사.
нет эквивалента
Частица, показывающая то, что какой-то объект является главной темой в предложении.

• **무섭다 (имя прилагательное)** : 어떤 대상이 꺼려지거나 무슨 일이 일어날까 두렵다.
страшный
Внушающий чувство страха при возникновении чего-либо.

• -었- : 사건이 과거에 일어났음을 나타내는 어미.
нет эквивалента
Окончание прошедшего времени.

• -지만 : 앞에 오는 말을 인정하면서 그와 반대되거나 다른 사실을 덧붙일 때 쓰는 연결 어미.
нет эквивалента
Соединительное окончание, при котором в оформленной им придаточной части содержится допущение либо признание некого факта, а в последующей главной части следует противоречащий или не соответствующий ему факт.

• **애쓰다 (глагол)** : 무엇을 이루기 위해 힘을 들이다.
стараться
Прилагать усилия для выполнения, осуществления чего-либо.

• -어 : 앞의 말이 뒤의 말보다 먼저 일어났거나 뒤의 말에 대한 방법이나 수단이 됨을 나타내는 연결 어미.
нет эквивалента
Соединительное окончание, указывающее на то, что действие, описанное в первой части предложения произошло раньше действия, описанного во второй части предложения, или на то, что оно является способом или средством его выполнения.

• **태연하다 (имя прилагательное)** : 당연히 머뭇거리거나 두려워할 상황에서 태도나 얼굴빛이 아무렇지도 않다.
спокойный; невозмутимый
Не имеющий каких-либо изменений в выражении лица или поведении в ситуации, которая несомненно должна вызывать страх или колебания.

• -ㄴ : 앞의 말이 관형어의 기능을 하게 만들고 현재의 상태를 나타내는 어미.
нет эквивалента
Окончание, которое указывает на состояние лица или предмета в настоящем, преобразуя впередистоящее слово, словосочетание или придаточное предложение в определение.

• **모습 (имя существительное)** : 겉으로 드러난 상태나 모양.
облик; наружность; внешний вид; образ
Внешне проявляющееся состояние или форма.

• 으로 : 어떤 일의 방법이나 방식을 나타내는 조사.
нет эквивалента
Частица, указывающая на способ или метод для исполнения какой-либо работы.

• **걸어가다 (глагол)** : 목적지를 향하여 다리를 움직여 나아가다.
идти; ходить пешком
Делая шаги, перемещаться, двигаться по направлению к определённому месту. Передвигаться на собственных ногах.

• -고 있다 : 앞의 말이 나타내는 행동이 계속 진행됨을 나타내는 표현.
нет эквивалента
Выражение, указывающее на длительность действия.

• -었- : 사건이 과거에 일어났음을 나타내는 어미.
нет эквивалента
Окончание прошедшего времени.

• -는데 : 뒤의 말을 하기 위하여 그 대상과 관련이 있는 상황을 미리 말함을 나타내는 연결 어미.
нет эквивалента
Соединительное окончание, вводящее некую предварительную информацию об объекте, о котором говорится в последующей части предложения.

• **갑자기 (наречие)** : 미처 생각할 틈도 없이 빨리.
внезапно; вдруг
Настолько быстро и неожиданно, что даже не успел подумать.

• **톡탁톡탁 (наречие)** : 단단한 물건을 계속해서 가볍게 두드리는 소리.
нет эквивалента
О звуке лёгкого постукивания по твёрдому предмету.

• **하다 (глагол)** : 그런 소리가 나다. 또는 그런 소리를 내다.
нет эквивалента
Произноситься, производиться или произносить такой звук.

• -는 : 앞의 말이 관형어의 기능을 하게 만들고 사건이나 동작이 현재 일어남을 나타내는 어미.
нет эквивалента
Окончание, которое указывает на действие или событие в настоящем, преобразуя впередистоящее слово, словосочетание или придаточное предложение в определение.

• **소리 (имя существительное)** : 물체가 진동하여 생긴 음파가 귀에 들리는 것.
звук
То, что создаёт вибрационные волны, которые слышатся ухом.

• 가 : 어떤 상태나 상황에 놓인 대상이나 동작의 주체를 나타내는 조사.
нет эквивалента
Окончание, указывающее на объект какой-либо ситуации, состояния или на лицо, выполняющее какое-либо действие.

• **들려오다 (глагол)** : 어떤 소리나 소식 등이 들리다.
доноситься; слышаться
Слышаться (о каком-либо звуке или известии и т. п.).

• -기 : 앞의 말이 명사의 기능을 하게 하는 어미.
нет эквивалента
Окончание, позволяющее впередистоящему слову или выражению выполнять функцию имени существительного.

• **시작하다 (глагол)** : 어떤 일이나 행동의 처음 단계를 이루거나 이루게 하다.
начинать
Приступать впервые к осуществлению какого-либо дела или действия или осущетсвлять что-либо.

• -였- : 사건이 과거에 일어났음을 나타내는 어미.
нет эквивалента
Окончание прошедшего времени.

• -다 : 어떤 사건이나 사실, 상태를 서술함을 나타내는 종결 어미.
нет эквивалента
Финитное окончание, выражающее изложение события или факта в настоящем времени.

깜짝 놀라+ㄴ 두 여자+는 공포+에 질리+어 가까스로 천천히 발걸음+을 내딛+[고 있]+었+다. **놀란** **질려**

• **깜짝 (наречие)** : 갑자기 놀라는 모양.
нет эквивалента
О резком, сильном испуге.

• **놀라다 (глагол)** : 뜻밖의 일을 당하거나 무서워서 순간적으로 긴장하거나 가슴이 뛰다.
пугаться
Перепугаться из-за чего-либо неожиданного или удивиться.

• -ㄴ : 앞의 말이 관형어의 기능을 하게 만들고 사건이나 동작이 과거에 일어났음을 나타내는 어미.
нет эквивалента
Окончание, которое указывает на действие или событие в прошлом, преобразуя впередистоящее слово, словосочетание или придаточное предложение в определение.

• **두 (атрибутивное слово)** : 둘의.
два
Два по количеству.

• **여자 (имя существительное)** : 여성으로 태어난 사람.
женщина
Человек женского пола.

• 는 : 문장 속에서 어떤 대상이 화제임을 나타내는 조사.
нет эквивалента
Частица, показывающая то, что какой-то объект является главной темой в предложении.

• **공포 (имя существительное)** : 두렵고 무서움.
ужас; страх
Испуг, боязнь.

• 에 : 앞말이 어떤 일의 원인임을 나타내는 조사.
нет эквивалента
Окончание, указывающее на причину какого-либо дела.

• **질리다 (глагол)** : 몹시 놀라거나 무서워서 얼굴빛이 변하다.
побелеть
Поменять цвет лица от страха или испуга.

• -어 : 앞에 오는 말이 뒤에 오는 말에 대한 원인이나 이유임을 나타내는 연결 어미.
нет эквивалента
Соединительное окончание, указывающее на то, что действие первой части предложения является причиной или основанием действия, описанного во второй части предложения.

• **가까스로 (наречие)** : 매우 어렵게 힘을 들여.
нет эквивалента
С трудом; только-только.

• **천천히 (наречие)** : 움직임이나 태도가 느리게.
Медленно
не торопясь, медлительно (о движении или отношении к чему-либо).

• **발걸음 (имя существительное)** : 발을 옮겨 걷는 동작.
шаг; походка; ходьба
Движение ногами при ходьбе.

• 을 : 동작이 직접적으로 영향을 미치는 대상을 나타내는 조사.
нет эквивалента
Частица, указывающая на объект, на который действие оказывает непосредственное влияние.

• **내딛다 (глагол)** : 서 있다가 앞쪽으로 발을 옮기다.
делать шаг вперёд
Стоя на месте передвинуть одну ногу вперёд.

• -고 있다 : 앞의 말이 나타내는 행동이 계속 진행됨을 나타내는 표현.
нет эквивалента
Выражение, указывающее на длительность действия.

• -었- : 사건이 과거에 일어났음을 나타내는 어미.
нет эквивалента
Окончание прошедшего времени.

• -다 : 어떤 사건이나 사실, 상태를 서술함을 나타내는 종결 어미.
нет эквивалента
Финитное окончание, выражающее изложение события или факта в настоящем времени.

그때 눈앞+에 망치+를 들+고 정+으로 묘비+를 쪼+[고 있]+는 노인+의 모습+이 희미하+게 보이+었+다. **보였다**

• **그때 (имя существительное)** : 앞에서 이야기한 어떤 때.
в то время; тогда
В какое-то время, о котором упоминалось ранее.

• **눈앞 (имя существительное)** : 눈에 바로 보이는 곳.
нет эквивалента
Что-либо прямо перед глазами.

• 에 : 앞말이 어떤 장소나 자리임을 나타내는 조사.
нет эквивалента
Окончание, указывающее на какое-либо место или пространство.

• **망치 (имя существительное)** : 쇠뭉치에 손잡이를 달아 단단한 물건을 두드리거나 못을 박는 데 쓰는 연장.
молоток
Ручной инструмент в виде металлического бруска, насаженного на рукоятку, служащий для забивания гвоздей, ударов по чему-либо и т.п.

• 를 : 동작이 직접적으로 영향을 미치는 대상을 나타내는 조사.
нет эквивалента
Частица, указывающая на объект, на который действие оказывает непосредственное влияние.

• **들다 (глагол)** : 손에 가지다.
взять; держать
Брать что-либо в руки.

• -고 : 앞의 말이 나타내는 행동이나 그 결과가 뒤에 오는 행동이 일어나는 동안에 그대로 지속됨을 나타내는 연결 어미.
нет эквивалента
Соединительное окончание предиката, указывающее на продолжение действия, описанного в первой части предложения, или на сохранение результата данного действия в течение времени выполнения действия, описанного во второй части предложения.

• **정 (имя существительное)** : 돌에 구멍을 뚫거나 돌을 쪼아서 다듬는 데 쓰는 쇠로 만든 연장.
зубило; бур
Железный инструмент, используемый для сверления отверстия в камне или же обтёсывания камня.

• 으로 : 어떤 일의 수단이나 도구를 나타내는 조사.
нет эквивалента
Частица, указывающая на средство или инструмент для исполнения какой-либо работы.

• **묘비 (имя существительное)** : 죽은 사람의 이름, 출생일, 사망일, 행적, 신분 등을 새겨서 무덤 앞에 세우는 비석.
могильная плита; надгробный камень; надгробный памятник
Памятник, надгробие, на котором написаны имя, дата рождения и смерти, титул умершего человека.

• 를 : 동작이 직접적으로 영향을 미치는 대상을 나타내는 조사.
нет эквивалента
Частица, указывающая на объект, на который действие оказывает непосредственное влияние.

• **쪼다 (глагол)** : 뾰족한 끝으로 쳐서 찍다.
клевать; отщипывать
Покалывая, бить чем-либо острым.

• -고 있다 : 앞의 말이 나타내는 행동이 계속 진행됨을 나타내는 표현.
нет эквивалента
Выражение, указывающее на длительность действия.

• -는 : 앞의 말이 관형어의 기능을 하게 만들고 사건이나 동작이 현재 일어남을 나타내는 어미.
нет эквивалента
Окончание, которое указывает на действие или событие в настоящем, преобразуя впередистоящее слово, словосочетание или придаточное предложение в определение.

• **노인 (имя существительное)** : 나이가 들어 늙은 사람.
пожилой человек; старый человек; старик, старуха
Человек преклонного возраста.

• 의 : 앞의 말이 뒤의 말에 대하여 소유, 소속, 소재, 관계, 기원, 주체의 관계를 가짐을 나타내는 조사.
нет эквивалента
Частица, указывающая на то, что в предыдущем слове содержится значение собственности, принадлежности, сырья, источника, основы в отношении последующего.

• **모습 (имя существительное)** : 사람이나 사물의 생김새.
облик; наружность; фигура; форма
Внешний вид человека или предмета.

• 이 : 어떤 상태나 상황의 대상이나 동작의 주체를 나타내는 조사.
нет эквивалента
Окончание, указывающее на объект какой-либо ситуации, состояния или на лицо, выполняющее какое-либо действие.

• **희미하다 (имя прилагательное)** : 분명하지 못하고 흐릿하다.
тусклый; мутный; расплывчатый
Неточный, неясный.

• -게 : 앞의 말이 뒤에서 가리키는 일의 목적이나 결과, 방식, 정도 등이 됨을 나타내는 연결 어미.
нет эквивалента
Соединительное окончание предиката, указывающее на то, описанное в первой части предложения действие или состояние является целью, результатом, образом действия, степенью и т.п. того, о чём говорится в последующей главной части предложения.

• **보이다 (глагол)** : 눈으로 대상의 존재나 겉모습을 알게 되다.
быть видным; виднеться
Ознакамливаться зрительно (о существовании какого-либо объекта или формы).

• -었- : 사건이 과거에 일어났음을 나타내는 어미.
нет эквивалента
Окончание прошедшего времени.

• -다 : 어떤 사건이나 사실, 상태를 서술함을 나타내는 종결 어미.
нет эквивалента
Финитное окончание, выражающее изложение события или факта в настоящем времени.

순간 두 여자+는 안도+의 한숨+을 내쉬+며 말하+였+다.
말했다

• **순간 (имя существительное)** : 어떤 일이 일어나거나 어떤 행동이 이루어지는 바로 그때.
момент
Промежуток времени, когда произошло какое-либо событие или было совершенно какое-либо действие.

• **두 (атрибутивное слово)** : 둘의.
два
Два по количеству.

• **여자 (имя существительное)** : 여성으로 태어난 사람.
женщина
Человек женского пола.

• 는 : 문장 속에서 어떤 대상이 화제임을 나타내는 조사.
нет эквивалента
Частица, показывающая то, что какой-то объект является главной темой в предложении.

• **안도 (имя существительное)** : 어떤 일이 잘되어 마음을 놓음.
спокойствие; успокоение
Спокойствие, наступающее в связи с успешным развитием дела.

• 의 : 앞의 말이 뒤의 말에 대하여 속성이나 수량을 한정하거나 같은 자격임을 나타내는 조사.
нет эквивалента
Частица, указывающая на ограниченные свойства или количество или одинаковые признаки, выраженные в предыдущем слове по отношению к последующему.

• **한숨 (имя существительное)** : 걱정이 있을 때나 긴장했다가 마음을 놓을 때 길게 몰아서 내쉬는 숨.
тяжёлый вздох; короткий сон
Задержанное дыхание, выдыхаемое в спокойном состоянии организма после каких-либо переживаний или напряжённого состояния.

• 을 : 동작이 직접적으로 영향을 미치는 대상을 나타내는 조사.
нет эквивалента
Частица, указывающая на объект, на который действие оказывает непосредственное влияние.

• **내쉬다 (глагол)** : 숨을 몸 밖으로 내보내다.
выдыхать; делать выдох
Дыханием выталкивать воздух из лёгких.

• -며 : 두 가지 이상의 동작이나 상태가 함께 일어남을 나타내는 연결 어미.
нет эквивалента
Соединительное окончание предиката, указывающее на одновременность двух или более действий или состояний.

• **말하다 (глагол)** : 어떤 사실이나 자신의 생각 또는 느낌을 말로 나타내다.
говорить
Выражать словесно какой-либо факт, собственные мысли, чувства.

• -였- : 사건이 과거에 일어났음을 나타내는 어미.
нет эквивалента
Окончание прошедшего времени.

• -다 : 어떤 사건이나 사실, 상태를 서술함을 나타내는 종결 어미.
нет эквивалента
Финитное окончание, выражающее изложение события или факта в настоящем времени.

여자 1 : 할아버지, 귀신+이+[ㄴ 줄] 알+고 깜짝 놀라+았+잖아요. 귀신인 줄 놀랐잖아요

• **할아버지 (имя существительное)** : (친근하게 이르는 말로) 늙은 남자를 이르거나 부르는 말.
дедушка
(дружеств.) Слово, употребляемое при обращении к пожилому мужчине или его упоминании.

• **귀신 (имя существительное)** : 사람이 죽은 뒤에 남는다고 하는 영혼.
душа покойника; привидение; призрак
Душа умершего человека, оставшаяся на земле.

• 이다 : 주어가 지시하는 대상의 속성이나 부류를 지정하는 뜻을 나타내는 서술격 조사.
нет эквивалента
Суффикс повествовательного падежа, выражающий смысл наименования свойства или разряда объекта, на который указывает подлежащее.

• -ㄴ 줄 : 어떤 사실이나 상태에 대해 알고 있거나 모르고 있음을 나타내는 표현.
нет эквивалента
Выражение, указывающее на наличие или отсутствие какого-либо знания, умения или навыка.

• **알다 (глагол)** : 교육이나 경험, 생각 등을 통해 사물이나 상황에 대한 정보 또는 지식을 갖추다.
знать
Владеть информацией или знаниями о предметах или ситуации через обучение, опыт, размышление и т.п.

• -고 : 앞의 말과 뒤의 말이 차례대로 일어남을 나타내는 연결 어미.
нет эквивалента
Соединительное окончание предиката, указывающее на последовательность действий.

• **깜짝 (наречие)** : 갑자기 놀라는 모양.
нет эквивалента
О резком, сильном испуге.

• **놀라다 (глагол)** : 뜻밖의 일을 당하거나 무서워서 순간적으로 긴장하거나 가슴이 뛰다.
пугаться
Перепугаться из-за чего-либо неожиданного или удивиться.

• -았- : 어떤 사건이 과거에 완료되었거나 그 사건의 결과가 현재까지 지속되는 상황을 나타내는 어미.
нет эквивалента
Окончание, указывающее на полное завершение какого-либо события в прошлом и сохранения данного результата до настоящего времени.

• -잖아요 : (두루높임으로) 어떤 상황에 대해 말하는 사람이 상대방에게 확인하거나 정정해 주듯이 말함을 나타내는 표현.
нет эквивалента
(нейтрально-вежливый стиль) Выражение, используемое при обращении к собеседнику с уточнением или поправкой.

여자 1 : 그런데 이 늦+은 시간+에 여기+서 뭐 <u>하+[고 계시]+어요</u>? **하고 계세요**

• **그런데 (наречие)** : 이야기를 앞의 내용과 관련시키면서 다른 방향으로 바꿀 때 쓰는 말.
а
Слово, используемое для установления связи с содержанием предыдущего разговора и смены темы разговора.

• **이 (атрибутивное слово)** : 말하는 사람에게 가까이 있거나 말하는 사람이 생각하고 있는 대상을 가리킬 때 쓰는 말.
этот; это
Слово, указывающее на что-либо, находящееся возле говорящего, или на то, о чём он думает.

• **늦다 (имя прилагательное)** : 적당한 때를 지나 있다. 또는 시기가 한창인 때를 지나 있다.
поздний
Представляющий конечный этап какого-либо отрезка времени.

• -은 : 앞의 말이 관형어의 기능을 하게 만들고 현재의 상태를 나타내는 어미.
нет эквивалента
Окончание, которое указывает на состояние лица или предмета в настоящем, преобразуя впередистоящее слово, словосочетание или придаточное предложение в определение.

• **시간 (имя существительное)** : 어떤 일을 하도록 정해진 때. 또는 하루 중의 어느 한 때.
пора; время
Подходящее время для выполнения какой-либо работы, а так же определённая часть дня.

• 에 : 앞말이 시간이나 때임을 나타내는 조사.
нет эквивалента
Окончание, указывающее на время или период времени.

• **여기 (местоимение)** : 말하는 사람에게 가까운 곳을 가리키는 말.
здесь; тут; в этом месте
Слово, указывающее на место, близкое к говорящему.

• 서 : 앞말이 행동이 이루어지고 있는 장소임을 나타내는 조사.
в; там; на; где
Окончание, указывающее на место действия впередистоящего слова.

• **뭐 (местоимение)** : 모르는 사실이나 사물을 가리키는 말.
что
Используется для указания на неизвестный предмет или факт.

• **하다 (глагол)** : 어떤 행동이나 동작, 활동 등을 행하다.
делать
Выполнять какое-либо действие, движение, работу и т.п.

• -고 계시다 : (높임말로) 앞의 말이 나타내는 행동이 계속 진행됨을 나타내는 표현.
нет эквивалента
(вежл.) Выражение, указывающее на длительность действия.

• -어요 : (두루높임으로) 어떤 사실을 서술하거나 질문, 명령, 권유함을 나타내는 종결 어미.
нет эквивалента
(нейтрально-вежливый стиль) Финитное окончание предиката в повествовательном, вопросительном или побудительном предложении.

여자 2 : 내일 밝+[을 때] 하+시+[는 것(거)]+이 좋+[을 것 같]+아요. **하시는 게**

• **내일 (наречие)** : 오늘의 다음 날에.
завтра; завтрашний день
В день, следующий за сегодняшним.

• **밝다 (имя прилагательное)** : 빛을 많이 받아 어떤 장소가 환하다.
светлый; освещённый
Заполненный ярким светом.

• -을 때 : 어떤 행동이나 상황이 일어나는 동안이나 그 시기 또는 그러한 일이 일어난 경우를 나타내는 표현.
когда
Выражение, указывающее на момент или период во времени, когда происходит некое событие, либо случай возникновения такого события.

• **하다 (глагол)** : 어떤 행동이나 동작, 활동 등을 행하다.
делать
Выполнять какое-либо действие, движение, работу и т.п.

• -시- : 어떤 동작이나 상태의 주체를 높이는 뜻을 나타내는 어미.
нет эквивалента
Гонорифический глагольный суффикс, указывающий на почтительное отношение к субъекту какого-либо состояния или действия.

• -는 것 : 명사가 아닌 것을 문장에서 명사처럼 쓰이게 하거나 '이다' 앞에 쓰일 수 있게 할 때 쓰는 표현.
нет эквивалента
Выражение, субстантивирующее предшествующее слово неименной части речи или группу слов, которое также может употребляться с глаголом-связкой '이다'.

• 이 : 어떤 상태나 상황의 대상이나 동작의 주체를 나타내는 조사.
нет эквивалента
Окончание, указывающее на объект какой-либо ситуации, состояния или на лицо, выполняющее какое-либо действие.

• **좋다 (имя прилагательное)** : 어떤 일을 하기가 쉽거나 편하다.
нет эквивалента
Лёгкий или удобный в выполнении (о каком-либо деле).

• -을 것 같다 : 추측을 나타내는 표현.
кажется, что …; вероятно; похоже
Выражение предположения.

• -아요 : (두루높임으로) 어떤 사실을 서술하거나 질문, 명령, 권유함을 나타내는 종결 어미.
нет эквивалента
(нейтрально-вежливый стиль) Финитное окончание предиката в повествовательном, вопросительном или побудительном предложении.

여자 2 : 지금+은 <u>어둡(어두우)+어서</u> 위험하+세요. **어두워서**

• **지금 (имя существительное)** : 말을 하고 있는 바로 이때.
сейчас; теперь
Прямо в то время, когда говоришь.

• 은 : 문장 속에서 어떤 대상이 화제임을 나타내는 조사.
нет эквивалента
Частица, показывающая то, что какой-то объект является главной темой в предложении.

• **어둡다 (имя прилагательное)** : 빛이 없거나 약해서 밝지 않다.
тёмный
Плохо освещённый из-за слабого света или его отсутствия.

• -어서 : 이유나 근거를 나타내는 연결 어미.
нет эквивалента
Соединительное окончание предиката, указывающее на причину или обоснование чего-либо.

• **위험하다 (имя прилагательное)** : 해를 입거나 다칠 가능성이 있어 안전하지 못하다.
опасный; рискованный
Небезопасный из-за возможности понесения ущерба или получения травмы.

• -세요 : (두루높임으로) 설명, 의문, 명령, 요청의 뜻을 나타내는 종결 어미.
нет эквивалента
(нейтрально-вежливый стиль) Финитное окончание предиката в повествовательном, вопросительном или побудительном предложении.

할아버지 : 음, 오늘 안+에 빨리 <u>끝내+[(어)야 되]+어</u>. **끝내야 돼**

• **음 (восклицание)** : 마음에 들지 않거나 걱정스러울 때 하는 소리.
нет эквивалента
Употребляется при выражении беспокойства, не расположенности к чему-либо.

• **오늘 (наречие)** : 지금 지나가고 있는 이날.
сегодня
Этот текущий день.

• **안 (имя существительное)** : 일정한 기준이나 한계를 넘지 않은 정도.
в пределах чего-либо
Не превышая норму или определённый уровень чего-либо.

• 에 : 앞말이 시간이나 때임을 나타내는 조사.
нет эквивалента
Окончание, указывающее на время или период времени.

• **빨리 (наречие)** : 걸리는 시간이 짧게.
быстро
За короткий срок.

• **끝내다 (глагол)** : 일을 마지막까지 이루다.
заканчивать; кончать; завершать
Завершать какое-либо дело.

• -어야 되다 : 반드시 그럴 필요나 의무가 있음을 나타내는 표현.
нет эквивалента
Выражение, указывающее на обязательство или абсолютную необходимость какого-либо действия или состояния.

• -어 : (두루낮춤으로) 어떤 사실을 서술하거나 물음, 명령, 권유를 나타내는 종결 어미.
нет эквивалента
(нейтральный стиль) Финитное окончание предиката в повествовательном, вопросительном или побудительном предложении.

여자 1 : 그런데 묘비+에 무슨 문제+라도 있+나요?

• **그런데 (наречие)** : 이야기를 앞의 내용과 관련시키면서 다른 방향으로 바꿀 때 쓰는 말.
а
Слово, используемое для установления связи с содержанием предыдущего разговора и смены темы разговора.

• **묘비 (имя существительное)** : 죽은 사람의 이름, 출생일, 사망일, 행적, 신분 등을 새겨서 무덤 앞에 세우는 비석.
могильная плита; надгробный камень; надгробный памятник
Памятник, надгробие, на котором написаны имя, дата рождения и смерти, титул умершего человека.

• 에 : 앞말이 어떤 장소나 자리임을 나타내는 조사.
нет эквивалента
Окончание, указывающее на какое-либо место или пространство.

• **무슨 (атрибутивное слово)** : 확실하지 않거나 잘 모르는 일, 대상, 물건 등을 물을 때 쓰는 말.
какой; который
Слово, используемое при вопросе относительно каких-либо неопределённых или неизвестных дел, объектов, предметов.

• **문제 (имя существительное)** : 난처하거나 해결하기 어려운 일.
проблема
Затруднительное или тяжело решаемое дело.

• 라도 : 불확실한 사실에 대한 말하는 이의 의심이나 의문을 나타내는 조사.
нет эквивалента
Частица, указывающая на вопрос или сомнение того, кто говорит о недостоверном факте.

• **있다 (имя прилагательное)** : 어떤 사람에게 무슨 일이 생긴 상태이다.
нет эквивалента
Случиться.

• -나요 : (두루높임으로) 앞의 내용에 대해 상대방에게 물어볼 때 쓰는 표현.
нет эквивалента
(нейтрально-вежливый стиль) Выражение, употребляемое при обращении с вопросом к собеседнику.

할아버지 : 글쎄, 어떤 멍청하+ㄴ 녀석+들+이 묘비+에 나+의 이름+을 잘못
멍청한 **내**

쓰(ㅆ)+[어 놓]+았+잖아.
써 놨잖아

• **글쎄 (восклицание)** : 말하는 이가 자신의 뜻이나 주장을 다시 강조하거나 고집할 때 쓰는 말.
ну да; а как же
Восклицание, которое говорящий использует, чтобы акцентировать своё утверждение или настоять на своём.

• **어떤 (атрибутивное слово)** : 굳이 말할 필요가 없는 대상을 뚜렷하게 밝히지 않고 나타낼 때 쓰는 말.
какой; какой бы то ни был; какой-либо
Слова, используемые в случае, если не надо раскрывать в точности и специально упоминать какой-либо объект.

• **멍청하다 (имя прилагательное)** : 일을 제대로 판단하지 못할 정도로 어리석다.
глупый
Недалёкий, не имеющий ни малейшего представления о чём-либо.

• -ㄴ : 앞의 말이 관형어의 기능을 하게 만들고 현재의 상태를 나타내는 어미.
нет эквивалента
Окончание, которое указывает на состояние лица или предмета в настоящем, преобразуя впередистоящее слово, словосочетание или придаточное предложение в определение.

• **녀석 (имя существительное)** : (낮추는 말로) 남자.
Тип, щенок
(груб.) мужчина.

• 들 : '복수'의 뜻을 더하는 접미사.
нет эквивалента
Суффикс со значением множественного числа.

• 이 : 어떤 상태나 상황의 대상이나 동작의 주체를 나타내는 조사.
нет эквивалента
Окончание, указывающее на объект какой-либо ситуации, состояния или на лицо, выполняющее какое-либо действие.

• **묘비 (имя существительное)** : 죽은 사람의 이름, 출생일, 사망일, 행적, 신분 등을 새겨서 무덤 앞에 세우는 비석.
могильная плита; надгробный камень; надгробный памятник
Памятник, надгробие, на котором написаны имя, дата рождения и смерти, титул умершего человека.

• 에 : 앞말이 어떤 장소나 자리임을 나타내는 조사.
нет эквивалента
Окончание, указывающее на какое-либо место или пространство.

• **나 (местоимение)** : 말하는 사람이 친구나 아랫사람에게 자기를 가리키는 말.
я
Выражение, которым называют себя в разговоре с ровесниками или младшими людьми.

• 의 : 앞의 말이 뒤의 말에 대하여 소유, 소속, 소재, 관계, 기원, 주체의 관계를 가짐을 나타내는 조사.
нет эквивалента
Частица, указывающая на то, что в предыдущем слове содержится значение собственности, принадлежности, сырья, источника, основы в отношении последующего.

• **이름 (имя существительное)** : 사람의 성과 그 뒤에 붙는 그 사람만을 부르는 말.
имя человека
Слово, употребляемое после фамилии, называющее человека.

• 을 : 동작이 직접적으로 영향을 미치는 대상을 나타내는 조사.
нет эквивалента
Частица, указывающая на объект, на который действие оказывает непосредственное влияние.

• **잘못 (наречие)** : 바르지 않게 또는 틀리게.
ошибочно; неправильно
Неверно, а также ошибочно.

• **쓰다 (глагол)** : 연필이나 펜 등의 필기도구로 종이 등에 획을 그어서 일정한 글자를 적다.
выписывать; вычерчивать
Писать определённые буквы на бумаге и т.д. с помощью ручки, карандаша и т.д.

• -어 놓다 : 앞의 말이 나타내는 행동을 끝내고 그 결과를 유지함을 나타내는 표현.
нет эквивалента
Выражение, указывающее на завершение какого-либо действия и сохранение его результатов.

• -았- : 어떤 사건이 과거에 완료되었거나 그 사건의 결과가 현재까지 지속되는 상황을 나타내는 어미.
нет эквивалента
Окончание, указывающее на полное завершение какого-либо события в прошлом и сохранения данного результата до настоящего времени.

• -잖아 : (두루낮춤으로) 어떤 상황에 대해 말하는 사람이 상대방에게 확인하거나 정정해 주듯이 말함을 나타내는 표현.
нет эквивалента
(нейтральный стиль) Выражение, используемое при обращении к собеседнику с уточнением или поправкой.

< 13 단원(глава) >

제목 : 엄마는 왜 흰머리가 있어?

● 본문 (Основной текст)

어느 날 설거지를 하고 있는 엄마에게 어린 딸이 머리를 갸우뚱거리며 질문을 했다.

딸 : 엄마 머리 앞쪽에 하얀색 머리카락이 있어.

엄마 : 이제 엄마도 흰머리가 점점 많이 생기네.

딸 : 나는 흰머리가 없는데 엄마는 왜 흰머리가 있어?

흰머리가 왜 생기는지 궁금해.

엄마 : 우리 딸이 엄마 말을 안 들어서 엄마가 속이 상하거나 슬퍼지면 흰머리가 한 개씩 생기더라고.

그러니까 앞으로 엄마가 하는 말 잘 들어야 돼.

딸은 잠시 동안 생각을 하다가 엄마에게 다시 물었다.

딸 : 엄마, 외할머니 머리는 전부 하얀색인데?

● 발음 (произношение)

어느 날 설거지를 하고 있는 엄마에게 어린 딸이 머리를 갸우뚱거리며 질문을 했다.
어느 날 설거지를 하고 인는 엄마에게 어린 따리 머리를 갸우뚱거리며 질무늘 핻따.
eoneu nal seolgeojireul hago inneun eommaege eorin ttari meorireul gyauttunggeorimyeo jilmuneul haetda.

딸 : 엄마 머리 앞쪽에 하얀색 머리카락이 있어.
딸 : 엄마 머리 압쪼게 하얀색 머리카라기 이써.
ttal : eomma meori apjjoge hayansaek meorikaragi isseo.

엄마 : 이제 엄마도 흰머리가 점점 많이 생기네.
엄마 : 이제 엄마도 힌머리가 점점 마니 생기네.
eomma : ije eommado hinmeoriga jeomjeom mani saenggine.

딸 : 나는 흰머리가 없는데 엄마는 왜 흰머리가 있어?
딸 : 나는 힌머리가 엄는데 엄마는 왜 힌머리가 이써?
ttal : naneun hinmeoriga eomneunde eommaneun wae hinmeoriga isseo?

흰머리가 왜 생기는지 궁금해.
힌머리가 왜 생기는지 궁금해.
hinmeoriga wae saenggineunji gunggeumhae.

엄마 : 우리 딸이 엄마 말을 안 들어서 엄마가 속이 상하거나 슬퍼지면 흰머리가
엄마 : 우리 따리 엄마 마를 안 드러서 엄마가 소기 상하거나 슬퍼지면 힌머리가
eomma : uri ttari eomma mareul an deureoseo eommaga sogi sanghageona seulpeojimyeon hinmeoriga

한 개씩 생기더라고.
한 개씩 생기더라고.
han gaessik saenggideorago.

그러니까 앞으로 엄마가 하는 말 잘 들어야 돼.
그러니까 아프로 엄마가 하는 말 잘 드러야 돼.
geureonikka apeuro eommaga haneun mal jal deureoya dwae.

딸은 잠시 동안 생각을 하다가 엄마에게 다시 물었다.
따른 잠시 동안 생가글 하다가 엄마에게 다시 무럳따.
ttareun jamsi dongan saenggageul hadaga eommaege dasi mureotda.

딸 : 엄마, 외할머니 머리는 전부 하얀색인데?
딸 : 엄마, 외할머니 머리는 전부 하얀새긴데?
ttal : eomma, oehalmeoni meorineun jeonbu hayansaeginde?

● 어휘 (лексический запас) / 문법 (грамматика)

어느 날 설거지+를 하+고 있+는 엄마+에게 어리+ㄴ 딸+이 머리+를 갸우뚱거리+며 질문+을 하+였+다.

딸 : 엄마 머리 앞쪽+에 하얀색 머리카락+이 있+어.

엄마 : 이제 엄마+도 흰머리+가 점점 많이 생기+네.

딸 : 나+는 흰머리+가 없+는데 엄마+는 왜 흰머리+가 있+어?

흰머리+가 왜 생기+는지 궁금하+여.

엄마 : 우리 딸+이 엄마 말+을 안 듣+어서 엄마+가 속+이 상하+거나 슬프(슬ㅍ)+어지+면

흰머리+가 한 개+씩 생기+더라고.

그러니까 앞+으로 엄마+가 하+는 말 잘 듣+어야 되+어.

딸+은 잠시 동안 생각+을 하+다가 엄마+에게 다시 묻(물)+었+다.

딸 : 엄마, 외할머니 머리+는 전부 하얀색+이+ㄴ데?

어느 날 설거지+를 하+[고 있]+는 엄마+에게 어리+ㄴ 딸+이 머리+를 갸우뚱거리+며 질문+을 하+였+다. 어린 했다

• **어느 (атрибутивное слово)** : 확실하지 않거나 분명하게 말할 필요가 없는 사물, 사람, 때, 곳 등을 가리키는 말.

какой-то

Указывает на неопределённый или не нуждающийся в определении предмет, лицо, время, место и т.п.

• **날 (имя существительное)** : 밤 열두 시에서 다음 밤 열두 시까지의 이십사 시간 동안.

день; сутки

Продолжительность времени в двадцать четыре часа, с двенадцати ночи до двенадцати следующей ночи.

• **설거지 (имя существительное)** : 음식을 먹고 난 뒤에 그릇을 씻어서 정리하는 일.

мытьё посуды

Очищение от грязи посуды после еды.

• 를 : 동작이 직접적으로 영향을 미치는 대상을 나타내는 조사.

нет эквивалента

Частица, указывающая на объект, на который непосредственно распространяется влияние действия.

• **하다 (глагол)** : 어떤 행동이나 동작, 활동 등을 행하다.

делать

Выполнять какое-либо действие, движение, работу и т.п.

• -고 있다 : 앞의 말이 나타내는 행동이 계속 진행됨을 나타내는 표현.

нет эквивалента

Выражение, указывающее на длительность действия.

• -는 : 앞의 말이 관형어의 기능을 하게 만들고 사건이나 동작이 현재 일어남을 나타내는 어미.

нет эквивалента

Окончание, которое указывает на действие или событие в настоящем, преобразуя впередистоящее слово, словосочетание или придаточное предложение в определение.

• **엄마 (имя существительное)** : 격식을 갖추지 않아도 되는 상황에서 어머니를 이르거나 부르는 말.

мама; мамочка; мамуля

Слово, употребляемое при обращении к матери или её упоминании в ситуации, не требующей соблюдения формальностей.

• 에게 : 어떤 행동이 미치는 대상임을 나타내는 조사.

кому-, чему-либо

Окончание, указывающее на предмет, подвергающийся влиянию какого-либо действия.

• **어리다 (имя прилагательное)** : 나이가 적다.
маленький; малолетний
Имеющий мало лет от роду.

• -ㄴ : 앞의 말이 관형어의 기능을 하게 만들고 현재의 상태를 나타내는 어미.
нет эквивалента
Окончание, указывающее на состояние лица или предмета в настоящий момент, при котором впередистоящее слово, словосочетание или придаточное предложение выполняет функцию определения.

• **딸 (имя существительное)** : 부모가 낳은 아이 중 여자. 여자인 자식.
дочь
Лицо женского пола по отношению к своим родителям.

• 이 : 어떤 상태나 상황의 대상이나 동작의 주체를 나타내는 조사.
нет эквивалента
Частица, показывающая какое-либо состояние, объект ситуации или субъект действия.

• **머리 (имя существительное)** : 사람이나 동물의 몸에서 얼굴과 머리털이 있는 부분을 모두 포함한 목 위의 부분.
голова
Верхняя часть тела человека или животного, начинающаяся от шеи и включающая в себя лицо и волосы.

• 를 : 동작이 직접적으로 영향을 미치는 대상을 나타내는 조사.
нет эквивалента
Частица, указывающая на объект, на который непосредственно распространяется влияние действия.

• **갸우뚱거리다 (глагол)** : 물체가 자꾸 이쪽저쪽으로 기울어지며 흔들리다. 또는 그렇게 하다.
качаться; раскачиваться; шататься; раскачивать; шатать
Двигаться из стороны в сторону. Либо приводить в подобное движение.

• -며 : 두 가지 이상의 동작이나 상태가 함께 일어남을 나타내는 연결 어미.
нет эквивалента
Соединительное окончание предиката, указывающее на одновременность двух или более действий или состояний.

• **질문 (имя существительное)** : 모르는 것이나 알고 싶은 것을 물음.
вопрос; спрос; запрос
Вопрос о чем-либо, чего не знаешь или хочешь узнать.

• 을 : 동작이 직접적으로 영향을 미치는 대상을 나타내는 조사.
нет эквивалента
Частица, указывающая на объект, на который непосредственно распространяется влияние действия.

• **하다 (глагол)** : 어떤 행동이나 동작, 활동 등을 행하다.
делать
Выполнять какое-либо действие, движение, работу и т.п.

• -였- : 사건이 과거에 일어났음을 나타내는 어미.
нет эквивалента
Окончание прошедшего времени.

• -다 : 어떤 사건이나 사실, 상태를 서술함을 나타내는 종결 어미.
нет эквивалента
Финитное окончание, выражающее изложение события или факта в настоящем времени.

딸 : 엄마 머리 앞쪽+에 하얀색 머리카락+이 있+어.

• **엄마 (имя существительное)** : 격식을 갖추지 않아도 되는 상황에서 어머니를 이르거나 부르는 말.
мама; мамочка; мамуля
Слово, употребляемое при обращении к матери или её упоминании в ситуации, не требующей соблюдения формальностей.

• **머리 (имя существительное)** : 사람이나 동물의 몸에서 얼굴과 머리털이 있는 부분을 모두 포함한 목 위의 부분.
голова
Верхняя часть тела человека или животного, начинающаяся от шеи и включающая в себя лицо и волосы.

• **앞쪽 (имя существительное)** : 앞을 향한 방향.
перед
Передняя сторона.

• 에 : 앞말이 어떤 장소나 자리임을 나타내는 조사.
нет эквивалента
Окончание, указывающее на какое-либо место или пространство.

• **하얀색 (имя существительное)** : 눈이나 우유의 빛깔과 같이 밝고 선명한 흰색.
белый цвет
Белый цвет, яркий и светлый как цвет снега или молока.

• **머리카락 (имя существительное)** : 머리털 하나하나.
волос
Одно из многих тонких роговых нитевидных образований, вырастающих на коже человека.

• 이 : 어떤 상태나 상황의 대상이나 동작의 주체를 나타내는 조사.
нет эквивалента
Частица, показывающая какое-либо состояние, объект ситуации или субъект действия.

• **있다 (имя прилагательное)** : 무엇이 어떤 곳에 자리나 공간을 차지하고 존재하는 상태이다.
нет эквивалента
Пребывать или занимать какое-либо место или пространство.

• -어 : (두루낮춤으로) 어떤 사실을 서술하거나 물음, 명령, 권유를 나타내는 종결 어미.
нет эквивалента
(нейтральный стиль) Финитное окончание предиката в повествовательном, вопросительном или побудительном предложении.

엄마 : 이제 엄마+도 흰머리+가 점점 많이 생기+네.

• **이제 (наречие)** : 지금의 시기가 되어.
теперь
С наступившего времени.

• **엄마 (имя существительное)** : 격식을 갖추지 않아도 되는 상황에서 어머니를 이르거나 부르는 말.
мама; мамочка; мамуля
Слово, употребляемое при обращении к матери или её упоминании в ситуации, не требующей соблюдения формальностей.

• 도 : 이미 있는 어떤 것에 다른 것을 더하거나 포함함을 나타내는 조사.
нет эквивалента
Частица, указывающая на прибавление или включение чего-либо во что-либо уже имеющееся.

• **흰머리 (имя существительное)** : 하얗게 된 머리카락.
седина
Седые волосы.

• 가 : 어떤 상태나 상황에 놓인 대상이나 동작의 주체를 나타내는 조사.
нет эквивалента
Частица, показывающая какое-либо состояние, объект ситуации или субъект действия.

• **점점 (наречие)** : 시간이 지남에 따라 정도가 조금씩 더.
постепенно; мало-помалу; понемногу; всё более и более
Понемногу с изменением хода времени.

• **많이 (наречие)** : 수나 양, 정도 등이 일정한 기준보다 넘게.
много
Превышая определённую норму (о числе, количестве, степени и т.п.).

• **생기다 (глагол)** : 없던 것이 새로 있게 되다.
появляться; возникать; происходить
Заново появляться (о чём-либо, чего не было).

• -네 : (아주낮춤으로) 지금 깨달은 일에 대하여 말함을 나타내는 종결 어미.
нет эквивалента
(простой стиль) Финитное окончание, указывающее на обнаружение или осознание нового факта.

딸 : 나+는 흰머리+가 없+는데 엄마+는 왜 흰머리+가 있+어?

• **나 (местоимение)** : 말하는 사람이 친구나 아랫사람에게 자기를 가리키는 말.
я
Выражение, которым называют себя в разговоре с ровесниками или младшими людьми.

• 는 : 어떤 대상이 다른 것과 대조됨을 나타내는 조사.
нет эквивалента
Частица, указывающая на то, что какой-либо объект сравнивают с другим.

• **흰머리 (имя существительное)** : 하얗게 된 머리카락.
седина
Седые волосы.

• 가 : 어떤 상태나 상황에 놓인 대상이나 동작의 주체를 나타내는 조사.
нет эквивалента
Частица, показывающая какое-либо состояние, объект ситуации или субъект действия.

• **없다 (имя прилагательное)** : 사람, 사물, 현상 등이 어떤 곳에 자리나 공간을 차지하고 존재하지 않는 상태이다.
не быть
Состояние несуществования человека, предмета, явления и т.п. в каком-либо месте или пространстве.

• -는데 : 뒤의 말을 하기 위하여 그 대상과 관련이 있는 상황을 미리 말함을 나타내는 연결 어미.
нет эквивалента
Соединительное окончание, вводящее некую предварительную информацию об объекте, о котором говорится в последующей части предложения.

• **엄마 (имя существительное)** : 격식을 갖추지 않아도 되는 상황에서 어머니를 이르거나 부르는 말.
мама; мамочка; мамуля
Слово, употребляемое при обращении к матери или её упоминании в ситуации, не требующей соблюдения формальностей.

• 는 : 어떤 대상이 다른 것과 대조됨을 나타내는 조사.
нет эквивалента
Частица, указывающая на то, что какой-либо объект сравнивают с другим.

• **왜 (наречие)** : 무슨 이유로. 또는 어째서.
почему; зачем
По какой причине.

• **흰머리 (имя существительное)** : 하얗게 된 머리카락.
седина
Седые волосы.

• 가 : 어떤 상태나 상황에 놓인 대상이나 동작의 주체를 나타내는 조사.
нет эквивалента
Частица, показывающая какое-либо состояние, объект ситуации или субъект действия.

• **있다 (имя прилагательное)** : 무엇이 어떤 곳에 자리나 공간을 차지하고 존재하는 상태이다.
нет эквивалента
Пребывать или занимать какое-либо место или пространство.

• -어 : (두루낮춤으로) 어떤 사실을 서술하거나 물음, 명령, 권유를 나타내는 종결 어미.
нет эквивалента
(нейтральный стиль) Финитное окончание предиката в повествовательном, вопросительном или побудительном предложении.

딸 : 흰머리+가 왜 생기+는지 <u>궁금하+여</u>. **궁금해**

• **흰머리 (имя существительное)** : 하얗게 된 머리카락.
седина
Седые волосы.

• 가 : 어떤 상태나 상황에 놓인 대상이나 동작의 주체를 나타내는 조사.
нет эквивалента
Частица, показывающая какое-либо состояние, объект ситуации или субъект действия.

• **왜 (наречие)** : 무슨 이유로. 또는 어째서.
почему; зачем
По какой причине.

• **생기다 (глагол)** : 없던 것이 새로 있게 되다.
появляться; возникать; происходить
Заново появляться (о чём-либо, чего не было).

• -는지 : 뒤에 오는 말의 내용에 대한 막연한 이유나 판단을 나타내는 연결 어미.
нет эквивалента
Соединительное предикативное окончание, указывающее на неопределённую причину или оценку говорящим того, о чём говорится во второй части предложения.

• **궁금하다 (имя прилагательное)** : 무엇이 무척 알고 싶다.
интересоваться
Сильно желать что-то знать.

• -여 : (두루낮춤으로) 어떤 사실을 서술하거나 물음, 명령, 권유를 나타내는 종결 어미.
нет эквивалента
(нейтральный стиль) Финитное окончание предиката в повествовательном, вопросительном или побудительном предложении.

엄마 : 우리 딸+이 엄마 말+을 안 <u>듣(들)+어서</u> 엄마+가 속+이 상하+거나
들어서

<u>슬프(슬ㅍ)+어지+면</u> 흰머리+가 한 개+씩 생기+더라고.
슬퍼지면

• **우리 (местоимение)** : 말하는 사람이 자기보다 높지 않은 사람에게 자기와 관련된 것을 친근하게 나타낼 때 쓰는 말.
мы; наш
Слово, используемое для выражения близости в чём-либо, связанном с говорящим и его собеседником, если он не намного старше или выше по социальному статусу.

• **딸 (имя существительное)** : 부모가 낳은 아이 중 여자. 여자인 자식.
дочь
Лицо женского пола по отношению к своим родителям.

• 이 : 어떤 상태나 상황의 대상이나 동작의 주체를 나타내는 조사.
нет эквивалента
Частица, показывающая какое-либо состояние, объект ситуации или субъект действия.

• **엄마 (имя существительное)** : 격식을 갖추지 않아도 되는 상황에서 어머니를 이르거나 부르는 말.
мама; мамочка; мамуля
Слово, употребляемое при обращении к матери или её упоминании в ситуации, не требующей соблюдения формальностей.

• **말 (имя существительное)** : 생각이나 느낌을 표현하고 전달하는 사람의 소리.
голос
Звук воспроизводимый голосовыми связками при выражении мыслей, чувств и т.п.

• 을 : 동작이 직접적으로 영향을 미치는 대상을 나타내는 조사.
нет эквивалента
Частица, указывающая на объект, на который непосредственно распространяется влияние действия.

• **안 (наречие)** : 부정이나 반대의 뜻을 나타내는 말.
не; нет; ни
Выражение, означающее отрицание или противоположность.

• **듣다 (глагол)** : 다른 사람이 말하는 대로 따르다.
слушаться; слушать
Следовать словам другого человека.

• -어서 : 이유나 근거를 나타내는 연결 어미.
нет эквивалента
Соединительное окончание предиката, указывающее на причину или обоснование чего-либо.

• **엄마 (имя существительное)** : 격식을 갖추지 않아도 되는 상황에서 어머니를 이르거나 부르는 말.
мама; мамочка; мамуля
Слово, употребляемое при обращении к матери или её упоминании в ситуации, не требующей соблюдения формальностей.

• 가 : 어떤 상태나 상황에 놓인 대상이나 동작의 주체를 나타내는 조사.
нет эквивалента
Частица, показывающая какое-либо состояние, объект ситуации или субъект действия.

• **속 (имя существительное)** : 품고 있는 마음이나 생각.
душа; мысли
Имеющиеся душа или мысли.

• 이 : 어떤 상태나 상황의 대상이나 동작의 주체를 나타내는 조사.
нет эквивалента
Частица, показывающая какое-либо состояние, объект ситуации или субъект действия.

• **상하다 (глагол)** : 싫은 일을 당하여 기분이 안 좋아지거나 마음이 불편해지다.
портиться (о настроении); расстраиваться
Чувствовать неудобство в душе из-за плохого настроения или дела, которое не нравится.

• -거나 : 앞에 오는 말과 뒤에 오는 말 중에서 하나가 선택될 수 있음을 나타내는 연결 어미.
нет эквивалента
Соединительное окончание, указывающее на возможность выбора между действиями или состояниями, описанными в предшествующей и последующей частях высказывания.

• **슬프다 (имя прилагательное)** : 눈물이 날 만큼 마음이 아프고 괴롭다.
печальный; грустный; скорбный; горестный
До слёз полный грусти, вызывающий грустное настроение.

• -어지다 : 앞에 오는 말이 나타내는 대로 행동하게 되거나 그 상태로 됨을 나타내는 표현.
нет эквивалента
Выражение, указывающее на то, что данное действие или состояние является вынужденным под воздействием внешних сил.

• -면 : 뒤에 오는 말에 대한 근거나 조건이 됨을 나타내는 연결 어미.
нет эквивалента
Соединительное окончание предиката, присоединяющее придаточное условия, указывающее на то, что является обоснованием или условием того, о чем говорится во второй части предложения.

• **흰머리 (имя существительное)** : 하얗게 된 머리카락.
седина
Седые волосы.

• 가 : 어떤 상태나 상황에 놓인 대상이나 동작의 주체를 나타내는 조사.
нет эквивалента
Частица, показывающая какое-либо состояние, объект ситуации или субъект действия.

• **한 (атрибутивное слово)** : 하나의.
нет эквивалента
Один.

• **개 (имя существительное)** : 낱으로 떨어진 물건을 세는 단위.
штука
Счётная единица для штучных предметов.

• 씩 : '그 수량이나 크기로 나뉨'의 뜻을 더하는 접미사.
нет эквивалента
Суффикс со значением "деление на данное количество или на данный размер".

• **생기다 (глагол)** : 없던 것이 새로 있게 되다.
появляться; возникать; происходить
Заново появляться (о чём-либо, чего не было).

• -더라고 : (두루낮춤으로) 과거에 경험하여 새로 알게 된 사실에 대해 지금 상대방에게 옮겨 전할 때 쓰는 표현.
нет эквивалента
(нейтральный стиль) Выражение, употребляемое при сообщении собеседнику о событии или факте, который говорящий узнал из своего прошлого опыта.

엄마 : 그러니까 앞+으로 엄마+가 하+는 말 잘 든(들)+[어야 되]+어. **들어야 돼**

• **그러니까 (наречие)** : 그런 이유로. 또는 그런 까닭에.
нет эквивалента
По этой причине. Или по этому поводу.

• **앞 (имя существительное)** : 다가올 시간.
впереди
В будущем.

• 으로 : 시간을 나타내는 조사.
нет эквивалента
Частица, указывающая на время.

• **엄마 (имя существительное)** : 격식을 갖추지 않아도 되는 상황에서 어머니를 이르거나 부르는 말.
мама; мамочка; мамуля
Слово, употребляемое при обращении к матери или её упоминании в ситуации, не требующей соблюдения формальностей.

• 가 : 어떤 상태나 상황에 놓인 대상이나 동작의 주체를 나타내는 조사.
нет эквивалента
Частица, показывающая какое-либо состояние, объект ситуации или субъект действия.

• **하다 (глагол)** : 어떤 행동이나 동작, 활동 등을 행하다.
делать
Выполнять какое-либо действие, движение, работу и т.п.

• -는 : 앞의 말이 관형어의 기능을 하게 만들고 사건이나 동작이 현재 일어남을 나타내는 어미.
нет эквивалента
Окончание, которое указывает на действие или событие в настоящем, преобразуя впередистоящее слово, словосочетание или придаточное предложение в определение.

• **말 (имя существительное)** : 생각이나 느낌을 표현하고 전달하는 사람의 소리.
голос
Звук воспроизводимый голосовыми связками при выражении мыслей, чувств и т.п.

• **잘 (наречие)** : 관심을 집중해서 주의 깊게.
нет эквивалента
Заинтересованно, внимательно.

• **듣다 (глагол)** : 다른 사람이 말하는 대로 따르다.
слушаться; слушать
Следовать словам другого человека.

• -어야 되다 : 반드시 그럴 필요나 의무가 있음을 나타내는 표현.
нет эквивалента
Выражение, указывающее на обязательство или абсолютную необходимость какого-либо действия или состояния.

• -어 : (두루낮춤으로) 어떤 사실을 서술하거나 물음, 명령, 권유를 나타내는 종결 어미.
нет эквивалента
(нейтральный стиль) Финитное окончание предиката в повествовательном, вопросительном или побудительном предложении.

딸+은 잠시 동안 생각+을 하+다가 엄마+에게 다시 <u>묻(물)+었+다</u>. **물었다**

• **딸 (имя существительное)** : 부모가 낳은 아이 중 여자. 여자인 자식.
дочь
Лицо женского пола по отношению к своим родителям.

• 은 : 문장 속에서 어떤 대상이 화제임을 나타내는 조사.
нет эквивалента
Частица, показывающая то, что какой-то объект является главной темой в предложении.

• **잠시 (имя существительное)** : 잠깐 동안.
недолго; пара минут; пара секунд
Короткое время.

• **동안 (имя существительное)** : 한때에서 다른 때까지의 시간의 길이.
промежуток времени
Отрезок с какого-либо по какой-либо момент времени.

• **생각 (имя существительное)** : 사람이 머리를 써서 판단하거나 인식하는 것.
дума; мысль
То, что человек осознает или решает, опираясь на здравомыслие.

• 을 : 동작이 직접적으로 영향을 미치는 대상을 나타내는 조사.
нет эквивалента
Частица, указывающая на объект, на который непосредственно распространяется влияние действия.

• **하다 (глагол)** : 어떤 행동이나 동작, 활동 등을 행하다.
делать
Выполнять какое-либо действие, движение, работу и т.п.

• -다가 : 어떤 행동이나 상태 등이 중단되고 다른 행동이나 상태로 바뀜을 나타내는 연결 어미.
нет эквивалента
Соединительное окончание предиката, указывающее на резкую смену действия или состояния.

• **엄마 (имя существительное)** : 격식을 갖추지 않아도 되는 상황에서 어머니를 이르거나 부르는 말.
мама; мамочка; мамуля
Слово, употребляемое при обращении к матери или её упоминании в ситуации, не требующей соблюдения формальностей.

• 에게 : 어떤 행동이 미치는 대상임을 나타내는 조사.
кому-, чему-либо
Окончание, указывающее на предмет, подвергающийся влиянию какого-либо действия.

• **다시 (наречие)** : 같은 말이나 행동을 반복해서 또.
ещё; опять
Снова повторяя одни и те же слова или действия.

• **묻다 (глагол)** : 대답이나 설명을 요구하며 말하다.
спрашивать; вопрошать; задавать вопрос
Говорить для того, чтобы получить ответ или разъяснение.

• -었- : 사건이 과거에 일어났음을 나타내는 어미.
нет эквивалента
Окончание прошедшего времени.

• -다 : 어떤 사건이나 사실, 상태를 서술함을 나타내는 종결 어미.
нет эквивалента
Финитное окончание, выражающее изложение события или факта в настоящем времени.

딸 : 엄마, 외할머니 머리+는 전부 하얀색+이+ㄴ데? **하얀색인데**

• **엄마 (имя существительное)** : 격식을 갖추지 않아도 되는 상황에서 어머니를 이르거나 부르는 말.
мама; мамочка; мамуля
Слово, употребляемое при обращении к матери или её упоминании в ситуации, не требующей соблюдения формальностей.

• **외할머니 (имя существительное)** : 어머니의 친어머니를 이르거나 부르는 말.
бабушка (по материной линии)
Слово, употребляемое при обращении к родной матери матери или её упоминании.

• **머리 (имя существительное)** : 머리에 난 털.
волосы
Волосы, растущие на голове.

• 는 : 문장 속에서 어떤 대상이 화제임을 나타내는 조사.
нет эквивалента
Частица, показывающая то, что какой-то объект является главной темой в предложении.

• **전부 (наречие)** : 빠짐없이 다.
всё; полностью
Весь без исключения.

• **하얀색 (имя существительное)** : 눈이나 우유의 빛깔과 같이 밝고 선명한 흰색.
белый цвет
Белый цвет, яркий и светлый как цвет снега или молока.

• 이다 : 주어가 지시하는 대상의 속성이나 부류를 지정하는 뜻을 나타내는 서술격 조사.
нет эквивалента
Суффикс повествовательного падежа, выражающий смысл наименования свойства или разряда объекта, на который указывает подлежащее.

• -ㄴ데 : (두루낮춤으로) 듣는 사람의 반응을 기대하며 어떤 일에 대해 감탄함을 나타내는 종결 어미.
нет эквивалента
(нейтральный стиль) Окончание, передающее восклицание или удивление в ожидании отклика слушающего.

< 14 단원(глава) >

제목 : 혹시 그 여자가 이 아이였습니까?

● 본문 (Основной текст)

한 택시 기사가 젊은 여자 손님을 태우게 되었다.

그 여자는 집으로 가는 내내 창백한 얼굴로 멍하니 창밖을 바라보고 있었다.

이윽고 택시는 여자의 집에 도착했다.

여자 : 기사님, 잠시만 기다려 주세요.

집에 들어가서 택시비 금방 가지고 나올게요.

하지만 한참을 기다려도 여자가 돌아오지 않자 화가 난 택시 기사는 그 집 문을 두드렸고, 잠시 후 안에서 중년의 남자가 나왔다.

택시 기사가 자초지종을 얘기하자 남자는 깜짝 놀라며 안으로 들어갔다가 사진 한 장을 들고 나와 택시 기사한테 물었다.

남자 : 혹시 그 여자가 이 아이였습니까?

택시 기사 : 네, 맞아요.

남자 : 아이고, 오늘이 네 제삿날인 줄 알고 왔구나.

흐느끼는 남자의 모습을 본 택시 기사는 순간 무서웠는지 그냥 도망가 버렸다.

그때 여자가 나오며 하는 말.

여자 : 아빠, 나 잘했지?

남자 : 오냐, 다음부터는 모범택시를 타도록 해라.

● 발음 (произношение)

한 택시 기사가 젊은 여자 손님을 태우게 되었다.
한 택씨 기사가 절믄 여자 손니믈 태우게 되얻따.
han taeksi gisaga jeolmeun yeoja sonnimeul taeuge doeeotda.

그 여자는 집으로 가는 내내 창백한 얼굴로 멍하니 창밖을 바라보고 있었다.
그 여자는 지브로 가는 내내 창배칸 얼굴로 멍하니 창바끌 바라보고 이썯따.
geu yeojaneun jibeuro ganeun naenae changbaekan eolgullo meonghani changbakkeul barabogo isseotda.

이윽고 택시는 여자의 집에 도착했다.
이윽꼬 택씨는 여자에 지베 도차캗따.
ieukgo taeksineun yeojaui(yeojae) jibe dochakaetda.

여자 : 기사님, 잠시만 기다려 주세요.
여자 : 기사님, 잠시만 기다려 주세요.
yeoja : gisanim, jamsiman gidaryeo juseyo.

집에 들어가서 택시비 금방 가지고 나올게요.
지베 드러가서 택씨비 금방 가지고 나올께요.
jibe deureogaseo taeksibi geumbang gajigo naolgeyo.

하지만 한참을 기다려도 여자가 돌아오지 않자 화가 난 택시 기사는 그 집 문을 두드렸고, 잠시 후
하지만 한차믈 기다려도 여자가 도라오지 안차 화가 난 택씨 기사는 그 집 무늘 두드렫꼬, 잠시 후
hajiman hanchameul gidaryeodo yeojaga doraoji ancha hwaga nan taeksi gisaneun geu jip muneul dudeuryeotgo, jamsi hu

안에서 중년의 남자가 나왔다.
아네서 중녀네 남자가 나왇따.
aneseo jungnyeonui(jungnyeone) namjaga nawatda.

택시 기사가 자초지종을 얘기하자 남자는 깜짝 놀라며 안으로 들어갔다가 사진 한 장을 들고 나와
택씨 기사가 자초지종을 얘기하자 남자는 깜짝 놀라며 아느로 드러갇따가 사진 한 장을 들고 나와
taeksi gisaga jachojijongeul yaegihaja namjaneun kkamjjak nollamyeo aneuro deureogatdaga sajin han jangeul deulgo nawa

택시 기사한테 물었다.
택씨 기사한테 무럳따.
taeksi gisahante mureotda.

남자 : 혹시 그 여자가 이 아이였습니까?
남자 : 혹씨 그 여자가 이 아이엳씀니까?
namja : hoksi geu yeojaga i aiyeotseumnikka?

택시 기사 : 네, 맞아요.
택씨 기사 : 네, 마자요.
taeksi gisa : ne, majayo.

남자 : 아이고, 오늘이 네 제삿날인 줄 알고 왔구나.
남자 : 아이고, 오느리 네 제산나린 줄 알고 왇꾸나.
namja : aigo, oneuri ne jesannarin jul algo watguna.

흐느끼는 남자의 모습을 본 택시 기사는 순간 무서웠는지 그냥 도망가 버렸다.
흐느끼는 남자에 모스블 본 택씨 기사는 순간 무서원는지 그냥 도망가 버렫따.
heuneukkineun namjaui(namjae) moseubeul bon taeksi gisaneun sungan museowonneunji geunyang domangga beoryeotda.

그때 여자가 나오며 하는 말.
그때 여자가 나오며 하는 말.
geuttae yeojaga naomyeo haneun mal.

여자 : 아빠, 나 잘했지?
여자 : 아빠, 나 잘핻찌?
yeoja : appa, na jalhaetji?

남자 : 오냐, 다음부터는 모범택시를 타도록 해라.
남자 : 오냐, 다음부터는 모범택씨를 타도록 해라.
namja : onya, daeumbuteoneun mobeomtaeksireul tadorok haera.

● 어휘 (лексический запас) / 문법 (грамматика)

한 택시 기사+가 젊+은 여자 손님+을 태우+게 되+었+다.

그 여자+는 집+으로 가+는 내내 창백하+ㄴ 얼굴+로 멍하니 창밖+을 바라보+고 있+었+다.

이윽고 택시+는 여자+의 집+에 도착하+였+다.

여자 : 기사+님, 잠시+만 기다리+어 주+세요.

집+에 들어가+(아)서 택시+비 금방 가지+고 나오+ㄹ게요.

하지만 한참+을 기다리+어도 여자+가 돌아오+지 않+자 화+가 나+ㄴ 택시 기사+는 그 집 문+을 두드리+었+고, 잠시 후 안+에서 중년+의 남자+가 나오+았+다.

택시 기사+가 자초지종+을 얘기하+자 남자+는 깜짝 놀라+며 안+으로 들어가+았+다가 사진 한 장+을 들+고 나오+아 택시 기사+한테 묻(물)+었+다.

남자 : 혹시 그 여자+가 이 아이+이+었+습니까?

택시 기사 : 네, 맞+아요.

남자 : 아이고, 오늘+이 너+의 제삿날+이+ㄴ 줄 알+고 오+았+구나.

흐느끼+는 남자+의 모습+을 보+ㄴ 택시 기사+는 순간 무섭(무서우)+었+는지 그냥 도망가+(아) 버리+었+다.

그때 여자+가 나오+며 하+는 말.

여자 : 아빠, 나 잘하+였+지?

남자 : 오냐, 다음+부터+는 모범택시+를 타+도록 하+여라.

한 택시 기사+가 젊+은 여자 손님+을 태우+[게 되]+었+다. **태우게 되었다**

• **한 (атрибутивное слово)** : 여럿 중 하나인 어떤.
какой-то
Какой-либо.

• **택시 (имя существительное)** : 돈을 받고 손님이 원하는 곳까지 태워 주는 일을 하는 승용차.
такси
Автомобиль для перевозки пассажиров до желаемого ими места с оплатой проезда.

• **기사 (имя существительное)** : 직업적으로 자동차나 기계 등을 운전하는 사람.
водитель
Человек, который профессионально водит автомобиль или машину.

• 가 : 어떤 상태나 상황에 놓인 대상이나 동작의 주체를 나타내는 조사.
нет эквивалента
Окончание, указывающее на объект какой-либо ситуации, состояния или на лицо, выполняющее какое-либо действие.

• **젊다 (имя прилагательное)** : 나이가 한창때에 있다.
молодой
Находящийся в самом расцвете сил.

• -은 : 앞의 말이 관형어의 기능을 하게 만들고 현재의 상태를 나타내는 어미.
нет эквивалента
Окончание, которое указывает на состояние лица или предмета в настоящем, преобразуя впередистоящее слово, словосочетание или придаточное предложение в определение.

• **여자 (имя существительное)** : 여성으로 태어난 사람.
женщина
Человек женского пола.

• **손님 (имя существительное)** : 버스나 택시 등과 같은 교통수단을 이용하는 사람.
пассажир
Человек, использующий автобус, такси или какой-либо другой вид транспорта в качестве средства передвижения.

• 을 : 동작이 직접적으로 영향을 미치는 대상을 나타내는 조사.
нет эквивалента
Частица, указывающая на объект, на который действие оказывает непосредственное влияние.

• **태우다 (глагол)** : 차나 배와 같은 탈것이나 짐승의 등에 타게 하다.
посадить (в транспорт); оседлать
Посадить в машину, на пароход или другой вид транспорта либо на спину какого-либо животного.

• -게 되다 : 앞의 말이 나타내는 상태나 상황이 됨을 나타내는 표현.
нет эквивалента
Выражение, указывающее на возникновение некой ситуации или достижение какого-либо состояния.

• -었- : 어떤 사건이 과거에 완료되었거나 그 사건의 결과가 현재까지 지속되는 상황을 나타내는 어미.
нет эквивалента
Окончание, указывающее на полное завершение какого-либо события в прошлом и сохранения данного результата до настоящего времени.

• -다 : 어떤 사건이나 사실, 상태를 서술함을 나타내는 종결 어미.
нет эквивалента
Финитное окончание, выражающее изложение события или факта в настоящем времени.

그 여자+는 집+으로 가+는 내내 창백하+ㄴ 얼굴+로 멍하니 창밖+을 바라보+[고 있]+었+다. **창백한**

• **그 (атрибутивное слово)** : 앞에서 이미 이야기한 대상을 가리킬 때 쓰는 말.
тот
Указывает на предмет, который уже был указан ранее.

• **여자 (имя существительное)** : 여성으로 태어난 사람.
женщина
Человек женского пола.

• 는 : 문장 속에서 어떤 대상이 화제임을 나타내는 조사.
нет эквивалента
Частица, указывающая на то, что какой-либо объект является основной темой в предложении.

• **집 (имя существительное)** : 사람이나 동물이 추위나 더위 등을 막고 그 속에 들어 살기 위해 지은 건물.
дом; жилище
Помещение, защищающее от холода и жары, в котором можно проживать человеку или животному.

• 으로 : 움직임의 방향을 나타내는 조사.
нет эквивалента
Частица, показывающая направление движения.

• **가다 (глагол)** : 한 곳에서 다른 곳으로 장소를 이동하다.
ходить; уходить; идти
Передвигаться с одного места на другое.

• -는 : 앞의 말이 관형어의 기능을 하게 만들고 사건이나 동작이 현재 일어남을 나타내는 어미.
нет эквивалента
Окончание, которое указывает на действие или событие в настоящем, преобразуя впередистоящее слово, словосочетание или придаточное предложение в определение.

• **내내 (наречие)** : 처음부터 끝까지 계속해서.
неотступно; беспрерывно
С начала до конца, постоянно.

• **창백하다 (имя прилагательное)** : 얼굴이나 피부가 푸른빛이 돌 만큼 핏기 없이 하얗다.
бескровный; восковой; мертвенно-белый
Очень бледный, почти синий (о коже или цвете лица)

• -ㄴ : 앞의 말이 관형어의 기능을 하게 만들고 현재의 상태를 나타내는 어미.
нет эквивалента
Окончание, указывающее на состояние лица или предмета в настоящий момент, при котором впередистоящее слово, словосочетание или придаточное предложение выполняет функцию определения.

• **얼굴 (имя существительное)** : 어떠한 심리 상태가 겉으로 드러난 표정.
лицо; вид; взгляд; наружность
Выражение лица, внешне показывающее какое-либо психологическое состояние.

• 로 : 어떤 일의 방법이나 방식을 나타내는 조사.
нет эквивалента
Частица, указывающая на способ или метод для выполнения какой-либо работы.

• **멍하니 (наречие)** : 정신이 나간 것처럼 가만히.
остолбенев; рассеянно
Неподвижно, как-будто потеряв рассудок.

• **창밖 (имя существительное)** : 창문의 밖.
за окном; на улице
За окном.

• 을 : 동작이 직접적으로 영향을 미치는 대상을 나타내는 조사.
нет эквивалента
Частица, указывающая на объект, на который действие оказывает непосредственное влияние.

• **바라보다 (глагол)** : 바로 향해 보다.
Взирать
смотреть в прямом направлении.

• -고 있다 : 앞의 말이 나타내는 행동이 계속 진행됨을 나타내는 표현.
нет эквивалента
Выражение, указывающее на длительность действия.

• -었- : 어떤 사건이 과거에 완료되었거나 그 사건의 결과가 현재까지 지속되는 상황을 나타내는 어미.
нет эквивалента
Окончание, указывающее на полное завершение какого-либо события в прошлом и сохранения данного результата до настоящего времени.

• -다 : 어떤 사건이나 사실, 상태를 서술함을 나타내는 종결 어미.
нет эквивалента
Финитное окончание, выражающее изложение события или факта в настоящем времени.

이윽고 택시+는 여자+의 집+에 도착하+였+다. **도착했다**

• **이윽고 (наречие)** : 시간이 얼마쯤 흐른 뒤에 드디어.
после; скоро
Спустя некоторе время, наконец.

• **택시 (имя существительное)** : 돈을 받고 손님이 원하는 곳까지 태워 주는 일을 하는 승용차.
такси
Автомобиль для перевозки пассажиров до желаемого ими места с оплатой проезда.

• 는 : 문장 속에서 어떤 대상이 화제임을 나타내는 조사.
нет эквивалента
Частица, указывающая на то, что какой-либо объект является основной темой в предложении.

• **여자 (имя существительное)** : 여성으로 태어난 사람.
женщина
Человек женского пола.

• 의 : 앞의 말이 뒤의 말에 대하여 소유, 소속, 소재, 관계, 기원, 주체의 관계를 가짐을 나타내는 조사.
нет эквивалента
Частица, указывающая на то, что в предыдущем слове содержится значение собственности, принадлежности, сырья, источника, основы в отношении последующего.

• **집 (имя существительное)** : 사람이나 동물이 추위나 더위 등을 막고 그 속에 들어 살기 위해 지은 건물.
дом; жилище
Помещение, защищающее от холода и жары, в котором можно проживать человеку или животному.

• 에 : 앞말이 목적지이거나 어떤 행위의 진행 방향임을 나타내는 조사.
нет эквивалента
Окончание, указывающее на направленность какого-либо действия или цели.

• **도착하다 (глагол)** : 목적지에 다다르다.
прибывать; приезжать; прилетать; приходить
Достигать пункта назначения.

• -였- : 어떤 사건이 과거에 완료되었거나 그 사건의 결과가 현재까지 지속되는 상황을 나타내는 어미.
нет эквивалента
Окончание, указывающее на полное завершение какого-либо события в прошлом и сохранения данного результата до настоящего времени.

• -다 : 어떤 사건이나 사실, 상태를 서술함을 나타내는 종결 어미.
нет эквивалента
Финитное окончание, выражающее изложение события или факта в настоящем времени.

여자 : 기사+님, 잠시+만 기다리+[어 주]+세요.
기다려 주세요

• **기사 (имя существительное)** : 직업적으로 자동차나 기계 등을 운전하는 사람.
водитель
Человек, который профессионально водит автомобиль или машину.

• 님 : '높임'의 뜻을 더하는 접미사.
нет эквивалента
Суффикс, передающий уважительное отношение при обращении к людям.

• **잠시 (наречие)** : 잠깐 동안에.
на короткое время; недолго; ненадолго; на минуточку
В течение короткого времени.

• 만 : 무엇을 강조하는 뜻을 나타내는 조사.
только; исключительно; единственно
Частица, акцентирующая что-либо.

• **기다리다 (глагол)** : 사람, 때가 오거나 어떤 일이 이루어질 때까지 시간을 보내다.
ждать; ожидать; подождать
Проводить время до прихода какого-либо человека, наступления определённого времени или завершения какого-либо дела.

• -어 주다 : 남을 위해 앞의 말이 나타내는 행동을 함을 나타내는 표현.
нет эквивалента
Выражение, указывающее на то, что описанное действие выполняется в интересах другого лица.

• -세요 : (두루높임으로) 설명, 의문, 명령, 요청의 뜻을 나타내는 종결 어미.
нет эквивалента
(нейтрально-вежливый стиль) Финитное окончание предиката в повествовательном, вопросительном или побудительном предложении.

여자 : 집+에 <u>들어가+(아)서</u> 택시+비 금방 가지+고 <u>나오+ㄹ게요</u>. **들어가서 나올게요**

• **집 (имя существительное)** : 사람이나 동물이 추위나 더위 등을 막고 그 속에 들어 살기 위해 지은 건물.
дом; жилище
Помещение, защищающее от холода и жары, в котором можно проживать человеку или животному.

• 에 : 앞말이 목적지이거나 어떤 행위의 진행 방향임을 나타내는 조사.
нет эквивалента
Окончание, указывающее на направленность какого-либо действия или цели.

• **들어가다 (глагол)** : 밖에서 안으로 향하여 가다.
входить
Заходить снаружи вовнутрь.

• -아서 : 앞의 말과 뒤의 말이 순차적으로 일어남을 나타내는 연결 어미.
нет эквивалента
Соединительное окончание предиката, указывающее на последовательность действий.

• **택시 (имя существительное)** : 돈을 받고 손님이 원하는 곳까지 태워 주는 일을 하는 승용차.
такси
Автомобиль для перевозки пассажиров до желаемого ими места с оплатой проезда.

• 비 : '비용', '돈'의 뜻을 더하는 접미사.
нет эквивалента
Суффикс со значением "расходы, затраты, деньги".

• **금방 (наречие)** : 시간이 얼마 지나지 않아 곧바로.
тут же; сейчас же; сразу
Не прошло и времени, как тут же.

• **가지다 (глагол)** : 무엇을 손에 쥐거나 몸에 지니다.
иметь; держать (в руках); нести
Взять что-либо рукой или иметь в себе.

• -고 : 앞의 말과 뒤의 말이 차례대로 일어남을 나타내는 연결 어미.
нет эквивалента
Соединительное окончание предиката, указывающее на последовательность действий.

• **나오다 (глагол)** : 안에서 밖으로 오다.
выходить
Идти изнутри наружу.

• -ㄹ게요 : (두루높임으로) 말하는 사람이 어떤 행동을 할 것을 듣는 사람에게 약속하거나 의지를 나타내는 표현.
нет эквивалента
(нейтрально-вежливый стиль) Выражение, употребляемое, когда говорящий обещает сделать что-либо или сообщает слушателю о своих будущих действиях.

하지만 한참+을 기다리+어도 여자+가 돌아오+[지 않]+자 화+가 나+ㄴ 택시 기사+는 그 집 문+을
기다려도 **난**

두드리+었+고, 잠시 후 안+에서 중년+의 남자+가 나오+았+다.
두드렸고 **나왔다**

• **하지만 (наречие)** : 내용이 서로 반대인 두 개의 문장을 이어 줄 때 쓰는 말.
но; а; однако; тем не менее
Союз, который соединяет два предложения, противопоставляемые друг другу по смыслу.

• **한참 (имя существительное)** : 시간이 꽤 지나는 동안.
некоторое время; длительное время
Длительный промежуток времени.

• 을 : 동작 대상의 수량이나 동작의 순서를 나타내는 조사.
нет эквивалента
Частица, указывающая на количество объектов действия или порядок действий.

• **기다리다 (глагол)** : 사람, 때가 오거나 어떤 일이 이루어질 때까지 시간을 보내다.
ждать; ожидать; подождать
Проводить время до прихода какого-либо человека, наступления определённого времени или завершения какого-либо дела.

• -어도 : 앞에 오는 말을 가정하거나 인정하지만 뒤에 오는 말에는 관계가 없거나 영향을 끼치지 않음을 나타내는 연결 어미.
нет эквивалента
Соединительное окончание со значением уступки, указывающее на то, что некий факт или обстоятельство, признание, допущение или предположение которого содержится в первой части предложения, не влияет или не имеет отношения к тому, о чём говорится во второй части.

• **여자 (имя существительное)** : 여성으로 태어난 사람.
женщина
Человек женского пола.

• 가 : 어떤 상태나 상황에 놓인 대상이나 동작의 주체를 나타내는 조사.
нет эквивалента
Окончание, указывающее на объект какой-либо ситуации, состояния или на лицо, выполняющее какое-либо действие.

• **돌아오다 (глагол)** : 원래 있던 곳으로 다시 오거나 다시 그 상태가 되다.
возвращаться; вернуться; восстанавливаться; приходить обратно; приезжать обратно
Приходить вновь в изначальное место или возвращаться к изначальному состоянию.

• -지 않다 : 앞의 말이 나타내는 행위나 상태를 부정하는 뜻을 나타내는 표현.
нет эквивалента
Выражение, обозначающее отрицание какого-либо действия или состояния.

• -자 : 앞에 오는 말이 뒤에 오는 말의 원인이나 동기가 됨을 나타내는 연결 어미.
нет эквивалента
Соединяющее окончание, показывающее то, что предыдущее содержание является причиной или мотивацией для последующего.

• **화 (имя существительное)** : 몹시 못마땅하거나 노여워하는 감정.
злость
Чувство очень сильной злобы.

• 가 : 어떤 상태나 상황에 놓인 대상이나 동작의 주체를 나타내는 조사.
нет эквивалента
Окончание, указывающее на объект какой-либо ситуации, состояния или на лицо, выполняющее какое-либо действие.

• **나다 (глагол)** : 어떤 감정이나 느낌이 생기다.
возникать
Появляться (о каких-либо чувствах или ощущении).

• -ㄴ : 앞의 말이 관형어의 기능을 하게 만들고 사건이나 동작이 완료되어 그 상태가 유지되고 있음을 나타내는 어미.
нет эквивалента
Окончание, которое указывает на завершенное постоянное действие или событие, преобразуя впередистоящее слово, словосочетание или придаточное предложение в определение.

• **택시 (имя существительное)** : 돈을 받고 손님이 원하는 곳까지 태워 주는 일을 하는 승용차.
такси
Автомобиль для перевозки пассажиров до желаемого ими места с оплатой проезда.

• **기사 (имя существительное)** : 직업적으로 자동차나 기계 등을 운전하는 사람.
водитель
Человек, который профессионально водит автомобиль или машину.

• 는 : 문장 속에서 어떤 대상이 화제임을 나타내는 조사.
нет эквивалента
Частица, указывающая на то, что какой-либо объект является основной темой в предложении.

• **그 (атрибутивное слово)** : 앞에서 이미 이야기한 대상을 가리킬 때 쓰는 말.
тот
Указывает на предмет, который уже был указан ранее.

• **집 (имя существительное)** : 사람이나 동물이 추위나 더위 등을 막고 그 속에 들어 살기 위해 지은 건물.

дом; жилище

Помещение, защищающее от холода и жары, в котором можно проживать человеку или животному.

• **문 (имя существительное)** : 사람이 안과 밖을 드나들거나 물건을 넣고 꺼낼 수 있게 하기 위해 열고 닫을 수 있도록 만든 시설.

дверь

Створ, закрывающий отверстие в стене для входа и выхода из помещения, а также створка или несколько створок, затворяющих и растворяющих какой-либо предмет.

• 을 : 동작이 직접적으로 영향을 미치는 대상을 나타내는 조사.

нет эквивалента

Частица, указывающая на объект, на который действие оказывает непосредственное влияние.

• **두드리다 (глагол)** : 소리가 나도록 잇따라 치거나 때리다.

стучать; бить; колотить

Ударять или бить несколько раз так, чтобы раздавался звук.

• -었- : 어떤 사건이 과거에 완료되었거나 그 사건의 결과가 현재까지 지속되는 상황을 나타내는 어미.

нет эквивалента

Окончание, указывающее на полное завершение какого-либо события в прошлом и сохранения данного результата до настоящего времени.

• -고 : 앞의 말과 뒤의 말이 차례대로 일어남을 나타내는 연결 어미.

нет эквивалента

Соединительное окончание предиката, указывающее на последовательность действий.

• **잠시 (имя существительное)** : 잠깐 동안.

недолго; пара минут; пара секунд

Короткое время.

• **후 (имя существительное)** : 얼마만큼 시간이 지나간 다음.

после; впоследствии; потом; затем

После прохождения некоторого времени.

• **안 (имя существительное)** : 어떤 물체나 공간의 둘레에서 가운데로 향한 쪽. 또는 그러한 부분.

внутреняя сторона

Сторона, находящаяся внутри какого-либо предмета или пространства. Или подобная часть.

• 에서 : 앞말이 출발점의 뜻을 나타내는 조사.
из; с(со)
Окончание, указывающее на стартовую точку.

• **중년 (имя существительное)** : 마흔 살 전후의 나이. 또는 그 나이의 사람.
средний возраст; человек среднего возраста
Возраст после 40 лет. А также человек такого возраста.

• 의 : 앞의 말이 뒤의 말에 대하여 속성이나 수량을 한정하거나 같은 자격임을 나타내는 조사.
нет эквивалента
Частица, указывающая на ограниченные свойства или количество или одинаковые признаки, выраженные в предыдущем слове по отношению к последующему.

• **남자 (имя существительное)** : 남성으로 태어난 사람.
мужчина
Человек мужского пола.

• 가 : 어떤 상태나 상황에 놓인 대상이나 동작의 주체를 나타내는 조사.
нет эквивалента
Окончание, указывающее на объект какой-либо ситуации, состояния или на лицо, выполняющее какое-либо действие.

• **나오다 (глагол)** : 안에서 밖으로 오다.
выходить
Идти изнутри наружу.

• -았- : 어떤 사건이 과거에 완료되었거나 그 사건의 결과가 현재까지 지속되는 상황을 나타내는 어미.
нет эквивалента
Окончание, указывающее на полное завершение какого-либо события в прошлом и сохранения данного результата до настоящего времени.

• -다 : 어떤 사건이나 사실, 상태를 서술함을 나타내는 종결 어미.
нет эквивалента
Финитное окончание, выражающее изложение события или факта в настоящем времени.

택시 기사+가 자초지종+을 얘기하+자 남자+는 깜짝 놀라+며 안+으로 들어가+았+다가 사진 한 장+을
들어갔다가

들+고 나오+아 택시 기사+한테 묻(물)+었+다.
나와 **물었다**

• **택시 (имя существительное)** : 돈을 받고 손님이 원하는 곳까지 태워 주는 일을 하는 승용차.
такси
Автомобиль для перевозки пассажиров до желаемого ими места с оплатой проезда.

• **기사 (имя существительное)** : 직업적으로 자동차나 기계 등을 운전하는 사람.
водитель
Человек, который профессионально водит автомобиль или машину.

• 가 : 어떤 상태나 상황에 놓인 대상이나 동작의 주체를 나타내는 조사.
нет эквивалента
Окончание, указывающее на объект какой-либо ситуации, состояния или на лицо, выполняющее какое-либо действие.

• **자초지종 (имя существительное)** : 처음부터 끝까지의 모든 과정.
нет эквивалента
Весь процесс от начала и до конца.

• 을 : 동작이 직접적으로 영향을 미치는 대상을 나타내는 조사.
нет эквивалента
Частица, указывающая на объект, на который действие оказывает непосредственное влияние.

• **얘기하다 (глагол)** : 어떠한 사실이나 상태, 현상, 경험, 생각 등에 관해 누군가에게 말을 하다.
рассказывать
Говорить кому-либо о каком-либо факте, состоянии, явлении, опыте, мысли и т.п.

• -자 : 앞에 오는 말이 뒤에 오는 말의 원인이나 동기가 됨을 나타내는 연결 어미.
нет эквивалента
Соединяющее окончание, показывающее то, что предыдущее содержание является причиной или мотивацией для последующего.

• **남자 (имя существительное)** : 남성으로 태어난 사람.
мужчина
Человек мужского пола.

• 는 : 문장 속에서 어떤 대상이 화제임을 나타내는 조사.
нет эквивалента
Частица, указывающая на то, что какой-либо объект является основной темой в предложении.

• **깜짝 (наречие)** : 갑자기 놀라는 모양.
нет эквивалента
О резком, сильном испуге.

• **놀라다 (глагол)** : 뜻밖의 일을 당하거나 무서워서 순간적으로 긴장하거나 가슴이 뛰다.
пугаться
Перепугаться из-за чего-либо неожиданного или удивиться.

• -며 : 두 가지 이상의 동작이나 상태가 함께 일어남을 나타내는 연결 어미.
нет эквивалента
Соединительное окончание предиката, указывающее на одновременность двух или более действий или состояний.

• **안 (имя существительное)** : 어떤 물체나 공간의 둘레에서 가운데로 향한 쪽. 또는 그러한 부분.
внутреняя сторона
Сторона, находящаяся внутри какого-либо предмета или пространства. Или подобная часть.

• 으로 : 움직임의 방향을 나타내는 조사.
нет эквивалента
Частица, показывающая направление движения.

• **들어가다 (глагол)** : 밖에서 안으로 향하여 가다.
входить
Заходить снаружи вовнутрь.

• -았- : 어떤 사건이 과거에 완료되었거나 그 사건의 결과가 현재까지 지속되는 상황을 나타내는 어미.
нет эквивалента
Окончание, указывающее на полное завершение какого-либо события в прошлом и сохранения данного результата до настоящего времени.

• -다가 : 어떤 행동이나 상태 등이 중단되고 다른 행동이나 상태로 바뀜을 나타내는 연결 어미.
нет эквивалента
Соединительное окончание предиката, указывающее на резкую смену действия или состояния.

• **사진 (имя существительное)** : 사물의 모습을 오래 보존할 수 있도록 사진기로 찍어 종이나 컴퓨터 등에 나타낸 영상.
фотография
Оптическое изображение, проявленное на бумаге или экране монитора и т.п., запечатлённое фотоаппаратом.

• **한 (атрибутивное слово)** : 하나의.
нет эквивалента
Один.

• **장 (имя существительное)** : 종이나 유리와 같이 얇고 넓적한 물건을 세는 단위.
лист
Счётное слово для бумажных листов, стёкол и других подобных тонких и плоских предметов.

• 을 : 동작이 직접적으로 영향을 미치는 대상을 나타내는 조사.
нет эквивалента
Частица, указывающая на объект, на который действие оказывает непосредственное влияние.

• **들다 (глагол)** : 손에 가지다.
взять; держать
Брать что-либо в руки.

• -고 : 앞의 말이 나타내는 행동이나 그 결과가 뒤에 오는 행동이 일어나는 동안에 그대로 지속됨을 나타내는 연결 어미.
нет эквивалента
Соединительное окончание предиката, указывающее на продолжение действия, описанного в первой части предложения, или на сохранение результата данного действия в течение времени выполнения действия, описанного во второй части предложения.

• **나오다 (глагол)** : 안에서 밖으로 오다.
выходить
Идти изнутри наружу.

• -아 : 앞의 말이 뒤의 말보다 먼저 일어났거나 뒤의 말에 대한 방법이나 수단이 됨을 나타내는 연결 어미.
нет эквивалента
Соединительное окончание, указывающее на то, что действие, описанное в первой части предложения произошло раньше действия, описанного во второй части предложения, или на то, что оно является способом или средством его выполнения.

• **택시 (имя существительное)** : 돈을 받고 손님이 원하는 곳까지 태워 주는 일을 하는 승용차.
такси
Автомобиль для перевозки пассажиров до желаемого ими места с оплатой проезда.

• **기사 (имя существительное)** : 직업적으로 자동차나 기계 등을 운전하는 사람.
водитель
Человек, который профессионально водит автомобиль или машину.

• 한테 : 어떤 행동이 미치는 대상임을 나타내는 조사.
нет эквивалента
Окончание, указывающее на объект, подвергающийся какому-либо действию.

• **묻다 (глагол)** : 대답이나 설명을 요구하며 말하다.
спрашивать; вопрошать; задавать вопрос
Говорить для того, чтобы получить ответ или разъяснение.

• -었- : 어떤 사건이 과거에 완료되었거나 그 사건의 결과가 현재까지 지속되는 상황을 나타내는 어미.
нет эквивалента
Окончание, указывающее на полное завершение какого-либо события в прошлом и сохранения данного результата до настоящего времени.

• -다 : 어떤 사건이나 사실, 상태를 서술함을 나타내는 종결 어미.
нет эквивалента
Финитное окончание, выражающее изложение события или факта в настоящем времени.

남자 : 혹시 그 여자+가 이 아이+이+었+습니까? **아이였습니까**

• **혹시 (наречие)** : 그러리라 생각하지만 분명하지 않아 말하기를 망설일 때 쓰는 말.
случайно
Выражение, используемое в случае, когда думаешь, что будет так, но сомневаешься сказать из-за неточности.

• **그 (атрибутивное слово)** : 앞에서 이미 이야기한 대상을 가리킬 때 쓰는 말.
тот
Указывает на предмет, который уже был указан ранее.

• **여자 (имя существительное)** : 여성으로 태어난 사람.
женщина
Человек женского пола.

• 가 : 어떤 상태나 상황에 놓인 대상이나 동작의 주체를 나타내는 조사.
нет эквивалента
Окончание, указывающее на объект какой-либо ситуации, состояния или на лицо, выполняющее какое-либо действие.

• **이 (атрибутивное слово)** : 말하는 사람에게 가까이 있거나 말하는 사람이 생각하고 있는 대상을 가리킬 때 쓰는 말.
этот; это
Слово, указывающее на что-либо, находящееся возле говорящего, или на то, о чём он думает.

• **아이 (имя существительное)** : (낮추는 말로) 자기의 자식.
ребёнок
(разг.) Собственный сын или дочь.

• 이다 : 주어가 지시하는 대상의 속성이나 부류를 지정하는 뜻을 나타내는 서술격 조사.
нет эквивалента
Суффикс повествовательного падежа, выражающий смысл наименования свойства или разряда объекта, на который указывает подлежащее.

• -었- : 어떤 사건이 과거에 완료되었거나 그 사건의 결과가 현재까지 지속되는 상황을 나타내는 어미.
нет эквивалента
Окончание, указывающее на полное завершение какого-либо события в прошлом и сохранения данного результата до настоящего времени.

• -습니까 : (아주높임으로) 말하는 사람이 듣는 사람에게 정중하게 물음을 나타내는 종결 어미.
нет эквивалента
(формально-вежливый стиль) Финитное окончание, употребляемое при вежливом обращении с вопросом к слушающему.

택시 기사 : 네, 맞+아요.

• **네 (восклицание)** : 윗사람의 물음이나 명령 등에 긍정하여 대답할 때 쓰는 말.
да
Слово, употребляемое при утвердительном ответе на вопрос, приказ и т.п. старшего по возрасту или положению человека.

• **맞다 (глагол)** : 그렇거나 옳다.
быть правильным
Быть верным.

• -아요 : (두루높임으로) 어떤 사실을 서술하거나 질문, 명령, 권유함을 나타내는 종결 어미.
нет эквивалента
(нейтрально-вежливый стиль) Финитное окончание предиката в повествовательном, вопросительном или побудительном предложении.

남자 : 아이고, 오늘+이 너+의 제삿날+이+[ㄴ 줄] 알+고 오+았+구나! **네 제삿날인 줄 왔구나**

• **아이고 (восклицание)** : 절망하거나 매우 속상하여 한숨을 쉬면서 내는 소리.
ох!
Звук, издаваемый при отчаянии или обиде.

• **오늘 (имя существительное)** : 지금 지나가고 있는 이날.
сегодня
Этот текущий день.

• 이 : 어떤 상태나 상황의 대상이나 동작의 주체를 나타내는 조사.
нет эквивалента
Частица, показывающая какое-либо состояние, объект ситуации или субъект действия.

• **너 (местоимение)** : 듣는 사람이 친구나 아랫사람일 때, 그 사람을 가리키는 말.
ты
Употребляется при указании на собеседника, если он является ровесником или человеком, младшим по возрасту или статусу.

• 의 : 앞의 말이 뒤의 말에 대하여 소유, 소속, 소재, 관계, 기원, 주체의 관계를 가짐을 나타내는 조사.
нет эквивалента
Частица, указывающая на то, что в предыдущем слове содержится значение собственности, принадлежности, сырья, источника, основы в отношении последующего.

• **제삿날 (имя существительное)** : 제사를 지내는 날.
день поминок; день жертвоприношения
День, когда справляют поминки.

• 이다 : 주어가 지시하는 대상의 속성이나 부류를 지정하는 뜻을 나타내는 서술격 조사.
нет эквивалента
Суффикс повествовательного падежа, выражающий смысл наименования свойства или разряда объекта, на который указывает подлежащее.

• -ㄴ 줄 : 어떤 사실이나 상태에 대해 알고 있거나 모르고 있음을 나타내는 표현.
нет эквивалента
Выражение, указывающее на наличие или отсутствие какого-либо знания, умения или навыка.

• **알다 (глагол)** : 교육이나 경험, 생각 등을 통해 사물이나 상황에 대한 정보 또는 지식을 갖추다.
знать
Владеть информацией или знаниями о предметах или ситуации через обучение, опыт, размышление и т.п.

• -고 : 앞의 말이 나타내는 행동이나 그 결과가 뒤에 오는 행동이 일어나는 동안에 그대로 지속됨을 나타내는 연결 어미.
нет эквивалента
Соединительное окончание предиката, указывающее на продолжение действия, описанного в первой части предложения, или на сохранение результата данного действия в течение времени выполнения действия, описанного во второй части предложения.

• **오다 (глагол)** : 무엇이 다른 곳에서 이곳으로 움직이다.
приходить; приезжать
Передвигаться с одного места в другое.

• -았- : 어떤 사건이 과거에 완료되었거나 그 사건의 결과가 현재까지 지속되는 상황을 나타내는 어미.
нет эквивалента
Окончание, указывающее на полное завершение какого-либо события в прошлом и сохранения данного результата до настоящего времени.

• -구나 : (아주낮춤으로) 새롭게 알게 된 사실에 어떤 느낌을 실어 말함을 나타내는 종결 어미.
нет эквивалента
(простой стиль) Финитное окончание, выражающее эмоциональную реакцию говорящего на обнаружение какого-либо факта.

흐느끼+는 남자+의 모습+을 보+ㄴ 택시 기사+는 순간 무섭(무서우)+었+는지 그냥
본 **무서웠는지**

도망가+[(아) 버리]+었+다.
도망가 버렸다

• **흐느끼다 (глагол)** : 몹시 슬프거나 감격에 겨워 흑흑 소리를 내며 울다.
рыдать
Громко плакать, преисполненным глубоким чувством, испытвая большую печаль.

• -는 : 앞의 말이 관형어의 기능을 하게 만들고 사건이나 동작이 현재 일어남을 나타내는 어미.
нет эквивалента
Окончание, которое указывает на действие или событие в настоящем, преобразуя впередистоящее слово, словосочетание или придаточное предложение в определение.

• **남자 (имя существительное)** : 남성으로 태어난 사람.
мужчина
Человек мужского пола.

• 의 : 앞의 말이 뒤의 말에 대하여 소유, 소속, 소재, 관계, 기원, 주체의 관계를 가짐을 나타내는 조사.
нет эквивалента
Частица, указывающая на то, что в предыдущем слове содержится значение собственности, принадлежности, сырья, источника, основы в отношении

• **모습 (имя существительное)** : 겉으로 드러난 상태나 모양.
облик; наружность; внешний вид; образ
Внешне проявляющееся состояние или форма.

• 을 : 동작이 직접적으로 영향을 미치는 대상을 나타내는 조사.
нет эквивалента
Частица, указывающая на объект, на который действие оказывает непосредственное влияние.

• **보다 (глагол)** : 눈으로 대상의 존재나 겉모습을 알다.
смотреть; осматривать; видеть
Направить взгляд, чтобы узнать о существовании или внешнем виде объекта.

• -ㄴ : 앞의 말이 관형어의 기능을 하게 만들고 사건이나 동작이 완료되어 그 상태가 유지되고 있음을 나타내는 어미.
нет эквивалента
Окончание, которое указывает на завершенное постоянное действие или событие, преобразуя впередистоящее слово, словосочетание или придаточное предложение в определение.

• **택시 (имя существительное)** : 돈을 받고 손님이 원하는 곳까지 태워 주는 일을 하는 승용차.
такси
Автомобиль для перевозки пассажиров до желаемого ими места с оплатой проезда.

• **기사 (имя существительное)** : 직업적으로 자동차나 기계 등을 운전하는 사람.
водитель
Человек, который профессионально водит автомобиль или машину.

• 는 : 문장 속에서 어떤 대상이 화제임을 나타내는 조사.
нет эквивалента
Частица, указывающая на то, что какой-либо объект является основной темой в предложении.

• **순간 (имя существительное)** : 어떤 일이 일어나거나 어떤 행동이 이루어지는 바로 그때.
момент
Промежуток времени, когда произошло какое-либо событие или было совершенно какое-либо действие.

• **무섭다 (имя прилагательное)** : 어떤 사람이나 상황이 대하기 어렵거나 피하고 싶다.
страшный
Вызывающий трудности в обращении или вызывающий желание избежать столкновения (о ком-либо, чём-либо).

• -었- : 어떤 사건이 과거에 완료되었거나 그 사건의 결과가 현재까지 지속되는 상황을 나타내는 어미.
нет эквивалента
Окончание, указывающее на полное завершение какого-либо события в прошлом и сохранения данного результата до настоящего времени.

• -는지 : 뒤에 오는 말의 내용에 대한 막연한 이유나 판단을 나타내는 연결 어미.
нет эквивалента
Соединительное предикативное окончание, указывающее на неопределённую причину или оценку говорящим того, о чём говорится во второй части предложения.

• **그냥 (наречие)** : 아무 것도 하지 않고 있는 그대로.
так
В таком виде, положении, состоянии, как есть.

• **도망가다 (глагол)** : 피하거나 쫓기어 달아나다.
убегать; удирать; обращаться в бегство
Удаляться откуда-либо бегством, чтобы не быть пойманным.

• -아 버리다 : 앞의 말이 나타내는 행동이 완전히 끝났음을 나타내는 표현.
нет эквивалента
Выражение, указывающее на исчерпывающую завершённость действия.

• -었- : 어떤 사건이 과거에 완료되었거나 그 사건의 결과가 현재까지 지속되는 상황을 나타내는 어미.
нет эквивалента
Окончание, указывающее на полное завершение какого-либо события в прошлом и сохранения данного результата до настоящего времени.

• -다 : 어떤 사건이나 사실, 상태를 서술함을 나타내는 종결 어미.
нет эквивалента
Финитное окончание, выражающее изложение события или факта в настоящем времени.

그때 여자+가 나오+며 하+는 말.

• **그때 (имя существительное)** : 앞에서 이야기한 어떤 때.
в то время; тогда
В какое-то время, о котором упоминалось ранее.

• **여자 (имя существительное)** : 여성으로 태어난 사람.
женщина
Человек женского пола.

• 가 : 어떤 상태나 상황에 놓인 대상이나 동작의 주체를 나타내는 조사.
нет эквивалента
Окончание, указывающее на объект какой-либо ситуации, состояния или на лицо, выполняющее какое-либо действие.

• **나오다 (глагол)** : 안에서 밖으로 오다.
выходить
Идти изнутри наружу.

• -며 : 두 가지 이상의 동작이나 상태가 함께 일어남을 나타내는 연결 어미.
нет эквивалента
Соединительное окончание предиката, указывающее на одновременность двух или более действий или состояний.

• **하다 (глагол)** : 다른 사람의 말이나 생각 등을 나타내는 문장을 받아 뒤에 오는 단어를 꾸미는 말.
нет эквивалента
Выражение, которое употребляется в косвенной речи, когда после выражения слов или мыслей другого человека добавляют собственные мысли или слова.

• -는 : 앞의 말이 관형어의 기능을 하게 만들고 사건이나 동작이 현재 일어남을 나타내는 어미.
нет эквивалента
Окончание, которое указывает на действие или событие в настоящем, преобразуя впередистоящее слово, словосочетание или придаточное предложение в определение.

• **말 (имя существительное)** : 생각이나 느낌을 표현하고 전달하는 사람의 소리.
голос
Звук воспроизводимый голосовыми связками при выражении мыслей, чувств и т.п.

여자 : 아빠, 나 <u>잘하+였+지</u>? 잘했지

• **아빠 (имя существительное)** : 격식을 갖추지 않아도 되는 상황에서 아버지를 이르거나 부르는 말.
папа
Слово, употребляемое при обращении к отцу или его упоминании в ситуации, не требующей соблюдения формальностей.

• **나 (местоимение)** : 말하는 사람이 친구나 아랫사람에게 자기를 가리키는 말.
я
Выражение, которым называют себя в разговоре с ровесниками или младшими людьми.

• **잘하다 (глагол)** : 좋고 훌륭하게 하다.
хорошо выполнять
Делать что-либо хорошо и замечательно.

• -였- : 어떤 사건이 과거에 완료되었거나 그 사건의 결과가 현재까지 지속되는 상황을 나타내는 어미.
нет эквивалента
Окончание, указывающее на полное завершение какого-либо события в прошлом и сохранения данного результата до настоящего времени.

• -지 : (두루낮춤으로) 말하는 사람이 듣는 사람에게 친근함을 나타내며 물을 때 쓰는 종결 어미.
нет эквивалента
(нейтральный стиль) Финитное окончание предиката, показывающее доверительный тон в разговоре между говорящим и слушающим.

남자 : 오냐, 다음+부터+는 모범택시+를 타+[도록 하]+여라.
타도록 해라

• **오냐 (восклицание)** : 아랫사람의 물음이나 부탁에 긍정하여 대답할 때 하는 말.
хорошо
Положительный ответ на вопрос или просьбу нижестоящего человека.

• **다음 (имя существительное)** : 이번 차례의 바로 뒤.
следующий
Идущий сразу за данным.

• 부터 : 어떤 일의 시작이나 처음을 나타내는 조사.
нет эквивалента
Окончание, указывающее на начало какой-либо области или какого-либо события.

• 는 : 문장 속에서 어떤 대상이 화제임을 나타내는 조사.
нет эквивалента
Частица, указывающая на то, что какой-либо объект является основной темой в предложении.

• **모범택시 (имя существительное)** : 일반 택시보다 시설이 좋고 더 나은 서비스를 제공하며 요금이 비싼 택시.

(букв.) образцовое такси

Такси с более высокой платой, более хорошим оборудованием и сервисом, чем в обычных такси.

• 를 : 동작이 직접적으로 영향을 미치는 대상을 나타내는 조사.

нет эквивалента

Частица, указывающая на объект, на который действие оказывает непосредственное влияние.

• **타다 (глагол)** : 탈것이나 탈것으로 이용하는 짐승의 몸 위에 오르다

садиться на что-либо; ехать на чём-либо

Подниматься на транспортное средство либо взбираться на животное, которое служит средством передвижения.

• -도록 하다 : 듣는 사람에게 어떤 행동을 명령하거나 권유할 때 쓰는 표현.

нет эквивалента

Выражение, употребляемое для побуждения собеседника к какому-либо действию.

• -여라 : (아주낮춤으로) 명령을 나타내는 종결 어미.

нет эквивалента

(простой стиль) Финитное окончание предиката, выражающее повеление.

< 15 단원(глава) >

제목 : 왜 아무런 응답이 없으신가요?

● 본문 (Основной текст)

한 남자가 퇴근한 후에 매일 교회에 가서 눈물을 흘리며 기도를 했다.

남자 : 하나님, 복권에 당첨되게 해 주세요.

하나님, 제발 복권에 한 번만 당첨되게 해 주세요.

그렇게 기도한 지 육 개월이 되었지만 남자의 소원은 이뤄지지 않았다.

남자는 너무나 지쳐서 하나님이 원망스러워지기 시작했다.

남자 : 이렇게까지 기도하는데 못 들은 척하시는 무심한 하나님, 정말 너무하세요.

제가 매일 밤 애원하며 기도했는데 왜 아무런 응답이 없으신가요?

그러자 보다 못해 답답한 하나님께서 남자에게 이렇게 말씀하셨다.

하나님 : 일단 복권을 사란 말이야.

● 발음 (произношение)

한 남자가 퇴근한 후에 매일 교회에 가서 눈물을 흘리며 기도를 했다.
한 남자가 퇴근한 후에 매일 교회에 가서 눈무를 흘리며 기도를 핻따.
han namjaga toegeunhan hue maeil gyohoee gaseo nunmureul heullimyeo gidoreul haetda.

남자 : 하나님, 복권에 당첨되게 해 주세요.
남자 : 하나님, 복꿔네 당첨되게 해 주세요.
namja : hananim, bokgwone dangcheomdoege hae juseyo.

하나님, 제발 복권에 한 번만 당첨되게 해 주세요.
하나님, 제발 복꿔네 한 번만 당첨되게 해 주세요.
hananim, jebal bokgwone han beonman dangcheomdoege hae juseyo.

그렇게 기도한 지 육 개월이 되었지만 남자의 소원은 이뤄지지 않았다.
그러케 기도한 지 육 개워리 되얻찌만 남자에 소워는 이뤄지지 아낟따.
geureoke gidohan ji yuk gaewori doeeotjiman namjaui(namjauie) sowoneun irwojiji anatda.

남자는 너무나 지쳐서 하나님이 원망스러워지기 시작했다.
남자는 너무나 지처서 하나니미 원망스러워지기 시자캗따.
namjaneun neomuna jicheoseo hananimi wonmangseureowojigi sijakaetda.

남자 : 이렇게까지 기도하는데 못 들은 척하시는 무심한 하나님, 정말 너무하세요.
남자 : 이러케까지 기도하는데 몯 드른 처카시는 무심한 하나님, 정말 너무하세요.
namja : ireokekkaji gidohaneunde mot deureun cheokasineun musimhan hananim, jeongmal neomuhaseyo.

제가 매일 밤 애원하며 기도했는데 왜 아무런 응답이 없으신가요?
제가 매일 밤 애원하며 기도핸는데 왜 아무런 응다비 업쓰신가요?
jega maeil bam aewonhamyeo gidohaenneunde wae amureon eungdabi eopseusingayo?

그러자 보다 못해 답답한 하나님께서 남자에게 이렇게 말씀하셨다.
그러자 보다 모태 답따판 하나님께서 남자에게 이러케 말씀하셛따.
geureoja boda motae dapdapan hananimkkeseo namjaege ireoke malsseumhasyeotda.

하나님 : 일단 복권을 사란 말이야.

하나님 : 일딴 복꿔늘 사란 마리야.

hananim : ildan bokgwoneul saran mariya.

● 어휘 (лексический запас) / 문법 (грамматика)

한 남자+가 퇴근하+ㄴ 후에 매일 교회+에 가+(아)서 눈물+을 흘리+며 기도+를 하+였+다.

남자 : 하나님, 복권+에 당첨되+게 하+여 주+세요.

하나님, 제발 복권+에 한 번+만 당첨되+게 하+여 주+세요.

그렇+게 기도하+ㄴ 지 육 개월+이 되+었+지만 남자+의 소원+은 이루어지+지 않+았+다.

남자+는 너무나 지치+어서 하나님+이 원망스럽(원망스러우)+어지+기 시작하+였+다.

남자 : 이렇+게+까지 기도하+는데 못 듣(들)+은 척하+시+는 무심하+ㄴ 하나님,

정말 너무하+세요.

제+가 매일 밤 애원하+며 기도하+였+는데 왜 아무런 응답+이 없+으시+ㄴ가요?

그리하+자 보+다 못하+여 답답하+ㄴ 하나님+께서 남자+에게 이렇+게 말씀하+시+었+다.

하나님 : 일단 복권+을 사+라는 말+이+야.

한 남자+가 퇴근하+ㄴ 후에 매일 교회+에 가+(아)서 눈물+을 흘리+며 기도+를 하+였+다. 퇴근한 후에 가서 했다

• **한 (атрибутивное слово)** : 여럿 중 하나인 어떤.
какой-то
Какой-либо.

• **남자 (имя существительное)** : 남성으로 태어난 사람.
мужчина
Человек мужского пола.

• 가 : 어떤 상태나 상황에 놓인 대상이나 동작의 주체를 나타내는 조사.
нет эквивалента
Окончание, указывающее на объект какой-либо ситуации, состояния или на лицо, выполняющее какое-либо действие.

• **퇴근하다 (глагол)** : 일터에서 일을 끝내고 집으로 돌아가거나 돌아오다.
уходить с работы
Возвращаться (домой) с места работы после завершения рабочего дня.

• -ㄴ 후에 : 앞에 오는 말이 나타내는 행동을 하고 시간적으로 뒤에 다른 행동을 함을 나타내는 표현.
после
Выражение, указывающее на то, некое действие следует во времени после совершения другого действия.

• **매일 (наречие)** : 하루하루마다 빠짐없이.
каждый день
Ежедневно, без пропуска.

• **교회 (имя существительное)** : 예수 그리스도를 구세주로 믿고 따르는 사람들의 공동체. 또는 그런 사람들이 모여 종교 활동을 하는 장소.
церковь
Община людей, верующих в Спасителя Иисуса Христа и следующих за ним. А также место проведения религиозных мероприятий.

• 에 : 앞말이 목적지이거나 어떤 행위의 진행 방향임을 나타내는 조사.
нет эквивалента
Окончание, указывающее на направленность какого-либо действия или цели.

• **가다 (глагол)** : 한 곳에서 다른 곳으로 장소를 이동하다.
ходить; уходить; идти
Передвигаться с одного места на другое.

• -아서 : 앞의 말과 뒤의 말이 순차적으로 일어남을 나타내는 연결 어미.
нет эквивалента
Соединительное окончание предиката, указывающее на последовательность действий.

• **눈물 (имя существительное)** : 사람이나 동물의 눈에서 흘러나오는 맑은 액체.
слёзы
Прозрачная жидкость, вытекающая из глаз у человека или животных.

• 을 : 동작이 직접적으로 영향을 미치는 대상을 나타내는 조사.
нет эквивалента
Частица, указывающая на объект, на который действие оказывает непосредственное влияние.

• **흘리다 (глагол)** : 몸에서 땀, 눈물, 콧물, 피, 침 등의 액체를 밖으로 내다.
Лить; проливать; пускать слюни
проливать пот, слёзы, сопли, кровь, слюни и т.п.

• -며 : 두 가지 이상의 동작이나 상태가 함께 일어남을 나타내는 연결 어미.
нет эквивалента
Соединительное окончание предиката, указывающее на одновременность двух или более действий или состояний.

• **기도 (имя существительное)** : 바라는 바가 이루어지도록 절대적 존재 혹은 신앙의 대상에게 비는 것.
молитва
Обращение к Богу, святым с просьбой помочь в исполнении, достижении чего-либо желаемого.

• 를 : 동작이 직접적으로 영향을 미치는 대상을 나타내는 조사.
нет эквивалента
Частица, указывающая на объект, на который действие оказывает непосредственное влияние.

• **하다 (глагол)** : 어떤 행동이나 동작, 활동 등을 행하다.
делать
Выполнять какое-либо действие, движение, работу и т.п.

• -였- : 어떤 사건이 과거에 완료되었거나 그 사건의 결과가 현재까지 지속되는 상황을 나타내는 어미.
нет эквивалента
Окончание, указывающее на полное завершение какого-либо события в прошлом и сохранения данного результата до настоящего времени.

• -다 : 어떤 사건이나 사실, 상태를 서술함을 나타내는 종결 어미.
нет эквивалента
Финитное окончание, выражающее изложение события или факта в настоящем времени.

남자 : 하나님, 복권+에 당첨되+[게 하]+[여 주]+세요. 당첨되게 해 주세요

• **하나님 (имя существительное)** : 기독교에서 믿는 신을 개신교에서 부르는 이름.
Бог; Господь
Имя, которым в христианстве называют Бога, в которого веруют.

• **복권 (имя существительное)** : 적혀 있는 숫자나 기호가 추첨한 것과 일치하면 상금이나 상품을 받을 수 있게 만든 표.
лотерейный билет
Билет с изображением цифр или символов, при совпадении которых с цифрами или символами, установленных жеребьёвкой, вручается денежный приз или подарок.

• 에 : 앞말이 어떤 행위나 작용이 미치는 대상임을 나타내는 조사.
нет эквивалента
Окончание, указывающее на объект, подвергающийся влиянию какого-либо действия или процесса.

• **당첨되다 (глагол)** : 여럿 가운데 어느 하나를 골라잡는 추첨에서 뽑히다.
выигрывать
Побеждать в лотерее.

• -게 하다 : 다른 사람의 어떤 행동을 허용하거나 허락함을 나타내는 표현.
нет эквивалента
Выражение, указывающее на разрешение, допущение какого-либо действия другого лица.

• -여 주다 : 남을 위해 앞의 말이 나타내는 행동을 함을 나타내는 표현.
нет эквивалента
Выражение, указывающее на то, что описанное действие выполняется в интересах другого лица.

• -세요 : (두루높임으로) 설명, 의문, 명령, 요청의 뜻을 나타내는 종결 어미.
нет эквивалента
(нейтрально-вежливый стиль) Финитное окончание предиката в повествовательном, вопросительном или побудительном предложении.

남자 : 하나님, 제발 복권+에 한 번+만 당첨되+[게 하]+[여 주]+세요.
당첨되게 해 주세요

- **하나님 (имя существительное)** : 기독교에서 믿는 신을 개신교에서 부르는 이름.
  Бог; Господь
  Имя, которым в христианстве называют Бога, в которого веруют.

- **제발 (наречие)** : 간절히 부탁하는데.
  пожалуйста; ради бога; убедительно прошу
  Настоятельно упрашивая.

- **복권 (имя существительное)** : 적혀 있는 숫자나 기호가 추첨한 것과 일치하면 상금이나 상품을 받을 수 있게 만든 표.
  лотерейный билет
  Билет с изображением цифр или символов, при совпадении которых с цифрами или символами, установленных жеребьёвкой, вручается денежный приз или подарок.

- 에 : 앞말이 어떤 행위나 작용이 미치는 대상임을 나타내는 조사.
  нет эквивалента
  Окончание, указывающее на объект, подвергающийся влиянию какого-либо действия или процесса.

- **한 (атрибутивное слово)** : 하나의.
  нет эквивалента
  Один.

- **번 (имя существительное)** : 일의 횟수를 세는 단위.
  раз
  Зависимое существительное для счёта количества дел.

- 만 : 다른 것은 제외하고 어느 것을 한정함을 나타내는 조사.
  только; просто; исключительно; единственно
  Частица, указывающая на ограничение в чём-либо и исключение чего-либо.

- **당첨되다 (глагол)** : 여럿 가운데 어느 하나를 골라잡는 추첨에서 뽑히다.
  выигрывать
  Побеждать в лотерее.

- -게 하다 : 다른 사람의 어떤 행동을 허용하거나 허락함을 나타내는 표현.
  нет эквивалента
  Выражение, указывающее на разрешение, допущение какого-либо действия другого лица.

• -여 주다 : 남을 위해 앞의 말이 나타내는 행동을 함을 나타내는 표현.
нет эквивалента
Выражение, указывающее на то, что описанное действие выполняется в интересах другого лица.

• -세요 : (두루높임으로) 설명, 의문, 명령, 요청의 뜻을 나타내는 종결 어미.
нет эквивалента
(нейтрально-вежливый стиль) Финитное окончание предиката в повествовательном, вопросительном или побудительном предложении.

그렇+게 기도하+[ㄴ 지] 육 개월+이 되+었+지만 남자+의 소원+은 이루어지+[지 않]+았+다. 기도한 지 이뤄지지 않았다

• **그렇다 (имя прилагательное)** : 상태, 모양, 성질 등이 그와 같다.
такой
Одинаковый с кем-либо, чем-либо (о состоянии, виде, характеристике и т.п.).

• -게 : 앞의 말이 뒤에서 가리키는 일의 목적이나 결과, 방식, 정도 등이 됨을 나타내는 연결 어미.
нет эквивалента
Соединительное окончание предиката, указывающее на то, описанное в первой части предложения действие или состояние является целью, результатом, образом действия, степенью и т.п. того, о чём говорится в последующей главной части предложения.

• **기도하다 (глагол)** : 바라는 바가 이루어지도록 절대적 존재 혹은 신앙의 대상에게 빌다.
молиться
Благодарить или просить помощи или исполнения желаний у некоего всемогущего существа.

• -ㄴ 지 : 앞의 말이 나타내는 행동을 한 후 시간이 얼마나 지났는지를 나타내는 표현.
нет эквивалента
Выражение, указывающее на промежуток времени после совершения действия, указанного в начале предложения.

• **육 (атрибутивное слово)** : 여섯의.
шесть
Шесть по количеству.

• **개월 (имя существительное)** : 달을 세는 단위.
месяц
Счётное слово для исчисления месяцев.

• 이 : 바뀌게 되는 대상이나 부정하는 대상임을 나타내는 조사.
нет эквивалента
Частица, указывающая на меняющийся или отрицаемый объект.

• **되다 (глагол)** : 어떤 때나 시기, 상태에 이르다.
становиться; наступать
Достичь какого-либа времени, периода, состояния.

• -었- : 어떤 사건이 과거에 완료되었거나 그 사건의 결과가 현재까지 지속되는 상황을 나타내는 어미.
нет эквивалента
Окончание, указывающее на полное завершение какого-либо события в прошлом и сохранения данного результата до настоящего времени.

• -지만 : 앞에 오는 말을 인정하면서 그와 반대되거나 다른 사실을 덧붙일 때 쓰는 연결 어미.
нет эквивалента
Соединительное окончание, при котором в оформленной им придаточной части содержится допущение либо признание некого факта, а в последующей главной части следует противоречащий или не соответствующий ему факт.

• **남자 (имя существительное)** : 남성으로 태어난 사람.
мужчина
Человек мужского пола.

• 의 : 앞의 말이 뒤의 말에 대하여 소유, 소속, 소재, 관계, 기원, 주체의 관계를 가짐을 나타내는 조사.
нет эквивалента
Частица, указывающая на то, что в предыдущем слове содержится значение собственности, принадлежности, сырья, источника, основы в отношении последующего.

• **소원 (имя существительное)** : 어떤 일이 이루어지기를 바람. 또는 바라는 그 일.
желание
Внутреннее стремление к осуществлению чего-либо.

• 은 : 문장 속에서 어떤 대상이 화제임을 나타내는 조사.
нет эквивалента
Частица, показывающая то, что какой-то объект является главной темой в предложении.

• **이루어지다 (глагол)** : 원하거나 뜻하는 대로 되다.
осуществляться; достигаться
Что-либо осуществляется так, как желалось.

• -지 않다 : 앞의 말이 나타내는 행위나 상태를 부정하는 뜻을 나타내는 표현.
нет эквивалента
Выражение, обозначающее отрицание какого-либо действия или состояния.

• -았- : 어떤 사건이 과거에 완료되었거나 그 사건의 결과가 현재까지 지속되는 상황을 나타내는 어미.
нет эквивалента
Окончание, указывающее на полное завершение какого-либо события в прошлом и сохранения данного результата до настоящего времени.

• -다 : 어떤 사건이나 사실, 상태를 서술함을 나타내는 종결 어미.
нет эквивалента
Финитное окончание, выражающее изложение события или факта в настоящем времени.

남자+는 너무나 지치+어서 하나님+이 원망스럽(원망스러우)+어지+기 시작하+였+다.
지쳐서 **원망스러워지기** **시작했다**

• **남자 (имя существительное)** : 남성으로 태어난 사람.
мужчина
Человек мужского пола.

• 는 : 문장 속에서 어떤 대상이 화제임을 나타내는 조사.
нет эквивалента
Частица, показывающая то, что какой-то объект является главной темой в предложении.

• **너무나 (наречие)** : (강조하는 말로) 너무.
нет эквивалента
(усилит.) Очень.

• **지치다 (глагол)** : 힘든 일을 하거나 어떤 일에 시달려서 힘이 없다.
устать; утомиться
Быть без сил из-за тяжелой работы, которую выполняешь, или измучиться от какой-либо работы.

• -어서 : 이유나 근거를 나타내는 연결 어미.
нет эквивалента
Соединительное окончание предиката, указывающее на причину или обоснование чего-либо.

• **하나님 (имя существительное)** : 기독교에서 믿는 신을 개신교에서 부르는 이름.
Бог; Господь
Имя, которым в христианстве называют Бога, в которого веруют.

• 이 : 어떤 상태나 상황의 대상이나 동작의 주체를 나타내는 조사.
нет эквивалента
Окончание, указывающее на объект какой-либо ситуации, состояния или на лицо, выполняющее какое-либо действие.

• **원망스럽다 (имя прилагательное)** : 마음에 들지 않아서 탓하거나 미워하는 마음이 있다.
относиться с неприязнью
Относиться с нелюбовью и осуждением ввиду того, что не нравится.

• -어지다 : 앞에 오는 말이 나타내는 상태로 점점 되어 감을 나타내는 표현.
нет эквивалента
Выражение, указывающее на постепенный переход к описанному состоянию.

• -기 : 앞의 말이 명사의 기능을 하게 하는 어미.
нет эквивалента
Окончание, позволяющее впередистоящему слову или выражению выполнять функцию имени существительного.

• **시작하다 (глагол)** : 어떤 일이나 행동의 처음 단계를 이루거나 이루게 하다.
начинать
Приступать впервые к осуществлению какого-либо дела или действия или осущетсвлять что-либо.

• -였- : 어떤 사건이 과거에 완료되었거나 그 사건의 결과가 현재까지 지속되는 상황을 나타내는 어미.
нет эквивалента
Окончание, указывающее на полное завершение какого-либо события в прошлом и сохранения данного результата до настоящего времени.

• -다 : 어떤 사건이나 사실, 상태를 서술함을 나타내는 종결 어미.
нет эквивалента
Финитное окончание, выражающее изложение события или факта в настоящем времени.

남자 : 이렇+게+까지 기도하+는데 못 듣(들)+[은 척하]+시+는 무심하+ㄴ **들은 척하시는 무심한** 하나님, 정말 너무하+세요.

• **이렇다 (имя прилагательное)** : 상태, 모양, 성질 등이 이와 같다.
быть таковым
Быть таким; быть следующим (о состоянии, виде, качестве и т.п.).

• -게 : 앞의 말이 뒤에서 가리키는 일의 목적이나 결과, 방식, 정도 등이 됨을 나타내는 연결 어미.
нет эквивалента
Соединительное окончание предиката, указывающее на то, описанное в первой части предложения действие или состояние является целью, результатом, образом действия, степенью и т.п. того, о чём говорится в последующей главной части предложения.

• 까지 : 정상적인 정도를 지나침을 나타내는 조사.
нет эквивалента
Окончание, указывающее на превышение обычной степени чего-либо.

• **기도하다 (глагол)** : 바라는 바가 이루어지도록 절대적 존재 혹은 신앙의 대상에게 빌다.
молиться
Благодарить или просить помощи или исполнения желаний у некоего всемогущего существа.

• -는데 : 뒤의 말을 하기 위하여 그 대상과 관련이 있는 상황을 미리 말함을 나타내는 연결 어미.
нет эквивалента
Соединительное окончание, вводящее некую предварительную информацию об объекте, о котором говорится в последующей части предложения.

• **못 (наречие)** : 동사가 나타내는 동작을 할 수 없게.
не [мочь]
Без возможности совершать какое-либо действие, выраженное глаголом.

• **듣다 (глагол)** : 다른 사람의 말이나 소리 등에 귀를 기울이다.
слушать; выслушивать; прислушиваться
Прислушиваться к словам или голосу другого человека.

• -은 척하다 : 실제로 그렇지 않은데도 어떤 행동이나 상태를 거짓으로 꾸밈을 나타내는 표현.
притворяться; делать вид
Выражение, обозначающее притворное действие или состояние.

• -시- : 어떤 동작이나 상태의 주체를 높이는 뜻을 나타내는 어미.
нет эквивалента
Гонорифический глагольный суффикс, указывающий на почтительное отношение к субъекту какого-либо состояния или действия.

• -는 : 앞의 말이 관형어의 기능을 하게 만들고 사건이나 동작이 현재 일어남을 나타내는 어미.
нет эквивалента
Окончание, которое указывает на действие или событие в настоящем, преобразуя впередистоящее слово, словосочетание или придаточное предложение в определение.

• **무심하다 (имя прилагательное)** : 어떤 일이나 사람에 대하여 걱정하는 마음이나 관심이 없다.
невнимательный; безразличный; равнодушный; безучастный
Не проявляющий внимания, заботы, беспокойства о ком-либо, чём-либо.

• -ㄴ : 앞의 말이 관형어의 기능을 하게 만들고 현재의 상태를 나타내는 어미.
нет эквивалента
Окончание, указывающее на состояние лица или предмета в настоящий момент, при котором впередистоящее слово, словосочетание или придаточное предложение выполняет функцию определения.

• **하나님 (имя существительное)** : 기독교에서 믿는 신을 개신교에서 부르는 이름.
Бог; Господь
Имя, которым в христианстве называют Бога, в которого веруют.

• **정말 (наречие)** : 거짓이 없이 진짜로.
действительно; вправду; честно
Правда, без лжи.

• **너무하다 (имя прилагательное)** : 일정한 정도나 한계를 넘어서 지나치다.
чрезмерный
Превышающий определённые границы, определённую степень и т.п.

• -세요 : (두루높임으로) 설명, 의문, 명령, 요청의 뜻을 나타내는 종결 어미.
нет эквивалента
(нейтрально-вежливый стиль) Финитное окончание предиката в повествовательном, вопросительном или побудительном предложении.

> **남자 : 제+가 매일 밤 애원하+며 기도하+였+는데 왜 아무런 응답+이**
> **기도했는데**
>
> **없+으시+ㄴ가요?**
> **없으신가요**

• **제 (местоимение)** : 말하는 사람이 자신을 낮추어 가리키는 말인 '저'에 조사 '가'가 붙을 때의 형태.
я
Форма, когда к '저' (вежливая форма '나') присоединяется падежное окончание '가'.

• 가 : 어떤 상태나 상황에 놓인 대상이나 동작의 주체를 나타내는 조사.
нет эквивалента
Окончание, указывающее на объект какой-либо ситуации, состояния или на лицо, выполняющее какое-либо действие.

• **매일 (наречие)** : 하루하루마다 빠짐없이.
каждый день
Ежедневно, без пропуска.

• **밤 (имя существительное)** : 해가 진 후부터 다음 날 해가 뜨기 전까지의 어두운 동안.
ночь
Тёмное время суток от захода до восхода солнца.

• **애원하다 (глагол)** : 요청이나 소원을 들어 달라고 애처롭게 사정하여 간절히 부탁하다.
просить; обращаться с просьбой; умолять
Настоятельно просить выслушать просьбу об исполнении желаний.

• -며 : 두 가지 이상의 동작이나 상태가 함께 일어남을 나타내는 연결 어미.
нет эквивалента
Соединительное окончание предиката, указывающее на одновременность двух или более действий или состояний.

• **기도하다 (глагол)** : 바라는 바가 이루어지도록 절대적 존재 혹은 신앙의 대상에게 빌다.
молиться
Благодарить или просить помощи или исполнения желаний у некоего всемогущего существа.

• -였- : 어떤 사건이 과거에 완료되었거나 그 사건의 결과가 현재까지 지속되는 상황을 나타내는 어미.
нет эквивалента
Окончание, указывающее на полное завершение какого-либо события в прошлом и сохранения данного результата до настоящего времени.

• -는데 : 뒤의 말을 하기 위하여 그 대상과 관련이 있는 상황을 미리 말함을 나타내는 연결 어미.
нет эквивалента
Соединительное окончание, вводящее некую предварительную информацию об объекте, о котором говорится в последующей части предложения.

• **왜 (наречие)** : 무슨 이유로. 또는 어째서.
почему; зачем
По какой причине.

• **아무런 (атрибутивное слово)** : 전혀 어떠한.
никакой
Совершенно ничего не представляющий.

• **응답 (имя существительное)** : 부름이나 물음에 답함.
ответ
Ответ на зов или вопрос.

• 이 : 어떤 상태나 상황의 대상이나 동작의 주체를 나타내는 조사.
нет эквивалента
Окончание, указывающее на объект какой-либо ситуации, состояния или на лицо, выполняющее какое-либо действие.

• **없다 (имя прилагательное)** : 어떤 사실이나 현상이 현실로 존재하지 않는 상태이다.
не быть
Состояние несуществования какого-либо факта или явления в действительности.

• -으시- : 높이고자 하는 인물과 관계된 소유물이나 신체의 일부가 문장의 주어일 때 그 인물을 높이는 뜻을 나타내는 어미.
нет эквивалента
Гоноирифический глагольный суффикс, указывающий на почтительное отношение к лицу в предложениях, где субъектом какого-либо состояния или действия является предмет, принадлежащий или относящийся к этому лицу.

• -ㄴ가요 : (두루높임으로) 현재의 사실에 대한 물음을 나타내는 종결 어미.
нет эквивалента
(нейтрально-вежливый стиль) Финитное окончание, выражающее вопрос в настоящем времени.

그리하+자	보+[다 못하]+여	답답하+ㄴ	하나님+께서 남자+에게 이렇+게	말씀하+시+었+다.
그러자	**보다 못해**	**답답한**		**말씀하셨다**

• **그리하다 (глагол)** : 앞에서 일어난 일이나 말한 것과 같이 그렇게 하다.
делать так
Делать что-либо именно таким образом, как было указанно или сказано ранее.

• -자 : 앞의 말이 나타내는 동작이 끝난 뒤 곧 뒤의 말이 나타내는 동작이 잇따라 일어남을 나타내는 연결 어미.
нет эквивалента
Соединительное окончание, показывающее то, что после завершения одного действия сразу происходит следующее.

• **보다 (глагол)** : 눈으로 대상의 존재나 겉모습을 알다.
смотреть; осматривать; видеть
Направить взгляд, чтобы узнать о существовании или внешнем виде объекта.

• -다 못하다 : 앞의 말이 나타내는 행동을 더 이상 계속할 수 없음을 나타내는 표현.
нет эквивалента
Выражение, указывающее на невозможность продолжения какого-либо действия.

• -여 : 앞에 오는 말이 뒤에 오는 말에 대한 원인이나 이유임을 나타내는 연결 어미.
нет эквивалента
Соединительное окончание, указывающее на то, что действие первой части предложения является причиной или основанием действия, описанного во второй части предложения.

• **답답하다 (имя прилагательное)** : 다른 사람의 태도나 상황이 마음에 차지 않아 안타깝다.
досадный
Вызывающий жалость; угнетающий.

• -ㄴ : 앞의 말이 관형어의 기능을 하게 만들고 현재의 상태를 나타내는 어미.
нет эквивалента
Окончание, указывающее на состояние лица или предмета в настоящий момент, при котором впередистоящее слово, словосочетание или придаточное предложение выполняет функцию определения.

• **하나님 (имя существительное)** : 기독교에서 믿는 신을 개신교에서 부르는 이름.
Бог; Господь
Имя, которым в христианстве называют Бога, в которого веруют.

• 께서 : (높임말로) 가. 이. 어떤 동작의 주체가 높여야 할 대상임을 나타내는 조사.
нет эквивалента
(вежл.) 가. 이. Частица, указывающая на необходимость возвышения объекта, являющегося субъектом какого-либо действия.

• **남자 (имя существительное)** : 남성으로 태어난 사람.
мужчина
Человек мужского пола.

• 에게 : 어떤 행동이 미치는 대상임을 나타내는 조사.
кому-, чему-либо
Окончание, указывающее на предмет, подвергающийся влиянию какого-либо действия.

• **이렇다 (имя прилагательное)** : 상태, 모양, 성질 등이 이와 같다.
быть таковым
Быть таким; быть следующим (о состоянии, виде, качестве и т.п.).

• -게 : 앞의 말이 뒤에서 가리키는 일의 목적이나 결과, 방식, 정도 등이 됨을 나타내는 연결 어미.
нет эквивалента
Соединительное окончание предиката, указывающее на то, описанное в первой части предложения действие или состояние является целью, результатом, образом действия, степенью и т.п. того, о чём говорится в последующей главной части предложения.

• **말씀하다 (глагол)** : (높임말로) 말하다.
говорить
(вежл.) Выражать свои мысли и чувства словами (о старших, вышестоящих людях).

• -시- : 어떤 동작이나 상태의 주체를 높이는 뜻을 나타내는 어미.
нет эквивалента
Гонорифический глагольный суффикс, указывающий на почтительное отношение к субъекту какого-либо состояния или действия.

• -었- : 어떤 사건이 과거에 완료되었거나 그 사건의 결과가 현재까지 지속되는 상황을 나타내는 어미.
нет эквивалента
Окончание, указывающее на полное завершение какого-либо события в прошлом и сохранения данного результата до настоящего времени.

• -다 : 어떤 사건이나 사실, 상태를 서술함을 나타내는 종결 어미.
нет эквивалента
Финитное окончание, выражающее изложение события или факта в настоящем времени.

하나님 : 일단 복권+을 <u>사+라는</u> 말+이+야. **사란**

• **일단 (наречие)** : 우선 먼저.
сначала
Прежде всего.

• **복권 (имя существительное)** : 적혀 있는 숫자나 기호가 추첨한 것과 일치하면 상금이나 상품을 받을 수 있게 만든 표.
лотерейный билет
Билет с изображением цифр или символов, при совпадении которых с цифрами или символами, установленных жеребьёвкой, вручается денежный приз или подарок.

• 을 : 동작이 직접적으로 영향을 미치는 대상을 나타내는 조사.
нет эквивалента
Частица, указывающая на объект, на который действие оказывает непосредственное влияние.

• **사다 (глагол)** : 돈을 주고 어떤 물건이나 권리 등을 자기 것으로 만들다.
покупать
Приобретать что-либо за деньги.

• -라는 : 명령이나 요청 등의 말을 인용하여 전달하면서 그 뒤에 오는 명사를 꾸며 줄 때 쓰는 표현.
нет эквивалента
Выражение, употребляемое при цитировании приказа или просьбы третьего лица, которое в предложении выполняет роль определения к последующему существительному.

• **말 (имя существительное)** : 다시 강조하거나 확인하는 뜻을 나타내는 말.
говорить
Выражение, указывающее на подтверждения или акцентирования ранее сказанных слов.

• 이다 : 주어가 지시하는 대상의 속성이나 부류를 지정하는 뜻을 나타내는 서술격 조사.

нет эквивалента

Суффикс повествовательного падежа, выражающий смысл наименования свойства или разряда объекта, на который указывает подлежащее.

• -야 : (두루낮춤으로) 어떤 사실에 대하여 서술하거나 물음을 나타내는 종결 어미.

нет эквивалента

(нейтральный стиль) Финитное окончание предиката в повествовательном или вопросительном предложении.

< 16 단원(глава) >

제목 : 왜 먹지 못하지요?

● 본문 (Основной текст)

요즘 국내에 반려동물을 키우는 사람들이 많아지면서 건강에 좋은 사료를 개발하는 회사들도 점점 늘어나고 있다.

올해 한 사료 회사에서 유기농 원료를 사용한 신제품 개발에 성공하여 투자자를 위한 모임을 개최하게 되었다.

직원 : 이것으로 신제품 사료에 대한 설명을 마치도록 하겠습니다.

지금부터는 투자자분들의 질문을 받도록 하겠습니다.

투자자 : 자세한 설명 잘 들었습니다.

그런데 혹시 그거 사람도 먹을 수 있습니까?

직원 : 사람은 못 먹습니다.

투자자 : 아니, 유기농 원료에 영양가 높고 위생적으로 만든 개 사료라면서

왜 먹지 못하지요?

직원 : 비싸서 절대 못 먹습니다.

● 발음 (произношение)

요즘 국내에 반려동물을 키우는 사람들이 많아지면서 건강에 좋은 사료를 개발하는 회사들도 점점
요즘 궁내에 발려동무를 키우는 사람드리 마나지면서 건강에 조은 사료를 개발하는 회사들도 점점
yojeum gungnaee ballyeodongmureul kiuneun saramdeuri manajimyeonseo geongange joeun saryoreul gaebalhaneun hoesadeuldo jeomjeom

늘어나고 있다.
느러나고 읻따.
neureonago itda.

올해 한 사료 회사에서 유기농 원료를 사용한 신제품 개발에 성공하여 투자자를 위한 모임을 개최하게
올해 한 사료 회사에서 유기농 월료를 사용한 신제품 개바레 성공하여 투자자를 위한 모이믈 개최하게
olhae han saryo hoesaeseo yuginong wollyoreul sayonghan sinjepum gaebare seonggonghayeo tujajareul wihan moimeul gaechoehage

되었다.
되얻따.
doeeotda.

직원 : 이것으로 신제품 사료에 대한 설명을 마치도록 하겠습니다.
지권 : 이거스로 신제품 사료에 대한 설명을 마치도록 하겓씀니다.
jigwon : igeoseuro sinjepum saryoe daehan seolmyeongeul machidorok hagetseumnida.

지금부터는 투자자분들의 질문을 받도록 하겠습니다.
지금부터는 투자자분드릐 질무늘 받또록 하겓씀니다.
jigeumbuteoneun tujajabundeurui(bundeure) jilmuneul batdorok hagetseumnida.

투자자 : 자세한 설명 잘 들었습니다.
투자자 : 자세한 설명 잘 드럳씀니다.
tujaja : jasehan seolmyeong jal deureotseumnida.

그런데 혹시 그거 사람도 먹을 수 있습니까?
그런데 혹씨 그거 사람도 머글 쑤 읻씀니까?
geureonde hoksi geugeo saramdo meogeul su itseumnikka?

직원 : 사람은 못 먹습니다.
지권 : 사라믄 몯 먹씀니다.
jigwon : sarameun mot meokseumnida.

투자자 : 아니, 유기농 원료에 영양가 높고 위생적으로 만든 개 사료라면서
투자자 : 아니, 유기농 월료에 영양까 놉꼬 위생저그로 만든 개 사료라면서
tujaja : ani, yuginong wollyoe yeongyangga nopgo wisaengjeogeuro mandeun gae saryoramyeonseo

왜 먹지 못하지요?
왜 먹찌 모타지요?
wae meokji motajiyo?

직원 : 비싸서 절대 못 먹습니다.
지권 : 비싸서 절때 몯 먹씀니다.
jigwon : bissaseo jeoldae mot meokseumnida.

● 어휘 (лексический запас) / 문법 (грамматика)

요즘 국내+에 반려동물+을 키우+는 사람+들+이 많아지+면서 건강+에 좋+은 사료+를 개발하+는 회사+들+도 점점 늘어나+고 있+다.

올해 한 사료 회사+에서 유기농 원료+를 사용하+ㄴ 신제품 개발+에 성공하+여 투자자+를 위하+ㄴ 모임+을 개최하+게 되+었+다.

직원 : 이것+으로 신제품 사료+에 대한 설명+을 마치+도록 하+겠+습니다.

지금+부터+는 투자자+분+들+의 질문+을 받+도록 하+겠+습니다.

투자자 : 자세하+ㄴ 설명 잘 듣(들)+었+습니다.

그런데 혹시 그거 사람+도 먹+을 수 있+습니까?

직원 : 사람+은 못 먹+습니다.

투자자 : 아니, 유기농 원료+에 영양가 높+고 위생적+으로 만들(만드)+ㄴ

개 사료+(이)+라면서 왜 먹+지 못하+지요?

직원 : 비싸+(아)서 절대 못 먹+습니다.

요즘 국내+에 반려동물+을 키우+는 사람+들+이 많아지+면서 건강+에 좋+은 사료+를 개발하+는 회사+들+도 점점 늘어나+[고 있]+다.

• **요즘 (имя существительное)** : 아주 가까운 과거부터 지금까지의 사이.
в последнее время; недавно; на днях
Промежуток от недалёкого прошлого до настоящего времени.

• **국내 (имя существительное)** : 나라의 안.
внутри страны; внутри государства; в стране; в государстве
Внутренняя часть страны.

• 에 : 앞말이 어떤 장소나 자리임을 나타내는 조사.
нет эквивалента
Окончание, указывающее на какое-либо место или пространство.

• **반려동물 (имя существительное)**
반려 (имя существительное) : 짝이 되는 사람이나 동물.
компаньон; партнёр
Человек или животное, являющийся парой для кого-либо.
동물 (имя существительное) : 사람을 제외한 길짐승, 날짐승, 물짐승 등의 움직이는 생물.
животное
Пресмыкающиеся, птицы, рыбы и др. живые самостоятельно передвигающиеся существа, кроме человека.

• 을 : 동작이 직접적으로 영향을 미치는 대상을 나타내는 조사.
нет эквивалента
Частица, указывающая на объект, на который действие оказывает непосредственное влияние.

• **키우다 (глагол)** : 동식물을 보살펴 자라게 하다.
растить; выращивать
Ухаживать за животным или растением.

• -는 : 앞의 말이 관형어의 기능을 하게 만들고 사건이나 동작이 현재 일어남을 나타내는 어미.
нет эквивалента
Окончание, которое указывает на действие или событие в настоящем, преобразуя впередистоящее слово, словосочетание или придаточное предложение в определение.

• **사람 (имя существительное)** : 생각할 수 있으며 언어와 도구를 만들어 사용하고 사회를 이루어 사는 존재.
человек
Живое существо, образующее общество и обладающее способностью мыслить, производить и использовать язык и орудия труда.

• 들 : '복수'의 뜻을 더하는 접미사.
нет эквивалента
Суффикс со значением множественного числа.

• 이 : 어떤 상태나 상황의 대상이나 동작의 주체를 나타내는 조사.
нет эквивалента
Частица, показывающая какое-либо состояние, объект ситуации или субъект действия.

• **많아지다 (глагол)** : 수나 양 등이 적지 아니하고 일정한 기준을 넘게 되다.
увеличиваться; становиться больше
Повышаться в количестве или числе, превышая определённый уровень.

• -면서 : 두 가지 이상의 동작이나 상태가 함께 일어남을 나타내는 연결 어미.
нет эквивалента
Соединительное окончание предиката, указывающее на одновременность двух или более действий или состояний.

• **건강 (имя существительное)** : 몸이나 정신이 이상이 없이 튼튼한 상태.
здоровье
Состояние организма, при котором правильно функционируют все его органы.

• 에 : 앞말이 무엇의 목적이나 목표임을 나타내는 조사.
нет эквивалента
Окончание, указывающее на цель или объект чего-либо.

• **좋다 (имя прилагательное)** : 어떤 것이 몸이나 건강을 더 나아지게 하는 성질이 있다.
нет эквивалента
Обладающий свойством по улучшению состояния тела или здоровья.

• -은 : 앞의 말이 관형어의 기능을 하게 만들고 현재의 상태를 나타내는 어미.
нет эквивалента
Окончание, которое указывает на состояние лица или предмета в настоящем, преобразуя впередистоящее слово, словосочетание или придаточное предложение в определение.

• **사료 (имя существительное)** : 집이나 농장 등에서 기르는 동물에게 주는 먹이.
корм; фураж
Еда для выращиваемых дома или на ферме животных.

• 를 : 동작이 직접적으로 영향을 미치는 대상을 나타내는 조사.
нет эквивалента
Частица, указывающая на объект, на который непосредственно распространяется влияние действия.

• **개발하다 (глагол)** : 새로운 물건을 만들거나 새로운 생각을 내놓다.
разрабатывать;развивать; создавать
Изобретать или придумывать что-либо новое.

• -는 : 앞의 말이 관형어의 기능을 하게 만들고 사건이나 동작이 현재 일어남을 나타내는 어미.
нет эквивалента
Окончание, которое указывает на действие или событие в настоящем, преобразуя впередистоящее слово, словосочетание или придаточное предложение в определение.

• **회사 (имя существительное)** : 사업을 통해 이익을 얻기 위해 여러 사람이 모여 만든 법인 단체.
компания; предприятие
Юридическая организация, объединяющая нескольких лиц, целью которых является получить выгоду, через ведение какого-либо бизнеса.

• 들 : '복수'의 뜻을 더하는 접미사.
нет эквивалента
Суффикс со значением множественного числа.

• 도 : 이미 있는 어떤 것에 다른 것을 더하거나 포함함을 나타내는 조사.
нет эквивалента
Частица, указывающая на прибавление или включение чего-либо во что-либо уже имеющееся.

• **점점 (наречие)** : 시간이 지남에 따라 정도가 조금씩 더.
постепенно; мало-помалу; понемногу; всё более и более
Понемногу с изменением хода времени.

• **늘어나다 (глагол)** : 부피나 수량이나 정도가 원래보다 점점 커지거나 많아지다.
увеличиться
Увеличение количества или объёма в сравнении с начальным состоянием.

• -고 있다 : 앞의 말이 나타내는 행동이 계속 진행됨을 나타내는 표현.
нет эквивалента
Выражение, указывающее на длительность действия.

• -다 : 어떤 사건이나 사실, 상태를 서술함을 나타내는 종결 어미.
нет эквивалента
Финитное окончание, выражающее изложение события или факта в настоящем времени.

올해 한 사료 회사+에서 유기농 원료+를 사용하+ㄴ 신제품 개발+에 성공하+여 투자자+를 위하+ㄴ
사용한 **위한**

모임+을 개최하+[게 되]+었+다.

• **올해 (имя существительное)** : 지금 지나가고 있는 이 해.
этот год
Год, который проходит в настоящий момент.

• **한 (атрибутивное слово)** : 여럿 중 하나인 어떤.
какой-то
Какой-либо.

• **사료 (имя существительное)** : 집이나 농장 등에서 기르는 동물에게 주는 먹이.
корм; фураж
Еда для выращиваемых дома или на ферме животных.

• **회사 (имя существительное)** : 사업을 통해 이익을 얻기 위해 여러 사람이 모여 만든 법인 단체.
компания; предприятие
Юридическая организация, объединяющая нескольких лиц, целью которых является получить выгоду, через ведение какого-либо бизнеса.

• 에서 : 앞말이 주어임을 나타내는 조사.
нет эквивалента
Окончание, указывающее на подлежащее.

• **유기농 (имя существительное)** : 화학 비료나 농약을 쓰지 않고 생물의 작용으로 만들어진 것만을 사용하는 방식의 농업.
органическое сельское хозяйство
Вид сельского хозяйства, использующий только экологически чистый метод взращивания культур, не используя какие-либо химикаты и пр. подобные удобрения.

• **원료 (имя существительное)** : 어떤 것을 만드는 데 들어가는 재료.
сырьё; материал; комплектующие (детали)
Материал, сырьё или детали, необходимые для изготовления чего-либо.

• 를 : 동작이 직접적으로 영향을 미치는 대상을 나타내는 조사.
нет эквивалента
Частица, указывающая на объект, на который непосредственно распространяется влияние действия.

• **사용하다 (глагол)** : 무엇을 필요한 일이나 기능에 맞게 쓰다.
использовать
Пользоваться чем-либо в соответствующих целях, нуждях.

• -ㄴ : 앞의 말이 관형어의 기능을 하게 만들고 사건이나 동작이 완료되어 그 상태가 유지되고 있음을 나타내는 어미.

нет эквивалента

Окончание, которое указывает на завершенное постоянное действие или событие, преобразуя впередистоящее слово, словосочетание или придаточное предложение в определение.

• **신제품 (имя существительное)** : 새로 만든 제품.

новый товар; новинка

Новый на рынке товар.

• **개발 (имя существительное)** : 새로운 물건을 만들거나 새로운 생각을 내놓음.

открытие; изобретение; разработка

Создание чего-либо нового или выдвижение новых мыслей.

• 에 : 앞말이 어떤 행위나 감정 등의 대상임을 나타내는 조사.

нет эквивалента

Окончание, указывающее на объект какого-либо действия, чувства и т.п.

• **성공하다 (глагол)** : 원하거나 목적하는 것을 이루다.

добиваться успеха; удаваться

Осуществлять желания или цели.

• -여 : 앞에 오는 말이 뒤에 오는 말에 대한 원인이나 이유임을 나타내는 연결 어미.

нет эквивалента

Соединительное окончание, указывающее на то, что действие первой части предложения является причиной или основанием действия, описанного во второй части предложения.

• **투자자 (имя существительное)** : 이익을 얻기 위해 어떤 일이나 사업에 돈을 대거나 시간이나 정성을 쏟는 사람.

инвестор

Человек, который вкладывает капитал, время и силы в какое-либо дело или бизнес с целью получения выгоды или прибыли.

• 를 : 동작이 직접적으로 영향을 미치는 대상을 나타내는 조사.

нет эквивалента

Частица, указывающая на объект, на который непосредственно распространяется влияние действия.

• **위하다 (глагол)** : 무엇을 이롭게 하거나 도우려 하다.

служить; ухаживать; заботиться

Делать что-то для пользы или в помощь кому-либо.

• -ㄴ : 앞의 말이 관형어의 기능을 하게 만들고 사건이나 동작이 완료되어 그 상태가 유지되고 있음을 나타내는 어미.
нет эквивалента
Окончание, которое указывает на завершенное постоянное действие или событие, преобразуя впередистоящее слово, словосочетание или придаточное предложение в определение.

• **모임 (имя существительное)** : 어떤 일을 하기 위하여 여러 사람이 모이는 일.
сбор; собрание; встреча
Собрание нескольких человек для выполнения какого-либо дела.

• 을 : 동작이 직접적으로 영향을 미치는 대상을 나타내는 조사.
нет эквивалента
Частица, указывающая на объект, на который действие оказывает непосредственное влияние.

• **개최하다 (глагол)** : 모임, 행사, 경기 등을 조직적으로 계획하여 열다.
открывать; проводить
Планировать и организовывать собрание, мероприятие, соревнование и т.п.

• -게 되다 : 앞의 말이 나타내는 상태나 상황이 됨을 나타내는 표현.
нет эквивалента
Выражение, указывающее на возникновение некой ситуации или достижение какого-либо состояния.

• -었- : 어떤 사건이 과거에 완료되었거나 그 사건의 결과가 현재까지 지속되는 상황을 나타내는 어미.
нет эквивалента
Окончание, указывающее на полное завершение какого-либо события в прошлом и сохранения данного результата до настоящего времени.

• -다 : 어떤 사건이나 사실, 상태를 서술함을 나타내는 종결 어미.
нет эквивалента
Финитное окончание, выражающее изложение события или факта в настоящем времени.

직원 : 이것+으로 신제품 사료+[에 대한] 설명+을 마치+[도록 하]+겠+습니다.

• **이것 (местоимение)** : 바로 앞에서 이야기한 대상을 가리키는 말.
это
Указывает на то, о чём только что говорилось.

• 으로 : 어떤 일의 방법이나 방식을 나타내는 조사.
нет эквивалента
Частица, указывающая на способ или метод для исполнения какой-либо работы.

• **신제품 (имя существительное)** : 새로 만든 제품.
новый товар; новинка
Новый на рынке товар.

• **사료 (имя существительное)** : 집이나 농장 등에서 기르는 동물에게 주는 먹이.
корм; фураж
Еда для выращиваемых дома или на ферме животных.

• 에 대한 : 뒤에 오는 명사를 수식하며 앞에 오는 명사를 뒤에 오는 명사의 대상으로 함을 나타내는 표현.
о; относительно; что касается
Выражение, являющееся обстоятельством к последующему имени существительному, которое указывает на то, что предыдущее существительное является объектом последующего существительного.

• **설명 (имя существительное)** : 어떤 것을 남에게 알기 쉽게 풀어 말함. 또는 그런 말.
объяснение; разъяснение; толкование
Изложение чего-либо с целью сделать ясным, понятным, известным.

• 을 : 동작이 직접적으로 영향을 미치는 대상을 나타내는 조사.
нет эквивалента
Частица, указывающая на объект, на который действие оказывает непосредственное влияние.

• **마치다 (глагол)** : 하던 일이나 과정이 끝나다. 또는 그렇게 하다.
кончать; заканчивать
Заканчивать дело или процесс, который выполнял.

• -도록 하다 : 말하는 사람이 어떤 행위를 할 것이라는 의지나 다짐을 나타내는 표현.
нет эквивалента
Выражение, употребляемое для передачи решимости или констатации намерения говорящего совершить какое-либо действие.

• -겠- : 완곡하게 말하는 태도를 나타내는 어미.
нет эквивалента
Суффикс глагола или прилагательного, употребляемый для смягчения категоричности высказывания.

• -습니다 : (아주높임으로) 현재의 동작이나 상태, 사실을 정중하게 설명함을 나타내는 종결 어미.
нет эквивалента
(формально-вежливый стиль) Финитное окончание предиката, употребляемое при описании события, действия или состояния в форме настоящего времени в ситуациях вежливого общения.

직원 : 지금+부터+는 투자자+분+들+의 질문+을 받+[도록 하]+겠+습니다.

• **지금 (имя существительное)** : 말을 하고 있는 바로 이때.
сейчас; теперь
Прямо в то время, когда говоришь.

• 부터 : 어떤 일의 시작이나 처음을 나타내는 조사.
нет эквивалента
Окончание, указывающее на начало какой-либо области или какого-либо события.

• 는 : 문장 속에서 어떤 대상이 화제임을 나타내는 조사.
нет эквивалента
Частица, указывающая на то, что какой-либо объект является основной темой в предложении.

• **투자자 (имя существительное)** : 이익을 얻기 위해 어떤 일이나 사업에 돈을 대거나 시간이나 정성을 쏟는 사람.
инвестор
Человек, который вкладывает капитал, время и силы в какое-либо дело или бизнес с целью получения выгоды или прибыли.

• 분 : '높임'의 뜻을 더하는 접미사.
нет эквивалента
Суффикс со значением "возвышение".

• 들 : '복수'의 뜻을 더하는 접미사.
нет эквивалента
Суффикс со значением множественного числа.

• 의 : 앞의 말이 뒤의 말에 대하여 소유, 소속, 소재, 관계, 기원, 주체의 관계를 가짐을 나타내는 조사.
нет эквивалента
Частица, указывающая на то, что в предыдущем слове содержится значение собственности, принадлежности, сырья, источника, основы в отношении последующего.

• **질문 (имя существительное)** : 모르는 것이나 알고 싶은 것을 물음.
вопрос; спрос; запрос
Вопрос о чем-либо, чего не знаешь или хочешь узнать.

• 을 : 동작이 직접적으로 영향을 미치는 대상을 나타내는 조사.
нет эквивалента
Частица, указывающая на объект, на который действие оказывает непосредственное влияние.

• **받다 (глагол)** : 요구나 신청, 질문, 공격, 신호 등과 같은 작용을 당하거나 그에 응하다.
получать
Получать требования, заявления, вопросы, нападение, сигнал или отвечать на них.

• -도록 하다 : 말하는 사람이 어떤 행위를 할 것이라는 의지나 다짐을 나타내는 표현.
нет эквивалента
Выражение, употребляемое для передачи решимости или констатации намерения говорящего совершить какое-либо действие.

• -겠- : 완곡하게 말하는 태도를 나타내는 어미.
нет эквивалента
Суффикс глагола или прилагательного, употребляемый для смягчения категоричности высказывания.

• -습니다 : (아주높임으로) 현재의 동작이나 상태, 사실을 정중하게 설명함을 나타내는 종결 어미.
нет эквивалента
(формально-вежливый стиль) Финитное окончание предиката, употребляемое при описании события, действия или состояния в форме настоящего времени в ситуациях вежливого общения.

투자자 : 자세하+ㄴ 설명 잘 듣(들)+었+습니다. **자세한 들었습니다**

• **자세하다 (имя прилагательное)** : 아주 사소한 부분까지 구체적이고 분명하다.
подробный; обстоятельный
Содержащий всё до мельчайших подробностей.

• -ㄴ : 앞의 말이 관형어의 기능을 하게 만들고 현재의 상태를 나타내는 어미.
нет эквивалента
Окончание, указывающее на состояние лица или предмета в настоящий момент, при котором впередистоящее слово, словосочетание или придаточное предложение выполняет функцию определения.

• **설명 (имя существительное)** : 어떤 것을 남에게 알기 쉽게 풀어 말함. 또는 그런 말.
объяснение; разъяснение; толкование
Изложение чего-либо с целью сделать ясным, понятным, известным.

• **잘 (наречие)** : 관심을 집중해서 주의 깊게.
нет эквивалента
Заинтересованно, внимательно.

• **듣다 (глагол)** : 다른 사람의 말이나 소리 등에 귀를 기울이다.
слушать; выслушивать; прислушиваться
Прислушиваться к словам или голосу другого человека.

• -었- : 어떤 사건이 과거에 완료되었거나 그 사건의 결과가 현재까지 지속되는 상황을 나타내는 어미.
нет эквивалента
Окончание, указывающее на полное завершение какого-либо события в прошлом и сохранения данного результата до настоящего времени.

• -습니다 : (아주높임으로) 현재의 동작이나 상태, 사실을 정중하게 설명함을 나타내는 종결 어미.
нет эквивалента
(формально-вежливый стиль) Финитное окончание предиката, употребляемое при описании события, действия или состояния в форме настоящего времени в ситуациях вежливого общения.

투자자 : 그런데 혹시 그거 사람+도 먹+[을 수 있]+습니까?

• **그런데 (наречие)** : 이야기를 앞의 내용과 관련시키면서 다른 방향으로 바꿀 때 쓰는 말.
а
Слово, используемое для установления связи с содержанием предыдущего разговора и смены темы разговора.

• **혹시 (наречие)** : 그러리라 생각하지만 분명하지 않아 말하기를 망설일 때 쓰는 말.
случайно
Выражение, используемое в случае, когда думаешь, что будет так, но сомневаешься сказать из-за неточности.

• **그거 (местоимение)** : 앞에서 이미 이야기한 대상을 가리키는 말.
это; то; этот; тот
Слово, указывающее на предмет или факт, упоминавшийся ранее.

• **사람 (имя существительное)** : 생각할 수 있으며 언어와 도구를 만들어 사용하고 사회를 이루어 사는 존재.

человек

Живое существо, образующее общество и обладающее способностью мыслить, производить и использовать язык и орудия труда.

• 도 : 이미 있는 어떤 것에 다른 것을 더하거나 포함함을 나타내는 조사.

нет эквивалента

Частица, указывающая на прибавление или включение чего-либо во что-либо уже имеющееся.

• **먹다 (глагол)** : 음식 등을 입을 통하여 배 속에 들여보내다.

есть; кушать

Принимать пищу во внутрь посредством ротовой полости.

• -을 수 있다 : 어떤 행동이나 상태가 가능함을 나타내는 표현.

иметь возможность сделать

Выражение, указывающее на возможность выполнения какого либо дела.

• -습니까 : (아주높임으로) 말하는 사람이 듣는 사람에게 정중하게 물음을 나타내는 종결 어미.

нет эквивалента

(формально-вежливый стиль) Финитное окончание, употребляемое при вежливом обращении с вопросом к слушающему.

직원 : 사람+은 못 먹+습니다.

• **사람 (имя существительное)** : 생각할 수 있으며 언어와 도구를 만들어 사용하고 사회를 이루어 사는 존재.

человек

Живое существо, образующее общество и обладающее способностью мыслить, производить и использовать язык и орудия труда.

• 은 : 문장 속에서 어떤 대상이 화제임을 나타내는 조사.

нет эквивалента

Частица, показывающая то, что какой-то объект является главной темой в предложении.

• **못 (наречие)** : 동사가 나타내는 동작을 할 수 없게.

не [мочь]

Без возможности совершать какое-либо действие, выраженное глаголом.

• **먹다 (глагол)** : 음식 등을 입을 통하여 배 속에 들여보내다.
есть; кушать
Принимать пищу во внутрь посредством ротовой полости.

• -습니다 : (아주높임으로) 현재의 동작이나 상태, 사실을 정중하게 설명함을 나타내는 종결 어미.
нет эквивалента
(формально-вежливый стиль) Финитное окончание предиката, употребляемое при описании события, действия или состояния в форме настоящего времени в ситуациях вежливого общения.

투자자 : 아니, 유기농 원료+에 영양가 높+고 위생적+으로 만들(만드)+ㄴ
만든

개 사료+(이)+라면서 왜 먹+[지 못하]+지요?
개 사료라면서

• **아니 (восклицание)** : 놀라거나 감탄스러울 때, 또는 의심스럽고 이상할 때 하는 말.
нет; не может быть
Слово, употребляющееся для выражения удивления, восхищения, сомнения или недоверия.

• **유기농 (имя существительное)** : 화학 비료나 농약을 쓰지 않고 생물의 작용으로 만들어진 것만을 사용하는 방식의 농업.
органическое сельское хозяйство
Вид сельского хозяйства, использующий только экологически чистый метод взращивания культур, не используя какие-либо химикаты и пр. подобные удобрения.

• **원료 (имя существительное)** : 어떤 것을 만드는 데 들어가는 재료.
сырьё; материал; комплектующие (детали)
Материал, сырьё или детали, необходимые для изготовления чего-либо.

• 에 : 앞말에 무엇이 더해짐을 나타내는 조사.
нет эквивалента
Окончание, указывающее на прибавление чего-либо.

• **영양가 (имя существительное)** : 식품이 가진 영양의 가치.
Питательная ценность; калорийность
уровень питательности какого-либо продукта питания.

• **높다 (имя прилагательное)** : 품질이나 수준 또는 능력이나 가치가 보통보다 위에 있다.
высокий
Находящийся выше среднего уровня
(о качестве, стандарте, способностях или ценностях).

• -고 : 두 가지 이상의 대등한 사실을 나열할 때 쓰는 연결 어미.
нет эквивалента
Соединительное окончание предиката, используемое при перечислении двух и более равноправных фактов.

• **위생적 (имя существительное)** : 건강에 이롭거나 도움이 되도록 조건을 갖춘 것.
санитарный; гигиеничный; гигиенический
Соответствие санитарным нормам, оказывающим положительное влияние на здоровье.

• 으로 : 어떤 일의 방법이나 방식을 나타내는 조사.
нет эквивалента
Частица, указывающая на способ или метод для исполнения какой-либо работы.

• **만들다 (глагол)** : 힘과 기술을 써서 없던 것을 생기게 하다.
создавать; формировать
Делать что-либо несуществовавшее до сих пор, используя силу и технологии.

• -ㄴ : 앞의 말이 관형어의 기능을 하게 만들고 사건이나 동작이 완료되어 그 상태가 유지되고 있음을 나타내는 어미.
нет эквивалента
Окончание, которое указывает на завершенное постоянное действие или событие, преобразуя впередистоящее слово, словосочетание или придаточное предложение в определение.

• **개 (имя существительное)** : 냄새를 잘 맡고 귀가 매우 밝으며 영리하고 사람을 잘 따라 사냥이나 애완 등의 목적으로 기르는 동물.
собака
Животное, выращиваемое для охоты или в качестве домашнего питомца, обладающее хорошим обонянием и слухом, очень сообразительное и преданное человеку.

• **사료 (имя существительное)** : 집이나 농장 등에서 기르는 동물에게 주는 먹이.
корм; фураж
Еда для выращиваемых дома или на ферме животных.

• 이다 : 주어가 지시하는 대상의 속성이나 부류를 지정하는 뜻을 나타내는 서술격 조사.
нет эквивалента
Суффикс повествовательного падежа, выражающий смысл наименования свойства или разряда объекта, на который указывает подлежащее.

• -라면서 : 듣는 사람이나 다른 사람이 이전에 했던 말이 예상이나 지금의 상황과 다름을 따져 물을 때 쓰는 표현.
нет эквивалента
Выражение, используемое в вопросительных предложениях с оттенком упрёка для указания на несоответствие нынешней ситуации информации, сказанной ранее другим человеком или собеседником.

• **왜 (наречие)** : 무슨 이유로. 또는 어째서.
почему; зачем
По какой причине.

• **먹다 (глагол)** : 음식 등을 입을 통하여 배 속에 들여보내다.
есть; кушать
Принимать пищу во внутрь посредством ротовой полости.

• -지 못하다 : 앞의 말이 나타내는 행동을 할 능력이 없거나 주어의 의지대로 되지 않음을 나타내는 표현.
нет эквивалента
Выражение, указывающее на неспособность совершить какое-либо действие или на отсутствие возможности выполнить что-либо согласно желанию субъекта.

• -지요 : (두루높임으로) 말하는 사람이 듣는 사람에게 친근함을 나타내며 물을 때 쓰는 종결 어미.
нет эквивалента
(нейтрально-вежливый стиль) Финитное окончание предиката, показывающее доверительный тон в разговоре между говорящим и слушающим.

직원 : <u>비싸+(아)서</u> 절대 못 먹+습니다.
비싸서

• **비싸다 (имя прилагательное)** : 물건값이나 어떤 일을 하는 데 드는 비용이 보통보다 높다.
дорогостоящий; дорогой
Иметь очень высокую стоимость, стоить больше, чем обычно.

• -아서 : 이유나 근거를 나타내는 연결 어미.
нет эквивалента
Соединительное окончание предиката, указывающее на причину или обоснование чего-либо.

• **절대 (наречие)** : 어떤 경우라도 반드시.
абсолютно; категорически
При любых обстоятельствах безусловно.

• **못 (наречие)** : 동사가 나타내는 동작을 할 수 없게.
не [мочь]
Без возможности совершать какое-либо действие, выраженное глаголом.

• **먹다 (глагол)** : 음식 등을 입을 통하여 배 속에 들여보내다.
есть; кушать
Принимать пищу во внутрь посредством ротовой полости.

• -습니다 : (아주높임으로) 현재의 동작이나 상태, 사실을 정중하게 설명함을 나타내는 종결 어미.
нет эквивалента
(формально-вежливый стиль) Финитное окончание предиката, употребляемое при описании события, действия или состояния в форме настоящего времени в ситуациях вежливого общения.

● 숫자 (цифра)

- 0 (영, 공) : ноль
- 1 (일, 하나) : один
- 2 (이, 둘) : два
- 3 (삼, 셋) : три
- 4 (사, 넷) : четыре
- 5 (오, 다섯) : пять
- 6 (육, 여섯) : шесть
- 7 (칠, 일곱) : семь
- 8 (팔, 여덟) : восемь
- 9 (구, 아홉) : Девять
- 10 (십, 열) : десять
- 20 (이십, 스물) : двадцать
- 30 (삼십, 서른) : тридцать
- 40 (사십, 마흔) : сорок
- 50 (오십, 쉰) : пятьдесят
- 60 (육십, 예순) : шестьдесят
- 70 (칠십, 일흔) : семьдесят
- 80 (팔십, 여든) : восемьдесят
- 90 (구십, 아흔) : Девяносто
- 100 (백) : Сто
- 1,000 (천) : тысяча
- 10,000 (만) : десять тысяч
- 100,000 (십만) : сто тысяч
- 1,000,000 (백만) : миллион
- 10,000,000 (천만) : десять миллионов
- 100,000,000 (억) : сто миллионов
- 1,000,000,000,000 (조) : триллион

● 시간 (время)

• **시 (имя существительное)** : 하루를 스물넷으로 나누었을 때 그 하나를 나타내는 시간의 단위.
час
Зависимое существительное для счёта времени при разделении его на 24 часа.

• **분 (имя существительное)** : 한 시간의 60분의 1을 나타내는 시간의 단위.
минута
Единица измерения времени, равная 1/60 часа.

• **초 (имя существительное)** : 일 분의 60분의 1을 나타내는 시간의 단위.
секунда
Единица измерения времени, равная 1/60 минуты.

• **새벽 (имя существительное)**
1) 해가 뜰 즈음.
заря
Время восхождения солнца.
2) 아주 이른 오전 시간을 가리키는 말.
рассвет
Очень раннее утро.

• **아침 (имя существительное)** : 날이 밝아올 때부터 해가 떠올라 하루의 일이 시작될 때쯤까지의 시간.
утро
Время суток, начинающееся примерно с восхода солнца, время начала дневных работ.

• **점심 (имя существительное)** : 하루 중에 해가 가장 높이 떠 있는, 아침과 저녁의 중간이 되는 시간.
полдень
Промежуток суток, когда солнце стоит высоко над горизонтом; промежуток времени от утра до вечера.

• **저녁 (имя существительное)** : 해가 지기 시작할 때부터 밤이 될 때까지의 동안.
вечер
Период между закатом и ночью.

• **낮 (имя существительное)**
1) 해가 뜰 때부터 질 때까지의 동안.
день
Часть суток от восхода до захода солнца.
2) 오후 열두 시가 지나고 저녁이 되기 전까지의 동안.
день
Промежуток времени от двенадцати часов дня до вечера.

• **밤 (имя существительное)** : 해가 진 후부터 다음 날 해가 뜨기 전까지의 어두운 동안.
ночь
Тёмное время суток от захода до восхода солнца.

• **오전 (имя существительное)**
1) 아침부터 낮 열두 시까지의 동안.
утро; первая половина дня
Время с утра до двенадцати часов дня.
2) 밤 열두 시부터 낮 열두 시까지의 동안.
утро
Время с двенадцати часов ночи до двенадцати часов дня.

• **오후 (имя существительное)**
1) 정오부터 해가 질 때까지의 동안.
время после полудня
Промежуток времени от середины дня (двенадцати часов) и до заката солнца.
2) 정오부터 밤 열두 시까지의 시간.
время после полудня
Время от двенадцати часов дня до двенадцати часов ночи.

• **정오 (имя существительное)** : 낮 열두 시.
полдень; двенадцать по полудни
12 часов дня.

• **자정 (имя существительное)** : 밤 열두 시.
полночь
12 часов ночи.

• **그저께 (имя существительное)** : 어제의 전날. 즉 오늘로부터 이틀 전.
позавчера
День перед вчерашним днём, то есть два дня назад.

• **어제 (имя существительное)** : 오늘의 하루 전날.
вчера
День, предшествующий сегодняшнему.

• **오늘 (имя существительное)** : 지금 지나가고 있는 이날.
сегодня
Этот текущий день.

• **내일 (имя существительное)** : 오늘의 다음 날.
завтра; завтрашний день
День, следующий после сегодняшнего.

• **모레 (имя существительное)** : 내일의 다음 날.
послезавтра
День, следующий за завтрашним.

• **하루 (имя существительное)** : 밤 열두 시부터 다음 날 밤 열두 시까지의 스물네 시간.
день; сутки
Промежуток времени от одной полуночи до другой равный 24 часам.

• **이틀 (имя существительное)** : 두 날.
нет эквивалента
Два дня.

• **사흘 (имя существительное)** : 세 날.
нет эквивалента
Три дня.

• **나흘 (имя существительное)** : 네 날.
нет эквивалента
Четыре дня.

• **닷새 (имя существительное)** : 다섯 날.
нет эквивалента
Пять дней.

• **엿새 (имя существительное)** : 여섯 날.
нет эквивалента
Шесть дней.

• **이레 (имя существительное)** : 일곱 날.
нет эквивалента
Семь дней.

• **여드레 (имя существительное)** : 여덟 날.
нет эквивалента
Восемь дней.

• **아흐레 (имя существительное)** : 아홉 날.
нет эквивалента
Девять дней.

• **열흘 (имя существительное)** : 열 날.
декада
Десять дней.

• **월요일 (имя существительное)** : 한 주가 시작되는 첫 날.
понедельник
Первый день недели.

• **화요일 (имя существительное)** : 월요일을 기준으로 한 주의 둘째 날.
вторник
Второй день недели, если считать с понедельника.

• **수요일 (имя существительное)** : 월요일을 기준으로 한 주의 셋째 날.
среда
Третий день недели после воскресенья, следующий за вторником.

• **목요일 (имя существительное)** : 월요일을 기준으로 한 주의 넷째 날.
четверг
Четвёртый день недели, начиная с понедельника.

• **금요일 (имя существительное)** : 월요일을 기준으로 한 주의 다섯째 날.
пятница
Пятый по счету день недели, если брать за стандарт понедельник.

• **토요일 (имя существительное)** : 월요일을 기준으로 한 주의 여섯째 날.
суббота
Шестой по счёту, начиная с понедельника, день недели.

• **일요일 (имя существительное)** : 월요일을 기준으로 한 주의 마지막 날.
воскресенье
Последний день недели, начинающейся с понедельника.

• **일주일 (имя существительное)** : 월요일부터 일요일까지 칠 일. 또는 한 주일.
неделя
Семь дней от понедельника до воскресенья. Одна неделя.

• **일월 (имя существительное)** : 일 년 열두 달 가운데 첫째 달.
январь
Первый по счёту месяц в году из двенадцати.

• **이월 (имя существительное)** : 일 년 열두 달 가운데 둘째 달.
февраль
Второй по счёту месяц в году из двенадцати.

• **삼월 (имя существительное)** : 일 년 열두 달 가운데 셋째 달.
март
Третий месяц в году.

• **사월 (имя существительное)** : 일 년 열두 달 가운데 넷째 달.
апрель
Четвёртый по счёту месяц в году.

• **오월 (имя существительное)** : 일 년 열두 달 가운데 다섯째 달.
май
Пятый месяц по порядку, из двенадцати месяцев в году.

• **유월 (имя существительное)** : 일 년 열두 달 가운데 여섯째 달.
июнь
Шестой месяц из двенадцати месяцев года.

• **칠월 (имя существительное)** : 일 년 열두 달 가운데 일곱째 달.
июль
Седьмой месяц календарного года.

• **팔월 (имя существительное)** : 일 년 열두 달 가운데 여덟째 달.
август
Восьмой месяц календарного года.

• **구월 (имя существительное)** : 일 년 열두 달 가운데 아홉째 달.
сентябрь
Девятый месяц календарного года.

• **시월 (имя существительное)** : 일 년 열두 달 중 열 번째 달.
октябрь
Десятый месяц из двенадцати месяцев в году.

• **십일월 (имя существительное)** : 일 년 열두 달 가운데 열한째 달.
ноябрь
Одиннадцатый месяц из двенадцати месяцев.

• **십이월 (имя существительное)** : 일 년 열두 달 가운데 마지막 달.
декабрь
Двенадцатый, последний месяц календарного года.

• **봄 (имя существительное)** : 네 계절 중의 하나로 겨울과 여름 사이의 계절.
весна
Сезон, следующий после зимы, когда погода становится теплее, пробиваются новые ростки и

• **여름 (имя существительное)** : 네 계절 중의 하나로 봄과 가을 사이의 더운 계절.
лето
Жаркий сезон, являющийся одним из четырёх времён года, которое следует за весной и перед осенью.

• **가을 (имя существительное)** : 네 계절 중의 하나로 여름과 겨울 사이의 계절.
осень
Одно из четырёх времен года, сменяющее лето и предшествующее зиме.

• **겨울 (имя существительное)** : 네 계절 중의 하나로 가을과 봄 사이의 추운 계절.
зима
Самое холодное время из четырёх времён года, между осенью и весной.

• **작년 (имя существительное)** : 지금 지나가고 있는 해의 바로 전 해.
прошлый год
Год, бывший ранее нынешнего года.

• **올해 (имя существительное)** : 지금 지나가고 있는 이 해.
этот год
Год, который проходит в настоящий момент.

• **내년 (имя существительное)** : 올해의 바로 다음 해.
следующий год
Год, наступающий непосредственно вслед за этим годом.

• **과거 (имя существительное)** : 지나간 때.
прошлое
Минувшие дни.

• **현재 (имя существительное)** : 지금 이때.
настоящее время; теперь; текущий момент; настоящее; данный момент
Время прямо сейчас.

• **미래 (имя существительное)** : 앞으로 올 때.
будущее; грядущее; будущее время
Дни, которые наступят позже.

< 참고(справка) 문헌(Библиография) >

고려대학교 한국어대사전, 고려대학교 민족문화연구원, 2009
우리말샘, 국립국어원, 2016
표준국어대사전, 국립국어원, 1999
한국어교육 문법 자료편, 한글파크, 2016
한국어 교육학 사전, 하우, 2014
한국어기초사전, 국립국어원, 2016
한국어 문법 총론 I, 집문당, 2015

HANPUK

유머로 배우는 한국어 русский язык(러시아어) перевод(번역)

발　행 | 2024년 7월 15일
저　자 | 주식회사 한글2119연구소
펴낸이 | 한건희
펴낸곳 | 주식회사 부크크
출판사등록 | 2014.07.15.(제2014-16호)
주　소 | 서울특별시 금천구 가산디지털1로 119 SK트윈타워 A동 305호
전　화 | 1670-8316
이메일 | info@bookk.co.kr

ISBN | 979-11-410-9530-7

www.bookk.co.kr